L'ÂME DU CHASSEUR

Deon Meyer

L'ÂME
DU CHASSEUR

roman

TRADUIT DE L'ANGLAIS
(AFRIQUE DU SUD)
PAR ESTELLE ROUDET

ÉDITIONS DU SEUIL
27, rue Jacob, Paris VIᵉ

COLLECTION DIRIGÉE
PAR ROBERT PÉPIN

Titre original : *The Heart of the Hunter*
Éditeur original : Little, Brown and Company
© 2002, by Deon Meyer
ISBN original : 0-316-93549-2

ISBN 2-02-063150-4

www.seuil.com

Pour Anita

1984

Il se tenait derrière l'Américain. Pratiquement collé à lui dans le métro bondé, l'esprit très loin de là, sur la côte du Transkei, où les vagues gigantesques viennent se briser dans un bruit de tonnerre.

Il se revoyait assis sur l'éperon rocheux d'où il contemplait la houle, sa progression linéaire à la surface de l'océan Indien, impressionné par ce long voyage solitaire qui s'achève en un déferlement sur les côtes accidentées du continent noir.

Entre deux lames règne un silence parfait, quelques secondes de calme absolu. Le moment est si tranquille qu'il entend les voix de ses ancêtres – Phalo et Rharhabe, Nquika et Maqoma, son sang, sa source, son refuge. Son heure venue, lorsqu'il sentira la lame effilée lui ôter la vie, c'est là qu'il retournera, il le sait. À ces moments suspendus entre deux fracas.

Il reprit peu à peu conscience, presque avec précaution. Vit qu'ils n'étaient plus qu'à quelques minutes de Saint-Michel. Pencha à demi la tête vers l'oreille de l'Américain. Ses lèvres, là, aussi proches que celles d'un amant.

– Tu sais où on va après la mort ? lui demanda-t-il d'une voix de basse, dans un anglais fortement teinté d'accent africain.

Son ennemi se ramassa sur lui-même, larges épaules voûtées, nuque contractée.

Il attendit calmement que l'homme se retourne dans la cohue compacte du wagon. Il attendit de voir ses yeux. C'était le moment auquel il aspirait. La confrontation, le défi qu'on lance.

Son instinct l'y poussait, c'était sa vocation, son accomplissement. Le guerrier venu des plaines d'Afrique, muscles bandés pour cet instant. Son cœur s'accéléra, la sève guerrière courut dans ses veines, la divine folie du combat prit possession de lui.

Le corps pivota en premier, sans hâte, puis ce fut la tête et enfin les yeux. Regard perçant du prédateur sans crainte, sûr de lui, amusé même, un sourire sur les lèvres minces. Étrange intimité, à quelques centimètres l'un de l'autre.

– Tu le sais ?

Pour toute réponse, regard fixe.

– Parce que c'est pour bientôt, Dorffling.

Le nom prononcé avec mépris, la déclaration de guerre sans appel pour dire qu'on connaît l'ennemi, qu'on a accepté la mission, étudié le dossier par cœur.

Aucune réaction dans les yeux d'amblyope. Le métro ralentit et s'arrêta à Saint-Michel.

– C'est là qu'on descend, dit-il.

L'Américain acquiesça et se mit en route. Il lui emboîta le pas. Ils débouchèrent à l'air libre, dans l'effervescence du Quartier latin un soir d'été. C'est alors que Dorffling se mit à courir. Le long du boulevard, vers la Sorbonne. La proie choisit toujours un territoire familier, il le savait. La tanière de Dorffling se trouvait tout près du Panthéon, avec son arsenal de lames, de garrots et d'armes à feu. Mais il ne s'était pas attendu à une dérobade. Il le croyait trop fier pour ça. Il n'en respecta que davantage l'ancien marine, devenu tueur à gages pour la CIA.

Il réagit d'instinct : la montée d'adrénaline, les longues jambes qui propulsent le corps puissant vers l'avant, en cadence, dix, douze pas derrière le fugitif. Des Parisiens tournèrent la tête, une peur atavique dans le regard. Un Blanc poursuivi par un Noir.

L'Américain s'engouffra dans la rue des Écoles et prit la rue Saint-Jacques. Ils se retrouvèrent dans les ruelles longeant l'université, déserte au mois d'août, sous l'œil ténébreux des bâtiments séculaires plongés dans une obscurité profonde.

Il allongea le pas, rattrapa Dorffling en quelques foulées assurées et le bouscula. L'Américain tomba sans bruit sur le trottoir, roula sur lui-même et se releva d'un mouvement agile, prêt au combat.

Il tendit la main par-dessus son épaule pour sortir la sagaie du fourreau bien calé au creux de son dos. Hampe courte, longue lame.

— Mayibuye, dit-il doucement.

— C'est quoi ce charabia, négro ?

Voix rauque, presque atone.

— Du xhosa, répondit-il, son claquement de langue se répercutant avec force sur les murs du passage.

Dorffling se déplaçait avec assurance, chaque mouvement de pied dicté par une vie entière d'entraînement. Observant, évaluant, jaugeant, ils tournèrent de plus en plus près l'un de l'autre en une danse de la mort cadencée. Puis ce fut l'attaque, d'une rapidité prodigieuse. Avant que le genou puisse atteindre son ventre, il avait enserré le cou de l'Américain de son bras et lui avait enfoncé la longue lame effilée dans la poitrine. Il le tint serré contre lui, ses yeux bleu pâle plongés dans les siens.

— Uhm-sing-gelli, dit le marine.

— Umzingeli, acquiesça-t-il en corrigeant la prononciation d'une voix douce et polie.

Par respect pour l'opération, l'absence de supplique, l'acceptation paisible de la mort. Il vit le regard s'éteindre peu à peu. Le cœur ralentit, la respiration saccadée se calma.

Il laissa le corps glisser par terre, sentit les muscles puissants du dos se relâcher et déposa doucement l'Américain sur le sol.

— Où vas-tu ? Tu le sais ?

Il essuya la sagaie sur le T-shirt de l'homme. La rengaina lentement dans le fourreau.

Puis il fit demi-tour.

Mars

I

Transcription de l'interrogatoire d'Ismail Mohammed par A.J.M. Williams. 17 mars, 17 h 52. Bureaux de la police sud-africaine, Gardens, Cape Town.

W : Vous vouliez parler à quelqu'un du Renseignement ?

M : Vous en faites partie ?

W : J'en fais partie, monsieur Mohammed.

M : Comment je peux en être sûr ?

W : Il faut me croire sur parole.

M : Ça ne suffit pas.

W : Que vous faut-il de plus, monsieur Mohammed ?

M : Vous avez de quoi me prouver votre identité ?

W : Vérifiez là-dessus si vous voulez.

M : Ministère de la Défense ?

W : Monsieur Mohammed, je représente les services de renseignements de l'État.

M : NIA[1] ?

W : Non.

M : Services secrets ?

W : Non.

M : Quoi alors ?

1. National Intelligence Agency, « Services de renseignements nationaux ». (NdT.)

W : Celui qui compte.

M : Le Renseignement militaire ?

W : Il doit y avoir un malentendu, monsieur Mohammed. D'après le message que j'ai reçu, vous avez des ennuis et vous aimeriez vous mettre à l'abri en nous fournissant certaines informations. C'est bien ça ?

[Inaudible.]

W : Monsieur Mohammed ?

M : Oui ?

W : C'est bien ça ?

M : Oui.

W : Vous avez bien déclaré aux policiers ne vouloir confier les informations en question qu'à un officier du Renseignement ?

M : Oui.

W : Eh bien, c'est le moment où jamais.

M : Comment je peux être certain qu'on n'est pas sur écoute ?

W : D'après la loi sur les procédures criminelles, la police doit vous informer de son intention d'enregistrer l'entretien.

M : Ah bon ?

W : Monsieur Mohammed, avez-vous quelque chose à me dire ?

M : Je veux l'immunité.

W : Ah.

M : Et je veux être sûr que tout ça reste entre nous.

W : Vous n'avez pas envie que le Pagad[1] apprenne que vous avez parlé ?

M : Je ne suis pas membre du Pagad.

W : Faites-vous partie des Musulmans contre les leaders illégitimes ?

M : Illégaux.

W : Faites-vous partie de ce mouvement ?

M : Je veux l'immunité.

W : Êtes-vous membre de la Qibla ?

[Inaudible.]

W : Je peux tenter de négocier en votre nom, monsieur Mohammed, mais sans la moindre garantie. Je crois comprendre que

---

1. « Peuple contre les gangsters et la drogue ». *(NdT.)*

les charges retenues contre vous sont accablantes. Si vos renseignements valent le coup, je ne peux que vous promettre de
faire de mon mieux...

M : Je veux des garanties.

W : Dans ce cas, nous allons devoir en rester là, monsieur Mohammed. Bonne chance au procès.

M : Donnez-moi simplement...

W : J'appelle les inspecteurs...

M : Attendez...

W : Au revoir, monsieur Mohammed.

M : Inkululeko.

W : Vous dites ?

M : Inkululeko.

W : Inkululeko ?

M : Il existe.

W : Je ne vois pas de quoi vous parlez.

M : Alors pourquoi vous rasseyez-vous ?

Octobre

II

Le jeune homme sortit la tête d'un taxi collectif et désigna Thobela Mpayipheli d'un doigt moqueur en riant de toutes ses dents blanches.

Lui savait pourquoi. Il avait assez vu son reflet dans les vitrines des magasins – un Noir imposant, grand et costaud, sur une minuscule Honda Benly qui broutait bravement sous son poids de toute la vaine puissance de ses 200 cm^3. Les genoux pratiquement sur le guidon, les bras démesurés à angle droit, le casque intégral incongrûment déséquilibré.

Quel tableau ! Une vraie caricature.

Sa gêne les premières semaines lorsque, en plus du reste, il avait dû apprendre à se servir de cet engin ! Quand il partait au travail ou rentrait à la maison à l'heure de pointe sur la N2 encombrée, il se sentait gauche et peu sûr de lui. Mais dès qu'il eut maîtrisé les bases, appris à éviter les camionnettes, les 4 × 4 et les bus, à se faufiler entre les véhicules, et compris comment tirer parti de la pitoyable cylindrée de sa machine, les gens qui le montraient du doigt en se moquant cessèrent de le déranger.

Ils finirent même par l'amuser : pendant qu'ils faisaient du surplace, frustrés et prisonniers des embouteillages, sa Benly et lui se frayaient un chemin en pétaradant parmi eux, le long des corridors qui s'ouvraient entre les files de voitures.

Direction Guguletu et Miriam Nzululwazi.

Et Pakamile qui le guettait au coin de la rue et courait à côté de lui sur les trente derniers mètres qui le séparaient de l'allée.

Silencieux, le visage aux yeux écarquillés empreint de la gravité de ses six ans, sérieux comme sa mère, il patientait jusqu'à ce que Thobela ait posé son casque et sa gamelle en fer-blanc et passé sa grande main dans ses cheveux en disant « Bonjour, Pakamile. » Alors, l'enfant l'entourait de ses bras et, moment d'enchantement quotidien, lui coulait un sourire qui le faisait chavirer. Puis il rentrait retrouver Miriam, déjà en train de cuisiner, laver ou faire le ménage. La grande femme mince, belle et solide l'embrassait en lui demandant comment s'était passée sa journée.

L'enfant attendait sagement qu'il ait fini de discuter et se soit changé. Alors seulement il prononçait la formule magique : « Allons jardiner. »

Pakamile et lui flânaient dans le jardin de derrière, inspectant et commentant la croissance des dernières vingt-quatre heures. Le maïs qui montait en épis, les haricots grimpants (« Lazy House-wife[1], qu'est-ce que tu insinues ? » demandait Miriam), les carottes, les pois, les courges musquées et les pastèques réparties dans les plates-bandes. On arrachait une carotte pour vérifier. « Trop petite. » Pakamile la rinçait ensuite pour la montrer à sa mère avant de croquer dans la racine orange vif. On faisait la chasse aux pucerons, examinait les feuilles pour détecter champignons ou maladies. C'était lui qui parlait. Pakamile acquiesçait avec sérieux et ingurgitait l'information en ouvrant de grands yeux.

— Ce gamin t'adore, lui disait-elle souvent.

Il le savait. Et l'adorait. Comme Miriam. Il les adorait tous les deux.

Mais il lui fallait d'abord venir à bout de la course d'obstacles que représentait l'heure de pointe, là, entre les taxis kamikazes, les 4×4 agressifs, les bus qui vomissaient leurs gaz d'échappement, les yuppies qui fonçaient au volant de leurs Audi en déboîtant sans regarder dans le rétroviseur et les pick-up déglingués et rouillés des *townships*.

D'abord le Pick'n Pay pour acheter le fongicide destiné aux courges musquées.

Puis la maison.

---

1. « Ménagère paresseuse », nom d'une marque de haricots. *(NdT.)*

Le directeur souriait. Janina Mentz ne l'avait jamais vu autrement.

— Quel genre de problème ?

— Johnny Kleintjes, monsieur le directeur, vous devriez écouter ceci.

Elle posa l'ordinateur portable sur son bureau.

— Asseyez-vous, Janina.

Il avait toujours un sourire chaleureux et amène et le regard bienveillant, comme s'il contemplait un enfant cher à son cœur. Comme il est petit, se dit-elle. Petit pour un Zoulou, petit pour de telles responsabilités. Mais impeccablement vêtu, chemise blanche en contraste criant sur sa peau noire, costume gris, l'expression même du bon goût. Rien à redire. Lorsqu'il s'asseyait ainsi, on voyait à peine la bosse, la légère malformation du dos et du cou. Mentz manipula le curseur sur l'écran pour relancer l'enregistrement.

— Johnny Kleintjes, reprit le directeur. Le vieux gredin en personne.

Il pianota sur le clavier. Un son grêle se fit entendre dans les haut-parleurs minuscules.

— *C'est vous Monica ?* Voix atone, mystérieuse.

— *Oui ?*

— *La fille de Johnny Kleintjes ?*

— *Oui.*

— *Alors je veux que vous m'écoutiez très attentivement. Votre papa a des petits ennuis.*

— *Quel genre d'ennuis ?* Inquiétude immédiate.

— *Disons simplement qu'il a fait des promesses qu'il n'a pas pu tenir.*

— *Qui êtes-vous ?*

— *Ça ne vous regarde pas. Mais j'ai un message pour vous. Vous m'écoutez ?*

— *Oui.*

— *Il est très important que vous me compreniez bien, Monica. Vous êtes calme ?*

— *Oui.*

Silence, pendant un instant. Mentz leva les yeux sur le directeur. Son regard était toujours aussi doux, son corps toujours aussi décontracté derrière l'immense bureau parfaitement rangé.

— *Votre papa dit qu'il y a un disque dur dans le coffre de son bureau.*

Silence.

— *Vous me comprenez, Monica ?*

— *Oui.*

— *Il dit que vous connaissez la combinaison du coffre.*

— *Oui.*

— *Bien.*

— *Où est mon père ?*

— *Il est ici. Avec moi. Et si vous ne coopérez pas, on le descend.*

Elle retint son souffle.

— *Je... s'il vous plaît.*

— *Restez calme, Monica. Si vous restez calme, vous pourrez le sauver.*

— *S'il vous plaît... qui êtes-vous ?*

— *Un homme d'affaires, Monica. Votre papa a essayé de me rouler. Maintenant, c'est à vous de rattraper le coup.*

Le directeur hocha la tête d'un air attristé.

— Aïe, aïe, aïe, Johnny, dit-il.

— *Vous le tuerez, de toute façon.*

— *Pas si vous coopérez.*

— *Pourquoi devrais-je vous croire ?*

— *Vous auriez le choix ?*

— *Non.*

— *Bien. On avance. Maintenant, vous allez jusqu'au coffre et vous en sortez le disque.*

— *Ne quittez pas.*

— *Je ne bouge pas.*

Crissements sur la ligne. Parasites.

— Quand cette conversation a-t-elle eu lieu, Janina ?

— Il y a une heure, monsieur le directeur.

— Vous avez fait vite, Janina. Bon travail.

– Merci, monsieur, mais c'est grâce à l'équipe de surveillance. Ils sont particulièrement efficaces.

– Ils ont appelé chez Monica ?

– Oui, monsieur.

– De quelles informations s'agit-il, à votre avis, Janina ?

– Monsieur, les possibilités ne seraient-elles pas immenses ?

Le directeur sourit d'un air compatissant. Les rides régulières au coin de ses yeux lui donnaient une certaine dignité.

– Mais nous devons nous attendre au pire ?

– Oui, monsieur. Nous devons nous attendre au pire.

Elle ne vit aucune panique. Juste du sang-froid.

– *Je... J'ai le disque.*

– *Merveilleux. Maintenant, il y a encore un problème, Monica.*

– *Quoi ?*

– *Vous êtes au Cap et pas moi.*

– *Je vais vous l'apporter.*

– *Vraiment ?* Rire étouffé.

– *Oui. Dites-moi seulement où.*

– *Je vais vous le dire, ma chère, mais je veux que vous sachiez quelque chose : je ne peux pas attendre éternellement.*

– *Je comprends.*

– *Je ne crois pas. Vous avez soixante-douze heures, Monica. Et la route est longue.*

– *Où dois-je l'apporter ?*

– *Vous êtes vraiment sûre ?*

– *Oui.*

Nouvelle pause, interminable.

– *Retrouvez-moi au Republican Hotel, Monica. Dans l'entrée. Dans soixante-douze heures.*

– *Le Republican Hotel ?*

– *À Lusaka, Monica. Lusaka, en Zambie.*

Ils l'entendirent inspirer profondément.

– *Vous avez compris ?*

– *Oui.*

– *Soyez à l'heure, Monica. Et ne faites pas de bêtises. Il n'est plus tout jeune, vous savez. Les hommes âgés meurent facilement.*

Fin de la conversation.

Le directeur hocha la tête.

– Ce n'est pas tout, dit-il.

Il avait compris.

– Non, monsieur.

Elle pianota de nouveau. Numéro composé, sonnerie.

– *Oui ?*

– *Pourrais-je parler à P'tit ?*

– *Qui est à l'appareil ?*

– *Monica.*

– *Attendez une minute.* (Voix assourdie, comme si on avait mis la main sur le combiné.) *Une des copines de P'tit qui le cherche.*

Nouvelle voix.

– *Qui êtes-vous ?*

– *Monica.*

– *P'tit ne travaille plus ici. Ça fait bientôt deux ans.*

– *Où est-ce que je peux le trouver ?*

– *Essayez à Mother City Motorrad. C'est en ville.*

– *Merci.*

– « P'tit » ? demanda le directeur.

– On y travaille, monsieur. Il n'y a rien sur la liste des numéros prioritaires. Celui qu'elle a appelé correspond à un certain Orlando Arendse. Inconnu, lui aussi. Mais on continue les recherches.

– Il y a encore autre chose.

Mentz acquiesça et remit l'appareil en route.

– *Motorrad.*

– *Pourrais-je parler à P'tit, s'il vous plaît ?*

– *P'tit ?*

– *Oui.*

– *Vous devez vous tromper de numéro.*

– *P'tit Mpayipheli ?*

– *Oh, Thobela. Il est déjà parti.*

– *Il faut que je le joigne, c'est urgent.*

– *Ne quittez pas.*

Froissements de papiers, jurons étouffés.

– *J'ai un numéro. Vous pouvez essayer. 555-7970.*

– *Merci infiniment.*

On avait déjà raccroché.

Nouvel appel.

— *Allô.*

— *Pourrais-je parler à P'tit Mpayipheli, s'il vous plaît ?*

— *P'tit ?*

— *Thobela ?*

— *Il n'est pas encore rentré.*

— *Vous l'attendez à quelle heure ?*

— *Qui est à l'appareil ?*

— *Je m'appelle Monica Kleintjes. Je… il connaît mon père.*

— *D'habitude, il arrive vers six heures moins le quart.*

— *Il faut que je lui parle. C'est très urgent. Pouvez-vous me donner votre adresse ? Il faut que je le voie.*

— *On habite à Guguletu. 21, Govan Mbeki.*

— *Merci.*

— On a une équipe qui suit la fille et une autre est en route pour Guguletu, monsieur. La maison appartient à une certaine Miriam Nzululwazi. C'était sans doute elle au téléphone. Nous allons tirer au clair ses relations avec Mpayipheli.

— Thobela Mpayipheli, également connu sous le nom de P'tit. Que comptez-vous faire, Janina ?

— D'après la filature, la fille se dirige vers l'aéroport. Elle va peut-être à Guguletu. Dès qu'on en est sûr, on vous l'amène.

Le directeur croisa ses mains délicates sur son bureau rutilant.

— Je veux que vous attendiez un peu.

— Bien, monsieur.

— Voyons comment les choses évoluent.

Elle acquiesça.

— Et vous devriez prévenir Mazibuko.

— Monsieur ?

— Vous me mettez l'UR dans un avion, Mentz. Rapide.

— Mais, monsieur… J'ai les choses en main.

— Je sais. J'ai une totale confiance en vous, mais quand on achète une Rolls Royce, il faut bien finir par l'essayer. Pour voir si ça valait le coup de faire autant de frais.

— Monsieur, l'Unité de réaction…

Il leva une main fine et menue en l'air.

– Même s'ils ne font rien, je crois que Mazibuko a besoin de s'aérer un peu. Et on ne sait jamais.

– Bien, monsieur.

– En plus, nous savons où vont les informations. Nous connaissons leur destination. C'est la situation idéale pour tester l'équipe sans prendre de risque. Environnement maîtrisé.

– Oui, monsieur.

– Ils peuvent être là dans… (il jeta un coup d'œil sur sa montre en acier chromé) cent quarante minutes.

– Je ferai ce que vous voulez, monsieur.

– Le centre opérationnel est en état de marche, non ?

– J'allais m'en occuper.

– C'est vous qui êtes à la barre, Janina. Je veux être tenu au courant, mais je m'en remets entièrement à vous.

– Merci, monsieur.

Il la testait. Elle et son équipe et Mazibuko et l'UR. Ça faisait longtemps qu'elle attendait ça.

III

Le garçon ne l'attendait pas au coin de la rue, l'inquiétude s'empara de Thobela Mpayipheli. Puis il aperçut le taxi devant la maison de Miriam. Une berline, pas un minibus – une Toyota Cressida surmontée du lumineux jaune « Taxis de la Péninsule », terriblement incongrue dans ces quartiers. Il remonta l'allée et mit pied à terre ou, plutôt, s'arracha prudemment à la machine, desserra les sangles qui maintenaient la gamelle en fer-blanc et le paquet de fongicide sur le siège derrière lui, les enroula avec soin et pénétra dans la maison. La porte d'entrée était grande ouverte.

Miriam se leva du fauteuil lorsqu'il entra. Il l'embrassa sur la joue, mais sentit qu'elle était tendue. Puis il vit l'autre femme dans la petite pièce, toujours assise.

– Mlle Kleintjes voulait te voir, lui dit Miriam.

Il posa son paquet, se tourna vers elle et lui tendit la main.

– Monica Kleintjes.

– Ravi de vous rencontrer.

Il ne pouvait attendre plus longtemps et regarda Miriam.

– Où est Pakamile ?

– Dans sa chambre. Je lui ai dit de t'y attendre.

– Je suis désolée, dit Monica Kleintjes.

– Que puis-je faire pour vous ?

Il l'observa. Un peu ronde, elle portait des vêtements amples et coûteux. Chemisier, jupe, bas et chaussures à talons plats. Il lutta pour ne pas laisser transparaître l'agacement dans sa voix.

– Je suis la fille de Johnny Kleintjes, reprit-elle. Je voudrais vous parler en privé.

Son cœur se serra. *Johnny Kleintjes*. Après toutes ces années. Miriam se raidit.

– Je vais à la cuisine.

– Non, dit-il. Je n'ai pas de secrets pour Miriam.

Mais celle-ci sortit de la pièce.

– Je suis vraiment désolée, répéta Monica Kleintjes.

– Qu'est-ce qu'il veut ?

– Il a des ennuis.

– Johnny Kleintjes, dit-il machinalement, les souvenirs remontant à la surface.

C'était lui que Johnny Kleintjes avait choisi. Ça tombait sous le sens.

– Je vous en prie, insista-t-elle.

Il reprit brusquement conscience du présent.

– Je dois d'abord dire bonjour à Pakamile, dit-il. J'en ai pour une minute.

Il traversa la cuisine. Debout près de la cuisinière, Myriam regardait dehors. Il lui toucha l'épaule, mais elle ne réagit pas. Il prit le petit couloir et ouvrit la porte de la chambre. Pakamile, allongé sur son lit avec un livre de classe, leva les yeux.

– Pas de jardinage aujourd'hui ?

– Bonjour, Pakamile.

– Bonjour, Thobela.

– Si, si. Quand j'aurai fini de parler avec notre visiteuse.

Le garçon acquiesça gravement.

– Tu as passé une bonne journée ?

– Ça va. À la pause, on a joué au foot.

– Tu as marqué ?

– Non. Y'a que les grands qui marquent.

– Mais tu en es un.

Pakamile se contenta de sourire.

– Je vais discuter avec notre invitée. Après, on ira jardiner.

Il caressa les cheveux du garçonnet et sortit. Son malaise allait grandissant. Johnny Kleintjes, c'était des problèmes en perspective et c'était par sa faute que ces problèmes étaient entrés dans cette maison.

Ils traversèrent le terrain de manœuvres du bataillon de parachutistes d'un pas martial et cadencé, Little Joe Moroka sur les talons du capitaine Mazibuko.

– C'est lui ? demanda Mazibuko en désignant un petit groupe.

Quatre Parabats[1] étaient assis à l'ombre généreuse d'un acacia. Un berger allemand, couché aux pieds du lieutenant trapu, tirait la langue et haletait dans la chaleur de Bloemfontein. Massif et confiant, l'animal.

– C'est lui, capitaine.

Mazibuko opina du chef et accéléra le mouvement, soulevant des nuages de poussière ocre à chaque pas. Les Bats, trois Blancs et un Noir, discutaient rugby, le lieutenant pérorant avec autorité. Mazibuko s'interposa brusquement entre eux et balança un grand coup de brodequin à bouts ferrés dans la gueule du chien qui poussa un glapissement et s'affala dans les jambes du sergent.

– Nom de Dieu ! s'écria le lieutenant, médusé.

– Il est à vous ? lança Mazibuko.

Le visage des soldats disait l'incrédulité la plus totale.

– Putain, pourquoi vous avez fait ça ?

Un filet de sang coulait du museau de l'animal. Il reposait contre les jambes du sergent, sonné. Mazibuko frappa à nouveau, au flanc cette fois. Le bruit des côtes qui se brisent fut couvert par les cris des quatre Parabats.

– Espèce de connard ! hurla le lieutenant en décochant un swing féroce qui atteignit Mazibuko à la nuque.

Ce dernier fit un pas en arrière. Il souriait.

– Vous êtes tous témoins. C'est le lieutenant qui a frappé le premier.

Puis il se mit en position, détendu, sans hâte. Un direct du droit pour détourner l'attention vers le haut. Un coup de pied

---

1. Nom donné au 1ᵉʳ bataillon de parachutistes sud-africains. *(NdT.)*

dans la rotule, atrocement précis. Le Parabat s'effondra en avant, Mazibuko en profitant pour lui coller son genou dans la figure. Le Blanc tournoya sur lui-même, le nez cassé et dégouttant de sang.

Mazibuko recula, bras détendus le long du corps.

— Ce matin, vous avez déconné avec un de mes hommes, lieutenant. (Du pouce, il lui montra Little Joe Moroka derrière lui). Vous avez lâché votre saloperie de clébard sur lui.

L'homme couvrait son nez sanguinolent d'une main, tandis que de l'autre il essayait de se redresser. Deux Bats se rapprochèrent. Le sergent s'agenouilla près du chien immobile.

— Euh…, dit le lieutenant en regardant sa main ensanglantée.

— *Personne* ne déconne avec mes hommes, lâcha Mazibuko.

— Il refusait de saluer, rétorqua le lieutenant sur un ton de reproche.

Il se leva en flageolant, sa chemise marron maculée de taches de sang plus sombres.

— Alors vous avez lâché le chien ? dit Mazibuko en s'avançant d'un pas décidé.

Le Parabat leva instinctivement les mains pour se protéger. Mazibuko le saisit au collet, le tira vers lui et lui flanqua un violent coup de tête dans le nez. L'homme s'écroula à nouveau. Des volutes de poussière rouge tourbillonnèrent dans le soleil de la mi-journée.

Le portable de Mazibuko se mit à gazouiller dans sa poche de poitrine.

— Bon Dieu, fit le sergent accroupi près de son compagnon, vous allez le tuer.

— Pas aujourd'hui…

La sonnerie du téléphone se fit plus forte, plus stridente.

— Personne ne touche à mes hommes.

Il déboutonna sa poche et enclencha le portable.

— Capitaine Mazibuko.

C'était la voix de Janina Mentz.

— Service commandé, capitaine. À dix-huit heures quinze, un Falcon 900 du 21e escadron se tiendra prêt à Bloemspruit. Confirmation, SVP.

– Confirmé, répondit-il sans quitter des yeux les deux Parabats encore debout, abasourdis et sans aucune envie de se battre.

– Dix-huit heures quinze. Bloemspruit, dit Mentz.

– Confirmé, répéta-t-il.

On avait raccroché. Il referma le portable et le glissa dans sa poche.

– Viens, Joe, dit-il. On a du boulot.

Il dépassa le sergent en écrasant la patte arrière gauche de l'animal. Pas de réaction.

– Mon père me l'a dit plus d'une fois... s'il devait jamais lui arriver quelque chose, je devais vous contacter parce que vous êtes la seule personne en qui il ait confiance.

Thobela Mpayipheli se contenta d'acquiescer. Elle parlait avec hésitation. À l'évidence, elle était extrêmement mal à l'aise, profondément consciente de son intrusion, du climat qu'elle avait instauré dans la maison.

– Et maintenant, il a fait une bêtise. Je... nous...

Elle cherchait les mots justes. Il percevait son angoisse, mais se refusait à la prendre en compte. Refusait de la laisser influer sur la vie qu'il s'était construite.

– Vous étiez au courant de ses activités après 92 ?

– J'ai vu votre père pour la dernière fois en 86.

– Ils... Il devait... tout était si confus à l'époque, après les élections. Ils lui ont demandé de reprendre du service... les Renseignements étaient difficiles à uniformiser. Il y avait deux ou trois départements différents et le régime de l'apartheid en possédait encore plus. Les gens refusaient de coopérer. Ils se couvraient, mentaient et se tiraient dans les pattes. Ça coûtait beaucoup plus que ce qu'ils avaient prévu. Il fallait regrouper les services. Y mettre de l'ordre. Le seul moyen, c'était de tout scinder en différents projets, de compartimenter. Alors ils l'ont chargé de rassembler tous les fichiers informatiques. C'était pratiquement impossible, il y en avait trop : il aurait fallu des années rien que pour traiter les données d'Infoplan à Pretoria, sans parler de Denel, de la police secrète, des services secrets, du Renseignement militaire et des services informatiques de l'ANC à Lusaka et à Londres, quatre ou cinq cents gigaoctets d'informations, depuis les renseignements personnels sur la population jusqu'aux armes, en passant par les informateurs et les agents doubles. Il devait s'occuper de tout, effacer ce qui risquait de poser problème et sauvegarder les choses utiles, créer une seule et unique plate-forme de données centralisée. Il... À l'époque, c'était moi qui tenais la maison, ma mère était malade. Ce qu'il découvrait le bouleversait complètement...

Elle se tut un moment puis sortit un mouchoir de son grand sac à main en cuir noir, comme pour se préparer.

– Il disait recevoir des ordres bizarres, des choses que Mandela et Nzo auraient désapprouvées et ça l'inquiétait. Au début, il ne savait pas quoi faire. Et un jour, il a décidé de copier certaines informations. Il avait peur, monsieur Mpayipheli. C'était une époque vraiment chaotique, vous comprenez, vraiment dangereuse. On essayait de lui mettre des bâtons dans les roues, certains tentaient de préserver leur carrière, d'autres de faire leur chemin. L'ANC d'un côté, les Blancs de l'autre. Alors il rapportait des trucs à la maison, sur des disques durs. Parfois, il travaillait dessus toute la nuit. Moi, je restais en dehors de tout ça. J'ai l'impression qu'il a...

Elle se tamponna le nez avec son mouchoir.

– Je ne sais pas ce qu'il y avait sur ces disques et je n'ai aucune idée de ce qu'il comptait en faire, reprit-elle. Mais, apparemment, il ne les a jamais rendus. On dirait qu'il essaie de vendre des renseignements. Et puis ils m'ont appelée et j'ai menti parce que...

– De vendre... ?

– Je...

– À qui ?

– Je ne sais pas.

Il y avait du désespoir dans sa voix – à cause du geste en lui-même ou de son père, il n'aurait su le dire.

– Pourquoi ?

– Pourquoi il a essayé de les vendre ? Je ne sais pas.

Il haussa les sourcils.

– Ils l'ont viré. Quand tout a été fini. Ils lui ont dit de prendre sa retraite. Je crois qu'il n'en avait pas envie. Il n'était pas prêt.

Il hocha la tête. Il y avait forcément autre chose.

– Monsieur Mpayipheli, je ne sais pas pourquoi il a fait ça. Depuis la mort de ma mère… J'habitais avec lui, mais j'avais ma vie à moi et je pense qu'il se sentait seul. J'ignore ce qui se passe dans la tête d'un vieil homme qui reste assis toute la journée à la maison à lire les journaux des Blancs. Un homme comme lui, qui a tenu un rôle de premier plan dans la Lutte et qu'on a mis à l'écart. Un homme qui a eu son heure de gloire. On le respectait, en Europe. Il était quelqu'un et maintenant il n'est plus rien. Il a peut-être eu envie de se remettre à jouer une dernière fois. Je savais qu'il était amer. Et usé. Mais je n'aurais jamais cru… Peut-être… pour qu'on fasse attention à lui ? Je ne sais pas. Je ne sais vraiment pas.

– Ces renseignements… Vous a-t-il expliqué ce qui le bouleversait pareillement ?

Mal à l'aise, elle se repositionna dans le fauteuil et détourna les yeux.

– Non. Il m'a seulement dit qu'il y avait des choses terribles…

– Terribles comment ?

Elle lui renvoya son regard sans répondre.

– Et maintenant ? demanda-t-il.

– Ils m'ont téléphoné. De Lusaka, je crois. Ils ont des disques, mais ça ne leur convient pas. Ils m'ont dit d'aller en chercher un autre dans le coffre de mon père.

Il la regarda droit dans les yeux. C'était donc ça.

– J'ai soixante-douze heures pour le leur remettre en mains propres. À Lusaka. Pas plus.

– Ça ne fait pas beaucoup.

– Non.

– Pourquoi perdez-vous votre temps en venant ici ?

– J'ai besoin de votre aide. Pour livrer le disque. Pour sauver mon père, parce qu'ils vont le tuer, quoiqu'il arrive. Et je… (elle souleva l'ourlet de sa longue jupe) je suis un peu lente… (il vit le bois et le métal, les prothèses) et pas très efficace.

Tiger Mazibuko, debout en tenue de camouflage et béret noir sous l'aile du *Condor*. Les pieds largement écartés et les mains dans le dos, il surveillait les douze hommes en train de charger les caisses de munitions.

Ça faisait trente-huit mois qu'il attendait ce moment. Plus de trois ans s'étaient écoulés depuis que Janina Mentz, dossier en main, était venue le chercher parmi les officiers de Reconnaissance, lui, un simple lieutenant.

— Vous êtes un dur, Mazibuko, mais l'êtes-vous assez ?

On avait du mal à la prendre au sérieux, bordel. Une nana. Une Blanche, entrée chez les Recces au pas de charge, bien trop sûre d'elle et qui faisait marcher tout le monde au doigt et à l'œil de sa voix douce. Et cette façon qu'elle avait de le manipuler.

— Il est grand temps que vous cessiez de vivre dans l'ombre de votre père, non ?

Mazibuko l'aurait suivie dès la première question. Tout le reste, c'était juste pour montrer qu'elle savait lire entre les lignes des dossiers officiels.

— Pourquoi moi ? avait-il néanmoins demandé dans l'avion qui les emmenait au Cap.

Mentz lui avait lancé un regard perçant.

— Mazibuko, vous le savez bien.

Il n'avait rien dit, mais s'était interrogé. Était-ce à cause de ses… talents ? Ou à cause de son père ? Il avait trouvé la réponse petit à petit dans la pile de dossiers (quarante-quatre) qu'il lui avait fallu compulser pour sélectionner les vingt-quatre membres de l'UR, l'Unité de réaction. Il avait commencé à comprendre ce que Mentz avait pressenti dès le début. En lisant les rapports et en interrogeant les gars, en les regardant droit dans les yeux et en y découvrant la brutalité. Et le désir d'y aller.

Ce qui les liait.

La haine de soi qui ne le quittait jamais avait enfin pris forme, était devenue *entité*.

— On est prêts capitaine, lança Da Costa.

Mazibuko s'écarta de l'aile de l'avion.

– On embarque. Au boulot.

Pour être prêts, ils l'étaient. Aussi prêts qu'on peut l'être après avoir passé presque trois ans à se forger le caractère. Quatre mois pour constituer l'équipe, pour les trier sur le volet l'un après l'autre. Pour séparer le bon grain de l'ivraie, encore et encore, jusqu'à ce qu'il n'en reste plus que vingt-quatre, deux groupes de douze, le nombre parfait pour « mon Unité de réaction », comme les appelait le directeur avec possessivité. C'est alors seulement que le véritable fignolage avait commencé.

Il referma la porte du Condor sur cette moitié des deux fois douze salopards. Les vingt-quatre oiseaux de malheur, les Ama-killa-killa et autres surnoms qu'ils s'étaient attribués durant les vingt-six mois où les meilleurs instructeurs que l'argent et la diplomatie pouvaient acheter les avaient pris en main et remode-lés, poussés au-delà des limites physiques et psychologiques sup-portables. La moitié d'entre eux – l'équipe Alpha – restait en alerte deux semaines d'affilée, pendant que les autres – l'équipe Bravo – peaufinaient leur savoir-faire. Puis on intervertissait les groupes et les seconds prenaient la relève. Mais ils étaient unis. Comme un seul homme. Unis par des liens indéfectibles. Le sang et la sueur, la dureté de l'entraînement physique. Et une dimension supplémentaire – un certain malaise psychologique, une psychose commune, une malédiction partagée.

Ils étaient assis dans l'avion et le regardaient, le visage rayon-nant d'excitation, de confiance aveugle et d'admiration absolue.

– On va leur botter le cul ! lança-t-il.

Ils rugirent, tous ensemble.

IV

*** CIA ***

RAPPORT DE SITUATION

À L'ATTENTION DE   Directeur adjoint (Moyen-Orient et Afrique),
                   QG CIA, Langley, Virginie

RÉDIGÉ PAR   Luke John Powell (chef régional, Afrique du
                   Sud), Capetown, Afrique du Sud

OBJET   Afrique du Sud, dix ans après

1. INTRODUCTION

Dix ans se sont écoulés depuis que le président de l'Afrique du Sud de
l'époque, F.W. De Klerk, fit le célèbre discours dans lequel il leva
l'interdiction qui frappait le mouvement de la Résistance noire de
l'African National Congress (ANC), libéra Nelson Mandela et négocia
le processus de transition vers le gouvernement de la majorité noire.

Après avoir remporté une victoire écrasante lors des premières élections véritablement démocratiques tenues dans le pays, l'ANC, avec
Mandela comme président, devint le parti dominant.

Mandela (*alias* « Madiba », comme on l'appelle affectueusement)
effectua un mandat de cinq ans jusqu'en 1999 et fut remplacé par
l'actuel président Thabo Mbeki, après une deuxième grande victoire
de l'ANC aux élections.

Malgré les énormes problèmes que sont un fort taux de chômage,
une criminalité galopante et une monnaie très fluctuante (le
rand), l'Afrique du Sud est économiquement et politiquement
stable, surtout dans le contexte de l'Afrique en général. Cela malgré ses onze langues et groupes culturels officiels (Xhosas, Zoulous, Tswanas, Sothos, Ndebeles et Afrikaners compris), ses neuf

provinces et capitales distinctes pour ce qui est de ses pouvoirs législatif, exécutif et judiciaire.

2. AGENCES DE RENSEIGNEMENTS

Après les élections de 1994, le gouvernement de l'ANC a dû faire face au gigantesque problème de l'intégration de trois forces militaires et agences de renseignement :

• *Structures militaires* : Les structures militaires suivantes se sont fondues dans la toute nouvelle South African National Defence Force, souvent avec difficulté, le but final étant atteint avec relativement de succès : la SADF, South African Defence Force, de l'ancien régime dirigé par les Blancs, l'aile militaire de l'ANC, le Umkhonto we Siswe (la « Lance de la Nation » en xhosa) et l'aile militaire du Pan African Congress (ou PAC, la deuxième organisation noire, et bien plus extrême, à s'être opposée à l'Apartheid), l'APLA ou African People's Liberation Army.

• *Structures du renseignement* : Bien moins visible et autrement plus rapide a été l'intégration de l'ancien NIS (ou National Intelligence Service) du régime blanc et des branches séparées du renseignement de l'ANC et de la PAC dans la toute nouvelle NIA (National Intelligence Agency), souvent appelée simplement « l'Agence » et responsable de la sécurité du territoire.

L'ancienne SIS (Secret Intelligence Service), *alias* SSS, ou State Security Service, est devenue le Secret Service d'Afrique du Sud et s'occupe du renseignement extérieur.

En outre, l'ancienne South African Police est devenue le South African Police Service et a absorbé l'ancienne Security Police.

Querelles internes et anciennes loyautés ont obligé le gouvernement de l'ANC à créer un nouvel organisme, le PIU, ou Presidential Intelligence Unit, à la fin des années quatre-vingt-dix. La fonction principale de ce PIU est de surveiller les autres organismes du renseignement, en plus de réunir des renseignements tant à l'étranger qu'à l'intérieur du pays.

À travers la vitre de la cuisine, ils apercevaient l'enfant dans le potager.

Je ne lui ai jamais dit que les hommes finissaient toujours par s'en aller. Il va s'en rendre compte tout seul.

— Je reviendrai, dit Mpayipheli.

Elle se contenta de hocher la tête.

— Miriam, je te jure…

— Surtout pas, rétorqua-t-elle.

— Je… c'est… j'ai une dette envers Johnny Kleintjes, Miriam…

Elle avait la voix douce. Comme toujours lorsqu'elle était en colère.

— Tu te souviens de ce que tu m'as dit ?

— Je m'en souviens.

— Et tu as dit, Thobela ?

— J'ai dit que je n'étais pas un déserteur.

— Et maintenant ?

— Ça ne prendra qu'un jour ou deux. Après, je rentre.

Elle hocha de nouveau la tête sous le coup d'un pressentiment.

— Je ne peux pas ne pas le faire.

— Tu ne peux pas ? Tu n'es pas obligé. Il suffit de dire non. Laisse-les se débrouiller tout seuls. Tu ne leur dois rien.

— J'ai une dette envers Johnny Kleintjes.

— Tu m'as dit que tu ne supportais plus ce genre de vie. Tu m'as dit que tu en avais fini avec ça.

Il soupira profondément, se détourna, lui fit de nouveau face en l'implorant des mains et de la voix.

— C'est vrai, je l'ai dit. Et je le pensais. Ça n'a pas changé. Tu as raison, je peux dire non. C'est un choix, mon choix. Et je dois faire le bon. Je dois faire ce qui est juste, Miriam, ce qui fait de moi un homme honorable. C'est une décision difficile à prendre. Ce sont toujours les décisions les plus difficiles.

Il vit qu'elle l'écoutait. Il aurait tellement voulu qu'elle comprenne !

— Ma dette envers Johnny Kleintjes est une dette d'homme à homme, une dette d'honneur. L'honneur, ce n'est pas seulement de veiller sur toi et sur Pakamile, de rentrer à la maison tous les soirs, de faire un travail honnête et pacifique. L'honneur, c'est aussi de payer ses dettes.

Elle garda le silence.

— Tu comprends ?

— Je ne veux pas te perdre.

Presque trop bas pour être audible.

– Et il ne peut pas se permettre de te perdre non plus, lui renvoya-t-elle en regardant le garçon dehors.

– Tu ne me perdras pas. Je te le promets. Je reviendrai. Plus vite que tu ne crois.

Elle se tourna vers lui, l'enlaça et le tint serré contre elle avec un désespoir violent.

– Plus vite que tu ne crois, répéta-t-il.

3. ANCIENNES FIDÉLITÉS

Pour comprendre l'état du Renseignement en Afrique du Sud il faut bien garder en mémoire les alliances qui s'étaient créées avant l'instauration de la « nouvelle Afrique du Sud » en 1992-1994.

• Le gouvernement de la minorité blanche incarnée par le National Party dans les années quatre-vingt travaillait en étroite collaboration avec le MI5 anglais et les services du Renseignement américain, à savoir la CIA.

Cette dernière agence prit part avec les anciens services du Renseignement militaire de la South African Defence Force à un certain nombre d'opérations anticommunistes en Angola, en Namibie, au Zimbabwe, en Tanzanie et au Mozambique. La CIA fournit aussi des renseignements au régime blanc de Pretoria pour l'aider dans la guerre qu'il menait contre les forces communistes soutenues par Cuba et l'ex-URSS et déployées en Angola à la fin des années soixante-dix.

• Alors en exil et sévèrement combattu par le gouvernement blanc de Pretoria, l'ANC était fortement soutenu aussi bien militairement que financièrement par l'ex-URSS, l'Allemagne de l'Est (KGB et Stasi), Cuba, la Libye, l'OLP et, à un degré moindre, par l'Irak et d'autres pays musulmans, tous pays et organismes avec lesquels il entretenait des relations suivies.

• Le PAC avait des liens plus étroits avec des extrémistes musulmans (notamment en Iran) et avec l'OLP.

4. LES EXTRÉMISTES MUSULMANS EN AFRIQUE DU SUD

Khalfan Khamis Mohammed, l'agent d'Al Qaida traqué par le FBI et la CIA après l'attentat contre l'ambassade américaine de Tanzanie, a été retrouvé à Cape Town où il se cachait en 1999.

L'Afrique du Sud n'est en aucune façon un pays musulman, mais on trouve chez les disciples de Mahomet dans la province occidentale du Cap une petite minorité d'extrémistes scindés en plusieurs fractions mais qui adhèrent toutes aux thèses d'Al Qaida.

• Les Musulmans contre les chefs illégaux (Mail, ou Muslim Against Illegal Leaders).

• La Qibla, terme qui désigne la direction que prend le ou la fidèle pour le salat, la prière pour l'Islam. Mouvement très à gauche, agressif et secret.

• Le Peuple contre la drogue et le gangstérisme (Pagad, ou People Against Drugs and Gangsterism). Groupe connu pour ses actions violentes contre les seigneurs de la drogue des Cape Flats qui, en plus de ne pas se cacher, ne représentent pas une grande menace.

La plus grande salle du sixième étage de Wale Street Chambers, connue sous le nom de Centre opérationnel, n'avait servi que huit fois en un an – pour des exercices de « fiabilité », terme utilisé par Mentz pour désigner les essais trimestriels durant lesquels elle testait les réseaux informatiques et le niveau de son équipe. Les douze écrans alignés contre le mur est étaient reliés au satellite analogique et numérique, à la télévision en circuit fermé ainsi qu'à un système de vidéo-conférence. Les six ordinateurs de bureau contre le mur nord étaient, eux, connectés par fibre optique au réseau local et à l'Internet. Près des portes à deux battants, sur le côté ouest, se trouvaient l'émetteur-récepteur radio numérique et le standard téléphonique – fixe et mobile –, comprenant dix-huit lignes sécurisées avec possibilité d'audio-conférences. Un écran de projection géant suspendu au plafond masquait le mur sud. La table ovale, prévue pour vingt personnes, occupait le centre de la pièce.

Les seize qui s'y trouvaient assis avaient la nette impression que cette convocation tardive n'était pas un exercice. L'atmosphère était électrique lorsque Janina Mentz entra. Ils la suivirent des yeux avec une impatience contenue. Il y avait déjà eu des fuites, certainement. Les préposés aux écoutes avaient laissé entendre avec condescendance, en acquiesçant vaguement, que quelque chose couvait, tandis que leurs collègues envieux ne pouvaient que se livrer à des supputations en usant de vieilles faveurs pour tenter d'obtenir des informations.

Voilà pourquoi les seize paires d'yeux étaient fixées sur elle. Par le passé, on s'était posé diverses questions sur elle, mais sans jamais les formuler. Au début, lorsque le directeur l'avait chargée de recruter l'équipe, ils avaient jaugé ses compétences, son aptitude à exercer l'autorité, parce qu'il s'agissait d'hommes, pour la plupart, d'hommes occupant des postes dans lesquels leur sexe régnait en maître. Ils l'avaient testée et s'étaient aperçus qu'un langage cru et un comportement grossier ne l'ébranlaient en rien, que l'agressivité la laissait froide et impassible et qu'un antiféminisme à peine voilé ne la faisait pas sortir de ses gonds. Petit à petit, ils avaient reconstitué son parcours afin de connaître leur nouveau maître. Elle avait grandi à la campagne, brillé à l'université, puis elle s'était lancée dans la politique, où elle avait lentement gravi les échelons du parti parce qu'elle était blanche et afrikaner. Elle s'était aussi mariée et avait divorcé en cours de route. Puis le directeur l'avait dénichée.

Ils la respectaient vraiment pour ce qu'elle avait accompli et pour la façon dont elle s'y était prise.

Voilà pourquoi elle pouvait entrer dans la pièce avec cette assurance tranquille. Elle jeta un coup d'œil à sa montre avant de lancer : « Bonsoir tout le monde ».

– Bonsoir, madame Mentz.

Un chœur jovial lui répondit, conformément au goût du directeur pour les convenances. Elle était détendue et contrôlait discrètement la situation.

Elle ramena sa jupe grise sous elle d'un geste adroit avant de prendre place au bout de la grande table, près de l'ordinateur portable connecté au projecteur vidéo. Qu'elle alluma.

– Pour commencer, que les choses soient claires ; dès à présent, le Centre opérationnel entre officiellement en action. Ceci n'est pas un exercice.

Un frémissement parcourut la salle.

– Qu'il n'y ait pas le moindre doute, c'est pour de bon. Nous avons travaillé dur pour en arriver là et c'est le moment de prouver de quoi nous sommes capables. Je compte sur vous.

Approbation enthousiaste.

Elle alluma l'ordinateur et lança Power Point.

– Cette photo a été prise il y a dix-neuf jours à l'entrée de l'ambassade américaine, pendant une surveillance de routine. L'homme qui en sort s'appelle Johnny Kleintjes. C'est un ancien dirigeant des services de renseignements pendant la Lutte. Il a étudié les mathématiques appliquées à l'Université du Cap, mais n'a jamais pu obtenir son diplôme à cause de son engagement politique, des lois de restriction et d'une pression importante exercée par la police secrète de l'ancien régime. Il est parti en exil en 1972, trop tard pour être un des *mgwenya*[1] des années soixante. Il s'est vite fait un nom auprès de l'ANC et du MK[2] à Londres. Marié en 1973. Entraîné par les Allemands de l'Est à Odessa à partir de 1976, il s'est spécialisé dans le Renseignement. C'est là qu'il a gagné le surnom de *Umthakathi*, le magicien, en raison de ses compétences en informatique. C'est lui qui a mis sur pied les réseaux de l'ANC à Londres, Lusaka et Quibaxe en Angola dans les années quatre-vingt et, plus important, c'est aussi lui qui a été chargé d'intégrer les systèmes informatiques et les bases de données de la Lutte à ceux du régime après 1995. Il a pris sa retraite en 1997, à soixante-deux ans, après le décès de sa femme, morte d'un cancer. Il partage une maison avec leur fille unique, Monica.

Elle leva les yeux. Elle les tenait en haleine.

– La question est la suivante, reprit-elle. Que faisait Johnny Kleintjes à l'ambassade américaine ? Et la réponse est : nous l'ignorons. Il a été mis sur écoute le soir-même.

Elle cliqua sur la souris. Autre photo en noir et blanc d'une jeune femme un peu forte debout devant la portière ouverte d'une voiture. Le grain indique que le cliché a été pris au téléobjectif.

– Voici Monica Kleintjes, la fille de Johnny Kleintjes. L'enfant d'exilés typique. Née en 1974 à Londres, elle a fait toute sa scolarité là-bas et y est restée jusqu'en 1995, afin de terminer ses études en informatique. En 1980, aux environs de Manchester, elle a été victime d'un accident de voiture qui lui a coûté les deux jambes.

1. « Pionniers ». *(NdT.)*
2. « Umkhonto we Sizwe ». *(NdT.)*

Elle est appareillée et refuse d'utiliser des béquilles ni aucune autre sorte d'aide. Elle travaille actuellement chez Sanlam et dirige le service de technologie appliquée. Le rêve de tout manager en quête de mesures antidiscriminatoires.

Elle pianota sur le clavier.

– Voici les principaux acteurs dont nous possédons les photos. Les conversations suivantes ont été enregistrées cet après-midi.

Comme tous les soirs, il était attablé dans la cuisine devant le grand atlas bleu et le *National Geographic*, en compagnie de Pakamile. Miriam se tenait toujours un peu en retrait sur sa chaise, ses travaux d'aiguille sur les genoux. Ce soir, ils exploraient le Chili et venaient de découvrir une île sur la côte ouest de l'Amérique du Sud, où le vent et la pluie avaient érodé les rochers de façon incroyable, où des plantes uniques au monde avaient créé un paradis artificiel d'où la vie animale était pratiquement exclue. Il lisait le texte en anglais, pour que l'enfant puisse se familiariser avec la langue, mais traduisait un paragraphe après l'autre en xhosa. Ils ouvrirent l'atlas et cherchèrent le Chili sur la carte du monde avant de tourner les pages pour trouver une carte plus détaillée du pays.

Ils ne lisaient jamais plus de deux pages à la fois car la concentration de Pakamile était très fluctuante, à moins que l'article ne parlât d'un serpent terrifiant ou d'un prédateur du même genre. Mais ce soir-là, il parvenait moins bien que d'habitude à capter son attention. Les yeux du garçonnet ne cessaient de revenir au sac de sport bleu posé près de la porte. Finalement, Mpayipheli renonça.

– Je dois partir un jour ou deux, Pakamile. J'ai un travail à faire. Pour aider un vieil ami.

– Tu vas où ?

– D'abord, tu dois me promettre de ne pas en parler.

– Pourquoi ?

– Parce que je veux faire une surprise à mon ami.

– C'est son anniversaire ?

– Quelque chose comme ça, oui.

— Je ne peux même pas en parler à Johnson ?

— Johnson risque d'en parler à son père et son père pourrait téléphoner à mon vieil ami. Ce sera un secret entre nous trois.

— Je ne dirai rien à personne.

— Tu sais où se trouve la Zambie sur la carte ?

— C'est dans… euh… Mpumalanga ?

En d'autres circonstances, Miriam aurait souri de la réponse hasardeuse de son fils. Pas ce soir.

— La Zambie est un pays, Pakamile. Je vais te montrer.

Mpayipheli feuilleta l'atlas jusqu'à une carte de l'Afrique australe.

— Nous, on est là, dit-il en pointant son doigt.

— Le Cap.

— Voilà. Et là-haut, c'est la Zambie.

— Comment tu vas y aller, Thobela ?

— Je vais prendre un avion jusqu'à Johannesburg. Après, j'en prendrai un autre qui va survoler le Zimbabwe ou peut-être le Botswana jusqu'en Zambie, jusqu'à Lusaka. C'est une grande ville, comme le Cap. C'est là qu'habite mon vieil ami.

— Il y aura un gâteau ? Et des boissons fraîches ?

— J'espère bien.

— Je veux venir avec toi.

Il rit en regardant Miriam. Elle se contenta de hocher la tête.

— Un jour, Pakamile, je t'emmènerai. C'est promis.

— C'est l'heure d'aller se coucher, dit Miriam.

— Quand est-ce que tu prends l'avion ?

— Bientôt… pendant que tu dormiras.

— Et tu reviens quand ?

— Dans deux nuits. Prends bien soin de ta mère, Pakamile. Et du potager.

— Promis. Tu me ramèneras un bout de gâteau ?

— L'inconnu, c'est Thobela Mpayipheli, enchaîna Janina Mentz. Nous ignorons pourquoi Monica Kleintjes est allée le voir. Vous avez entendu les conversations, il est aussi connu sous le surnom de « P'tit », travaille chez Mother City Motorrad, un concessionnaire de motos BMW et vit avec Miriam Nzululwazi, à Guguletu. Nous savons que c'est elle la propriétaire attitrée de la maison, mais rien de plus. Monica y est allée en taxi et y est restée un peu plus de quarante minutes avant de rentrer directement chez elle. Depuis, ni Mpayipheli ni Kleintjes n'ont bougé.

« Nous avons deux équipes devant chez elle et une à Guguletu. L'UR est partie de Bloemfontein et devrait atterrir à Ysterplaat d'un moment à l'autre. Ils y resteront jusqu'à ce que nous en sachions plus. Voilà comment les choses se présentent.

Elle éteignit le projecteur.

– Maintenant, il faut faire vite, reprit-elle. Radebe, nous n'avons qu'un seul homme à Lusaka. J'en veux quatre de plus. Expérimentés. Le bureau du Gauteng est le plus proche et ils ont suffisamment de personnel qualifié. De préférence deux hommes et deux femmes, pour pouvoir réserver au Republican Hotel comme n'importe quel couple. Discrètement et pas en même temps bien sûr, mais je vous laisse faire. Allumez vos téléphones. Quinn, il faut intercepter les appels pour les Nzululwazi à Guguletu. De toute urgence. Rajkumar, mettez votre équipe sur le coup. Je veux savoir qui est ce Thobela Mpayipheli. Peu importe où vous piochez vos renseignements, c'est une priorité absolue. Très bien, messieurs, on fonce. Vous avez vingt minutes et, après, c'est parti.

Tiger Mazibuko fut le dernier à sortir du Condor. Il avait laissé descendre les membres de l'équipe Alpha en les observant. Blancs, Noirs, métis, chacun avec sa propre histoire. Da Costa, athlétique descendant de réfugiés angolais, avec sa balafre sur la joue et sa barbe naissante. Weyers, l'Afrikaner de Germiston, aux bras de culturiste. Little Joe Moroka, un Tswana élevé dans une ferme au milieu des maïs à Bothaville et qui parlait sept des onze langues officielles du pays. Cupido, le plus râblé, le plus bavard aussi, un métis d'Ashton, diplômé de Technikon en ingénierie électronique. Et même le « sang-bleu de service », comme Zwelitini, l'immense Zoulou efflanqué, aimait à se désigner, bien qu'il ne fût pas membre de la famille royale.

Ils attendaient à la queue leu leu sur la piste. La brise d'été caressa la joue de Mazibuko lorsqu'il se laissa tomber sur le bitume.

— On décharge. Dépêchez-vous et attendez. Vous connaissez la marche à suivre.

Il l'enlaça devant la porte, serra son corps mince contre lui, respira son odeur, les faibles effluves de shampoing et de parfum après une longue journée, les senteurs de cuisine et cette chaleur unique qui lui était particulière.

— Je vais devoir passer la nuit à Johannesburg, lui glissa-t-il doucement à l'oreille. Je prends l'avion pour Lusaka demain.

— Elle t'a donné combien ?

— Beaucoup.

Elle ne fit aucun commentaire et le tint fortement serré contre elle.

— Je t'appelle dès que j'arrive à l'hôtel.

Elle gardait son visage enfoui dans son cou sans le lâcher. Enfin elle recula et l'embrassa vite sur la bouche.

— Reviens-moi, Thobela.

Janina téléphona chez elle dans l'intimité de son bureau. Lien, la plus grande, décrocha.

— Bonjour, maman.

— Je vais devoir travailler tard, ma puce.

— Tu avais promis de m'aider pour ma bio.

— Lien, tu as quinze ans. Tu es capable de juger quand tu es au point.

— Je t'attendrai.

— Passe-moi Suthu. Il faut qu'elle dorme à la maison. Je ne rentrerai pas ce soir.

— Maman !! Mes cheveux demain matin.

— Je suis désolée, Lien. On a une urgence. J'ai besoin que tu m'aides. C'est toi ma grande fille. Est-ce que Lisette a fait ses devoirs ?

— Elle a passé tout l'après-midi au téléphone et tu sais comment c'est avec les septièmes ! « Kosie a dit quelque chose sur moi ? Tu crois que Pietie m'aimes bien ? » Des gamineries. Vraiment nul.

Janina Mentz rit.

— Toi aussi, tu y es passée.

— Je ne veux même pas y penser. J'étais comme ça ?

— Tu l'étais. Laisse-moi parler à Lisette. Il faut te reposer, ma puce. Il faut que tu sois en forme pour ton examen. Je t'appelle demain, c'est promis.

V

Le taxi le déposa devant le hall de départ. Il régla, prit son sac et sortit. Depuis quand n'avait-il pas pris l'avion ? Les choses avaient bien changé ; tout était neuf et rutilant pour faire bonne impression sur les touristes.

Il acheta un billet au guichet de Com Air avec la liasse de rands tout neufs que Monica Kleintjes lui avait remis.

– C'est trop, avait-il protesté.

– Vous me rapporterez la monnaie.

Maintenant il se demandait d'où sortait cet argent. Avait-elle eu le temps d'aller retirer du liquide ? Ou alors... les Kleintjes gardaient-ils de pareilles sommes chez eux ?

Il fit passer son sac aux rayons X. Deux pantalons, deux chemises, deux paires de chaussettes, ses chaussures noires, un pull, ses affaires de toilette, le reste du liquide. Et le disque dur, petit et plat – une technologie qui le dépassait. Avec, quelque part dans ses entrailles électroniques, des histoires sur le passé de ce pays qu'il valait mieux taire.

Il refusait d'y penser, refusait d'y être mêlé, il voulait seulement remettre ce truc à Johnny Kleintjes, le voir tiré d'affaire pour pouvoir rentrer chez lui et reprendre sa vie là où il l'avait laissée. Il avait des tonnes de projets pour Miriam, Pakamile et lui. C'est alors qu'il prit conscience des deux hommes en costume gris derrière lui – alerte diffuse, instinctive, dans un recoin de son cerveau, comme un vestige d'une autre vie. Il regarda derrière lui, mais ne vit rien. Son imagination lui jouait des tours. Il ramassa son sac et jeta un coup d'œil à sa montre. Trente-trois minutes avant le décollage.

— Qu'est-ce qu'on fait ? demanda Quinn dans l'expectative.

Il avait posé son casque et regardait Janina.

— D'abord, je veux connaître sa destination.

— Ils sont en train de se renseigner. Il a acheté un billet à Com Air.

— Tenez-moi au courant.

Quinn acquiesça, remit les écouteurs et parla à voix basse dans son micro.

— Rahjev... on a quelque chose ? demanda-t-elle à l'Indien obèse assis devant son ordinateur.

— Le registre national du recensement me donne neuf Thobela Mpayipheli. Je suis en train de vérifier les dates de naissance. Laissez-moi dix minutes.

Elle hocha la tête.

Pourquoi Monica Kleintjes avait-elle choisi Mpayipheli ? Qui était-il donc ?

Elle se dirigea vers Radebe qui était au téléphone avec le bureau du Gauteng. Quelqu'un avait apporté du café et des sandwiches. Elle ne voulait pas de café, pas tout de suite, et elle n'avait pas faim. Elle revint vers Quinn. Il écoutait, leva les yeux vers elle, sûr de lui et posé.

Quelle équipe incroyable, se dit-elle. Tout ça sera fini avant même d'avoir commencé.

— Il a pris un billet pour Johannesburg, dit Quinn.

— Avec juste un sac ?

— Oui, juste un.

— Et on est absolument sûrs que Monica Kleintjes est chez elle ?

— Elle est en train de regarder la télé dans le salon. Ils la voient à travers les rideaux ajourés.

Elle envisagea toutes les solutions, passa en revue tous les scénarios possibles et imaginables ainsi que leurs conséquences. Mpayipheli avait sûrement les informations. Ils pourraient les récupérer tout de suite et envoyer leur propre équipe à Lusaka. Pour mieux maîtriser la situation, en gardant l'UR en renfort. Pourquoi pas ? Ce ne serait sûrement pas facile de faire entrer Mazibuko et ses hommes en Zambie. Trop de passe-droits diplomatiques. Trop voyant. Le directeur pourrait toujours tester son équipe à un autre moment. Le plus important était que ça reste dans la famille. Ne pas prendre de risque et garder le contrôle.

— On peut compter sur l'équipe de l'aéroport ?

— On peut. Ce ne sont pas des bleus, répondit Quinn.

Elle acquiesça.

— Je veux qu'ils interceptent Mpayipheli, Quinn. Sans faire de vagues, je ne veux pas de heurts à l'aéroport. Discret et rapide. Vous me le mettez dans une voiture avec son sac et vous m'amenez tout ça ici.

Il était assis, son sac sur les genoux, et sentait la solitude le gagner. Ça faisait maintenant plus d'un an qu'il vivait avec Miriam, plus d'un an de soirées familiales et voilà que, soudain, il se retrouvait à nouveau seul, comme avant.

Il essaya d'analyser ce qu'il ressentait. Cela lui avait-il manqué ? La réponse le surprit. Il découvrit que cette solitude ne lui procurait aucune satisfaction. Après une existence tout entière passée à ne compter que sur lui-même, douze mois avaient changé sa vie. C'est là-bas qu'il voulait être, pas ici.

Mais il devait d'abord mener sa tâche à bien.

Johnny Kleintjes. Le Johnny Kleintjes qu'il connaissait n'aurait jamais trahi. Quelque chose était arrivé qui avait transformé le vieil homme. Qui sait ce qui se tramait dans les cercles fermés du pouvoir en place et des nouveaux services secrets ? Ce n'était pas impossible, juste improbable. Johnny Kleintjes était un homme intègre. Et loyal. Un homme solide et doté d'une forte personnalité. Il lui demanderait quand il le verrait, quand il lui aurait remis le disque et que Johnny aurait touché son argent. Si tout se passait bien. Il le fallait. Il ne voulait plus d'ennuis, plus maintenant.

Et soudain, ils furent à côté de lui, deux costumes gris. Il ne les avait pas vus approcher et lorsqu'ils se matérialisèrent, il sursauta, arraché à ses pensées, sidéré de constater combien sa vigilance passée s'était émoussée.

– Monsieur Mpayipheli, dit l'un d'eux.

– Oui.

Surpris qu'ils connaissent son nom. Ils se tenaient tout contre lui, pour l'empêcher de se lever.

– Veuillez nous suivre.

– Pour quoi faire ?

– Nous représentons l'État, dit le second en lui mettant sous le nez une carte plastifiée avec photo et emblèmes nationaux.

– J'ai un avion à prendre, répondit-il.

Il avait de nouveau l'esprit clair et son corps réagissait.

– Pas ce soir, lui dit numéro Un.

– Je ne veux faire de mal à personne, lui lança Mpayipheli.

Numéro Deux rit, amusé.

– Sans blague ?

– Je vous en prie.

– Je crains que vous n'ayez pas le choix, monsieur Mpayipheli, dit-il en tapotant le sac bleu. Là-dedans…

Que savaient-ils ?

– S'il vous plaît, écoutez-moi. Je ne veux pas d'ennuis.

L'agent perçut la prière dans la voix du grand Xhosa. Il a peur, se dit-il. Profites-en.

– Vous risquez d'avoir plus d'ennuis que vous ne pourriez l'imaginer, mon vieux, rétorqua-t-il en relevant un pan de sa veste pour laisser voir la crosse en acier du pistolet glissé dans le holster noir sous son aisselle.

Il tendit la main vers le sac de sport.

– Venez, dit-il.

– Eh là, dit Thobela Mpayipheli.

Il devait prendre sa décision avant que la main n'atteigne le sac. À leur attitude, il avait compris qu'ils ne voulaient pas d'esclandre. Ils voulaient le faire sortir discrètement. Il fallait en tirer parti. La veste de numéro Un bâilla quand il se pencha pour attraper le sac. Thobela vit la crosse du pistolet, leva le bras, s'en empara, le retourna contre l'homme et se mit debout. Numéro Un, le sac à la main, écarquilla les yeux de surprise. Mpayipheli se colla à lui, le canon droit sur le cœur. Deux se trouvait derrière numéro Un. Les autres passagers ici ou là n'avaient rien remarqué d'anormal.

— Je ne veux pas d'ennuis, répéta-t-il. Rendez-moi mon sac.

— Qu'est-ce que tu fabriques ? lui demanda numéro Deux.

— Il m'a pris mon arme, souffla Un.

— Vous, vous attrapez le sac, lança Mpayipheli.

— Quoi ?

— Vous lui prenez le sac et vous mettez votre revolver dedans.

Il enfonça violemment le pistolet dans la poitrine de numéro Un, se servant de ce dernier comme d'un bouclier.

— Fais ce qu'il dit, murmura numéro Un.

Deux hésitait, décochant des regards aux passagers qui attendaient dans le hall de départ, ne sachant que faire. Puis il se décida.

— Non, dit-il en dégainant son arme et en la gardant sous sa veste.

— Fais ce qu'il dit, murmura Un d'un ton impérieux et pressant.

— Putain, Willem !

Mpayipheli parla d'une voix calme et raisonnable.

— Je veux seulement mon sac. Je ne suis pas doué pour les armes à feu. Il y a beaucoup de monde ici. Je risque de blesser quelqu'un.

Pat[1]. Mpayipheli et Willem à deux doigts l'un de l'autre. Numéro Deux un mètre plus loin.

— Bon Dieu, Alfred, fais ce que ce connard te demande. Où veux-tu qu'il aille ?

— Tu expliqueras ça au patron.

Il retira doucement le sac des mains crispées de Willem, fit coulisser la fermeture Éclair, y glissa son pistolet, referma le sac et le déposa par terre avec précaution comme si son contenu était fragile.

— Maintenant, vous vous asseyez, tous les deux.

Les deux agents obéirent lentement.

---

1. Terme d'échecs. Se dit du roi qui, sans être mis en échec, ne peut pourtant plus bouger sans être pris. (NdT.)

Mpayipheli prit le sac, la main toujours sur le pistolet dans la poche de son pantalon et trottina jusqu'à la sortie passagers en se retournant pour les surveiller. Un et Deux, Willem et Alfred, un Blanc et un métis, le fixaient d'un air énigmatique.

– Monsieur, vous ne pouvez pas, dit l'employée à la sortie, mais il l'avait déjà dépassée, il était dehors, sur la piste de décollage.

Un agent de la sécurité lui cria quelque chose en faisant de grands gestes, mais il s'éloigna en courant du halo lumineux projeté par le bâtiment et s'enfonça dans l'obscurité.

Le gros Indien poussa un braillement, « Je le tiens ! » et Mentz se précipita vers son moniteur.

– Thobela Mpayipheli, né le 10 octobre 1962 à Alice, province du Cap oriental, fils de Lawrence Mpayipheli et de Catherine Zongu, identifiant numéro 621010 5122 004. Adresse officielle, 45, 17ᵉ Avenue, Mitchell's Plain.

Mentz se tenait derrière lui et parcourait l'écran des yeux.

– On sait qu'il est né, Rahjev. Il nous en faut plus.

– Il fallait bien commencer quelque part.

Mortifié par l'absence de compliments.

– Espérons que son anniversaire ne nous porte pas la poisse, ajouta-t-elle.

Rajkumar quitta son écran des yeux.

– Je ne saisis pas.

– Le Jour des héros, Raj. Avant, le 10 octobre était le Jour des héros[1]. Cette adresse est ancienne. Trouvez-moi qui habitait là. Il a quarante ans. Trop vieux pour être contemporain de Monica. Suffisamment pour avoir connu Johnny Kleintjes…

– Madame, dit Quinn ; mais elle était lancée.

– … Je veux savoir quel est le rapport avec Kleintjes, Rahjev. Je veux savoir s'il a fait l'armée et dans quelles circonstances. J'ai besoin de savoir pourquoi c'est *lui* que Monica Kleintjes est allée trouver avec son petit problème.

---

1. Initialement appelé « Kruger's Day » en hommage à Paul Kruger, président de la République du Transvaal à la fin du XIXᵉ siècle. *(NdT.)*

— Madame, reprit Quinn d'un ton pressant.

Elle leva les yeux.

— On a un fugitif sur les bras.

Il se dirigea vers la zone la plus sombre de l'aéroport sans s'arrêter de courir. Il s'attendait à entendre des sirènes, des cris et des détonations. Il était en colère, contre Monica, contre Johnny Kleintjes, et contre lui-même. Comment les autorités avaient-elles découvert aussi vite le petit arrangement de Johnny Kleintjes ?

Les deux types en costume gris savaient son nom. Ils lui avaient montré le sac bleu et en connaissaient le contenu. Ils le surveillaient depuis son arrivée à l'aéroport, ils avaient été prévenus. Ils devaient avoir suivi Monica jusque chez lui, donc ils étaient au courant pour elle et pour Johnny Kleintjes, foutu Johnny Kleintjes. Ils savaient tout. Il courait toujours en regardant par-dessus son épaule. Personne ne l'avait suivi. Il se l'était juré : plus de violences. Il avait tenu parole pendant deux ans. Il n'avait tué, battu, ni même menacé personne. Il avait promis à Miriam que cette époque-là était révolue et il avait suffi de trente secondes, dès l'instant où les costumes gris l'avaient approché, pour que ces promesses tombent à l'eau. Il savait comment ces choses-là se passaient, elles ne faisaient qu'empirer. Une fois pris dans l'engrenage, on ne pouvait plus en sortir. Il devait rapporter le sac à cette femme tout de suite et lui dire que son Johnny Kleintjes pouvait se tirer du pétrin tout seul. Stopper le cycle infernal avant que ça dégénère. Le stopper maintenant.

Il s'arrêta au pied de la clôture grillagée qui longeait Borchards Quarry Road. Il haletait, son corps avait perdu l'habitude de l'effort. La sueur lui dégoulinait le long des joues. Il regarda une fois encore derrière lui, le bâtiment était trop éloigné pour y distinguer les silhouettes, mais tout semblait calme, pas le moindre signe d'agitation.

Donc, ce n'était pas une opération de police ou de douane. L'endroit aurait grouillé de monde.

Ça voulait donc dire…

Les services secrets.

Logique, vu le contenu du disque dur.

Qu'ils aillent se faire foutre. Il n'avait pas peur des services secrets. Il escalada le grillage.

— Mettez-les sur haut-parleur, dit Janina Mentz.

Quinn appuya sur la touche.

— ... il a simplement eu de la chance, poste de contrôle, c'est tout.

— On vous écoute, Willem.

— Oh.

— Je veux savoir ce qui s'est passé, dit Janina Mentz.

— Il s'est enfui, madame, mais...

— Je sais qu'il s'est enfui. Comment est-ce arrivé ?

— On avait les choses en main, madame, continua la voix pleine d'appréhension. On a attendu qu'il s'installe dans le hall de départ. On s'est fait connaître et on a demandé à la cible de nous accompagner. On nous avait dit de ne pas faire de vagues. Ce n'est qu'un mécanicien moto, il était assis là, avec son sac sur les genoux, comme un paysan, il avait l'air seul et timide. Il a dit qu'il ne voulait pas d'ennuis. Ça crevait les yeux qu'il avait peur. C'est de ma faute, madame. J'ai voulu prendre le sac et il s'est emparé de mon arme...

— Emparé ?

— Oui, madame. Il l'a attrapée. Je... euh... il a agi... Il m'a pris par surprise.

— Et après ?

— Après, il a pris le sac avec l'arme d'Alfred dedans et s'est sauvé en courant.

Silence.

— Maintenant, il a donc deux armes à feu en sa possession ?

— Je ne pense pas qu'il sache s'en servir, madame. Il a appelé mon pistolet un revolver.

— Eh bien au moins, avec ça, on est rassurés.

Willem ne répondit pas.

Quinn soupira d'un air abattu et glissa doucement à l'oreille de Mentz :

– Je pensais qu'ils étaient capables de s'en occuper.

– Madame, il a eu de la chance, c'est tout. À en juger par ses réactions, on devrait pouvoir le coincer facilement, poursuivait Willem dans l'émetteur.

Pas de réponse.

– Il a même dit « je vous en prie ».

– Je vous en prie ?

– Oui, madame. Et nous savons qu'il n'a pas pris d'avion.

Mentz médita l'information. La pièce était parfaitement silencieuse.

– Madame ? reprit la voix dans la radio.

– Oui.

– Qu'est-ce qu'on fait maintenant ?

VI

Il faut parfois extérioriser sa colère, de façon mesurée mais salutaire, et savoir désavouer non les hommes mais leurs actions.

Mentz coupa le haut-parleur d'un geste rageur et se dirigea vers son ordinateur.

– Nous avions toutes les cartes en main. Nous l'avions localisé, nous savions où il devait se rendre et par quel moyen. Nous contrôlions la situation de A à Z.

Sa voix portait à travers la pièce, chargée d'un mécontentement à peine voilé. Ils la regardaient tous, mais fuyaient le contact visuel.

– Alors pourquoi avons-nous perdu le contrôle ? reprit-elle. Manque d'information. Manque d'intelligence. Erreur de jugement. Ici et à l'aéroport. Et maintenant, il a l'avantage. Nous n'avons aucune idée de l'endroit où il se trouve. Au moins, nous savons où il va et comment nous y rendre le plus vite possible. Mais ça ne suffit pas. Je veux savoir qui est Thobela Mpayipheli et je veux le savoir immédiatement. Je veux savoir pourquoi Monica Kleintjes a fait appel à lui. Et je veux savoir où il est. Ainsi que le disque. Tout. Et peu m'importent les moyens utilisés pour se procurer ces renseignements.

Elle chercha leurs regards, mais ils gardaient tous les yeux rivés au sol.

– Quant à ces deux clowns, Quinn…

– Oui, madame ?

– Qu'ils fassent un rapport. Et quand ce sera fait…

61

– Oui, madame ?

– Qu'ils partent. Ils ne font plus partie de cette équipe.

Elle sortit de la pièce en cherchant une porte à claquer, enfila le couloir jusqu'à son bureau, claqua enfin la porte derrière elle et se laissa tomber dans son fauteuil de cuir noir.

Qu'ils marinent un peu, ces imbéciles.

Qu'ils comprennent que quand on n'est pas à la hauteur, on n'a pas sa place auprès de Janina Mentz. Parce que Dieu sait qu'il était hors de question d'échouer. Elle tiendrait ses promesses.

Le directeur savait. Assis à son bureau dans sa chemise immaculée, il savait parce qu'il était en train d'écouter. Il n'avait pas perdu un mot de ce qui s'était dit au centre opérationnel – et avait analysé : ses réactions, les décisions qu'elle avait prises, son leadership.

Une éternité lui semblait s'être écoulée depuis le premier entretien où il lui avait demandé : « Voulez-vous ce poste, Janina ? »

Elle avait dit oui, parce que pour une Blanche dans une administration noire, les occasions étaient rares, même avec un QI de 147 et un dossier irréprochable qui alignait les succès, mineurs certes, parce que la chance de sa vie ne s'était pas encore présentée. Jusqu'à ce jour où le directeur l'avait invitée à déjeuner chez Bukhara dans le centre commercial de Church Street et lui avait exposé son point de vue :

– Des services de renseignements exceptionnels, Janina, voilà ce que veut le vice-président. Des services de renseignements neufs, qui repartent de zéro. L'année prochaine, il sera président et il sait qu'il n'a pas le charme de Madiba, le charisme de Nelson Mandela. Il sait aussi qu'il va devoir lutter âprement contre toute forme de résistance ou de déstabilisation, dans le pays même ou à l'étranger. J'ai carte blanche et j'ai l'argent, Janina, et je pense avoir le maître-d'œuvre en face de moi aujourd'hui. Vous en avez le profil, l'intelligence, la loyauté, la persévérance et vous n'êtes pas compromise. La seule question est la suivante : voulez-vous ce poste ?

Pour le vouloir, elle le voulait, bien plus qu'il ne pouvait l'imaginer. Parce que, onze mois auparavant, son mari s'était découvert une passion pour la jeunesse et lui avait annoncé que le mariage ne lui convenait plus, comme si c'était elle la responsable, comme si sa famille ne lui apportait plus la moindre satisfaction alors que la seule satisfaction dont il était question se résumait aux cuisses ouvertes de Cindy. Cindy. La pseudo-artiste aux pieds sales qui refilait ses étoffes aux touristes allemands sur le marché de Greenmarket Square en papillotant de ses grands yeux marron pour appâter les hommes mariés, jusqu'à ce que l'un d'entre eux se laisse prendre au piège de sa poitrine ferme et libérée. L'heureux couple s'était alors installé à Pilgrim's Rest afin d'y « ouvrir un atelier pour Cindy ».

C'est pourquoi, oui, monsieur le directeur, ce poste, elle le voulait. Elle le désirait de toutes ses forces. Parce qu'elle se consumait de rage d'avoir été abandonnée. Parce qu'elle était dévorée d'ambition aussi, ne nous y trompons pas, elle, la fille unique d'Afrikaners sans le sou, prête à faire n'importe quoi pour s'élever au-dessus de l'existence abrutissante et vaine de ses parents. Parce qu'après dix ans passés dans la Lutte, où elle n'avait obtenu, malgré ses capacités, qu'un poste de sous-direction alors qu'elle aurait pu faire nettement plus, elle se sentait totalement frustrée. Elle pouvait aller plus haut, elle connaissait la topographie de sa psyché, ses vallées et ses sommets, elle était impartiale avec elle-même. Elle pouvait aller plus haut : peu importe d'où venaient les vents qui la portaient !

Mais elle n'avait rien dit de tel. Elle avait écouté, pris la parole calmement et froidement, et répondu avec une assurance tranquille « oui, je le veux » et, dès la semaine suivante, avait entrepris de donner corps à leur vision : un service de renseignements à la pointe de la modernité dans un pays qui tentait de s'arracher au tiers-monde à la force du poignet, un nouveau service indépendant, vierge de tout passif.

Et elle le voulait toujours. À n'importe quel prix.

Son téléphone sonna une fois. La ligne interne.

– Mentz.

– Faites un saut à mon bureau, lui dit le directeur.

Il prit un minibus pour Belville, le premier qui se présenta. Quelque chose le poussait à mettre le plus de distance possible entre l'aéroport et lui, peu importait la direction. Les implications lui apparaissaient l'une après l'autre. Impossible de retourner chez Monica Kleintjes, ils devaient être en planque devant chez elle. Impossible de lui téléphoner. Impossible de retourner chez lui ou à l'aéroport – à l'heure qu'il était, il devait grouiller de monde. Et s'ils étaient un tant soit peu vigilants, ils surveilleraient aussi la gare – donc pas question non plus de prendre un bus ou un train.

Ce qui le laissait avec un gros point d'interrogation. Comment se rendre à Lusaka ?

Assis dans le noir parmi les autres passagers, des employées de maison, des agents de sécurité, des ouvriers d'usine qui rentraient chez eux en discutant de l'augmentation du prix du pain, des résultats de football et de la politique, il mourait d'envie d'être l'un d'eux. Il aurait voulu poser le disque dur sur les genoux de Monica en lui disant : « Il y a une chose dont vous n'avez pas tenu compte », avant d'aller retrouver Miriam et Pakamile. Et, demain, il irait travailler sur sa Honda Benly et pousserait jusqu'à Saint-George à l'heure du déjeuner pour une partie d'échecs avec Emmanuel, le cireur de chaussures, entre deux clients blancs à téléphone portable dont ils se moquaient gentiment en xhosa.

Mais pour l'instant, il y avait deux Z88 et un disque dur dans un sac de sport bleu entre cette vie-là et lui.

– Et qu'est-ce que vous faites comme travail ? lui demanda la femme assise à ses côtés.

Il soupira.

– En ce moment, je voyage, lui répondit-il.

Comment aller à Lusaka ?

Difficile de croire qu'il arrivait au bureau tous les matins à six heures. Il était maintenant presque vingt heures trente et le directeur, la cinquantaine tout juste passée, avait l'air fringant, reposé et alerte.

– J'ai reçu un coup de fil intéressant, Janina, dit-il. Cet après-midi, notre Tigre a agressé un Parabat à Tempe.

– Agressé ?

– Il l'a expédié à l'hôpital et le commandant a téléphoné en haut lieu. Il demande réparation.

– Je suis sûre qu'il avait une bonne raison pour se battre, monsieur.

– Moi aussi, Janina. Je voulais juste vous mettre au courant.

– J'apprécie.

– Demandez-le-lui quand vous le verrez.

– Je n'y manquerai pas. C'est tout, monsieur le directeur ?

– C'est tout, Janina. Je sais que vous avez du travail.

Sourire paternel. Elle hésita un instant avant de faire demi-tour – elle aurait voulu qu'il aborde ce qui se passait au centre opérationnel, qu'il soulève la question afin qu'elle puisse l'assurer qu'elle avait les choses en main, mais il se contenta de sourire dans son fauteuil.

Elle reprit l'escalier, puis s'arrêta à mi-chemin.

Je sais que vous avez du travail.

Il l'évaluait, la testait. Elle en était absolument certaine.

Elle rit doucement. Si seulement il savait. Elle prit une profonde inspiration, descendit les dernières marches une à une en les comptant, comme si elle inventoriait les étapes de sa future stratégie.

Elle entra dans la pièce au moment où Radebe commençait son rapport, du ton de celui qui veut faire amende honorable, en expliquant le remaniement des différentes équipes – six de ses meilleurs hommes à l'aéroport, six autres à la gare du Cap, en deux groupes de trois, pour surveiller les trains et le terminal de bus. Ses trois coéquipiers étaient en train de faire le tour des agences de location de voitures de la ville pour qu'elles les préviennent si quelqu'un correspondant au signalement de Mpayipheli tentait de louer un véhicule. Ils allaient aussi contacter toutes les compagnies d'aviation privées. Trois autres équipes de deux stationnaient dans Wale Street et attendaient les ordres. Rien à signaler chez Monica Kleintjes et Miriam Nzululwazi.

Elle acquiesça. Le téléphone des Nzululwazi était sur écoute, Quinn le confirma. Il n'y avait pas encore eu d'appel.

Rajkumar, toujours aussi susceptible, fit son rapport d'un air de dignité offensée :

— Pas de trace de Thobela Mpayipheli dans les dossiers de l'Umkhonto we Sizwe. Son adresse officielle est Mitchell's Plain... l'endroit appartient à un certain Orlando Arendse. Probablement celui que Monica a appelé cet après-midi quand elle cherchait Mpayipheli. Mais le domicile officiel d'Arendse se trouve à Milnerton Ridge. (L'obèse remua légèrement, reprenant confiance en lui.) Le truc intéressant, c'est le casier judiciaire d'Arendse... deux séjours en prison pour recel de marchandises volées, en 1975 et de 1982 à 1984, accusé et reconnu non coupable de trafic d'armes illicites en 1989, deux arrestations pour trafic de drogue, en 1992 et 1995, mais ces affaires n'ont jamais été jugées. Une chose est sûre : Orlando Arendse fait partie du grand banditisme. Drogue. Gros trafic. Prostitution, jeu, marchandises volées. Le racket habituel. Et si je lis bien entre les lignes, les Scorpions[1] suivent ses agissements de près. À mon avis, cette adresse de Mitchell's Plain doit lui servir de planque.

Rahjev Rajkumar se renfonça dans son siège avec satisfaction.

— Bon travail, dit-elle.

Elle faisait les cent pas le long du mur derrière l'Indien, les bras croisés.

Le grand banditisme ? Elle essaya d'analyser les différentes options, mais ça ne tenait pas debout.

— Le grand banditisme ? dit-elle à voix haute. Je ne vois pas.

— L'argent donne lieu à de drôles d'alliances, dit Rajkumar. Et quand on parle de drogue, on parle d'argent. De beaucoup d'argent.

— Mpayipheli est peut-être un dealer, ajouta Quinn.

— Il est mécanicien moto, lui renvoya Radebe. Ça ne colle pas.

Mentz s'arrêta de marcher et hocha la tête.

— Rahjev, trouvez-moi le propriétaire de son magasin de motos.

— Les registres de sociétés ne sont pas à jour. Je peux y jeter un coup d'œil, mais...

— J'y envoie une voiture, dit Radebe. Quelquefois, il y a un numéro d'urgence sur les portes.

— Allez-y.

1. Version sud-africaine du FBI. *(NdT.)*

Elle essaya d'analyser les informations sous différents angles et différents points de vue, mais buta sur le côté criminel du puzzle.

— Rien sur Mpayipheli du côté de l'ANC[1], du MK, du PAC[2] ou de l'APLA[3] ? demanda-t-elle.

— Rien. Mais évidemment, les fichiers de l'ANC en ont pris un coup. Ils sont incomplets. Quant au PAC et à l'APLA, ils n'ont jamais vraiment rien eu. Toutes les informations du PAC leur venaient des Boers. Et il n'y a rien sur Mpayipheli.

Il doit bien y avoir un rapport entre les Kleintjes et Mpayipheli.

— Et merde ! s'exclama Quinn. Il a peut-être été leur jardinier.

Radebe, toujours soucieux de ce qu'il disait, fronça les sourcils d'un air particulièrement dubitatif.

— Elle a téléphoné à Arendse pour trouver Mpayipheli. C'est peut-être lui, le contact.

— Possible.

Elle s'était remise à arpenter la pièce de long en large, digérant les données, creusant les différentes éventualités. Sa soif de comprendre prenait le pas sur tout le reste – ils devaient absolument avancer, sortir du brouillard d'ignorance qui les aveuglait. Mais comment fait-on parler un gros bonnet de la drogue ?

Une nouvelle étape dans sa traversée du mur.

— Bon, dit-elle. Voilà ce qu'on va faire.

Enfermé dans les toilettes crasseuses de la gare de Bellville, il sortit les armes des magazines dans lesquels il les avait enroulées. Puis il les démonta, en jeta les pièces dans différentes poubelles et se mit en route vers Durban Road. Il n'avait toujours aucune idée de sa destination. Il avait conscience du temps qui s'écoulait et savait ne s'être rapproché de Lusaka que de dix kilomètres depuis qu'il avait quitté l'aéroport. Il mourait d'envie de tout

1. *African National Congress*, principale organisation d'opposition au pouvoir blanc. *(NdT.)*
2. Le Congrès panafricain. *(NdT.)*
3. *Azanian People's Liberation Army*, la branche armée du PAC. *(NdT.)*

plaquer et de rentrer chez lui. Mais la question revenait sans cesse : Johnny Kleintjes avait-il réagi de cette manière quand Thobela avait eu besoin de lui ? Et il avait beau retourner la question dans sa tête, il avait beau vouloir être ailleurs, il avait beau rejeter de tout son être la panique et la tension qu'il sentait monter en lui, la réponse était toujours non. Il avait une dette envers Johnny Kleintjes et il avait intérêt à se bouger le cul. Il tourna au coin de Voortrekker et de Durban Road et vit les voitures arrêtées au carrefour. Il eut soudain une idée lumineuse et accéléra le pas en direction du bâtiment des impôts.

Il y avait une station de taxis devant. Il devait retourner en ville. Et vite.

Après sa deuxième discussion de la journée avec Janina Mentz, le capitaine Tiger Mazibuko referma son portable et se mit à aboyer ses ordres à l'équipe Alpha :

– Vous m'ouvrez ces caisses et que ça saute ! Les Hecklers, les pistolets, les grenades fumigènes, les gilets pare-balles et les lunettes à infrarouge. Et vous vous barbouillez la figure.

Ils passèrent à l'action avec ardeur, firent bruyamment sauter les couvercles des caisses de matériel tout en lui jetant un coup d'œil, surpris par les ordres, mais impénétrable, il réfléchissait à sa conversation avec Mentz. Pourquoi avait-il agressé un officier cet après-midi ? Parce que ce connard avait lâché son berger allemand sur Little Joe Moroka. Qu'avait fait Little Joe ? Il n'avait pas salué le petit lieutenant. Et pourquoi ça ? Parce que Little Joe, c'est Little Joe. Et qu'il est parfois tellement préoccupé par ce qu'il a en tête qu'il ne voit même pas ce qui se passe autour de lui. De l'inattention, rien de plus. Et quand le lieutenant lui a lâché une bordée d'injures, le résultat ne s'est pas fait attendre. La seule personne qui peut lui en foutre plein la gueule, c'est moi. C'est pour ça qu'on a d'abord été le récupérer à la prison militaire. Little Joe lui avait dit d'aller faire quelque chose d'innommable tout seul ou avec son chien et le lieutenant a poussé le chien à le mordre. Ce qui, militairement parlant, est une infraction de la pire espèce. Le chien a-t-il mordu Little

Joe ? Oui, le chien lui a mordu la jambe. Little Joe a-t-il été blessé ? Non. Mais le lieutenant et son chien l'ont mis dans l'embarras. Et c'est aussi grave qu'une blessure qui saigne. Pire, dans son cas. On avait commis une injustice, quelle que soit la façon dont on considère les choses. Tiger Mazibuko avait décidé de boycotter la filière officielle pour rétablir l'équilibre, afin que les autres ne soient pas tentés de profiter de l'occasion pour remettre ça. Il fallait marquer le coup. Et maintenant, les Bats venaient chialer.

– Parfaitement. Ils réclament une sanction disciplinaire.

– Dans ce cas, sanctionnez-moi.

Il la mettait au défi parce qu'il savait l'UR intouchable avant qu'il ait tabassé le para.

– Pas avant que vous ayez fait votre boulot.

Et elle lui expliqua ce qui les attendait.

L'équipe lui passa son gilet pare-balles et ses armes, le casque à écouteurs, puis les lunettes à vision nocturne et, pour finir, la peinture de camouflage. Il se prépara avec la dextérité du soldat expérimenté. Lorsqu'ils furent alignés devant lui, il parcourut les rangs, ajustant une ceinture ici ou là, remettant de l'ordre dans un équipement.

– J'ai un nouveau nom pour les Ama-killa-killa, dit-il. À partir de ce soir, on vous appellera les Briseurs de gangs.

VII

Il demanda au chauffeur de taxi de le déposer devant le bâtiment de Média 24, dans Heerengracht. Il décida de couper à l'est, à travers le Nico Malan, et tourna à gauche dans Hertzog. La circulation était faible à cette heure de la nuit. Il se forçait à marcher d'un pas tranquille, comme quelqu'un qui flâne, bifurqua de nouveau à gauche dans Oswald Pirow et se glissa entre les pompes à essence, saluant au passage les pompistes dans leur box vitré. C'est alors qu'il aperçut la voiture devant Mother City Motarrad. Phares allumés, moteur au ralenti, avec deux officiers du Renseignement sur les sièges avant. Son cœur se serra.

Les services secrets. Ils surveillaient la boîte.

Il ouvrit la porte des préposés à l'essence et entra, sachant qu'il allait se faire repérer s'il restait dehors.

Le moteur au ralenti était plutôt bon signe. S'ils avaient vraiment été en planque, ils se seraient garés dans la rue transversale, moteur coupé et phares éteints. Les pompistes furent contents de le voir, la moindre distraction à cette heure tardive étant la bienvenue. Qu'est-ce qu'il fichait là, qu'est-ce qu'il avait dans ce sac ? Il inventa un prétexte, un client qui n'avait pas récupéré sa moto après la révision et maintenant, c'était à lui, Mpayipheli, de régler les problèmes des Blancs. Il gardait un œil sur la voiture, la vit s'éloigner et essaya de la suivre des yeux sans éveiller les soupçons des pompistes.

Devait-il leur ramener la moto en pleine nuit ?

Oui, le type était furieux – il en avait besoin le lendemain matin et le boss était trop paresseux pour sortir, alors il avait appelé le Xhosa, tu vois le genre. Et vous les gars, qu'est-ce que vous regardez à la télé, une compétition ? Ouais, t'imagines, chaque type doit choisir une fille parmi trois mais il ne peut pas les voir, il a juste le droit de leur poser des questions...

La voiture avait disparu. Il les écouta poliment une minute ou deux, puis il s'excusa et prit congé en inspectant la rue de haut en bas. Elle était vide. Il la traversa et contourna le bâtiment par l'allée de service. Il sortit son portefeuille du sac bleu et en explora les replis de cuir. La clé plate en métal argenté qui ouvrait la porte en bois était à l'endroit habituel. Tous les matins, il arrivait le premier pour balayer, une demi-heure avant les mécaniciens. Il mettait l'eau à chauffer, allumait les néons et vérifiait la propreté des vitrines. Il ouvrit la porte et déconnecta l'alarme. Il hésitait à allumer. Les gars de la station-service allaient se poser des questions s'il restait dans le noir, mais il opta pour cette dernière solution. Il ne voulait pas attirer l'attention.

Décision suivante : quelle moto ? Mon Dieu, ces machines étaient monstrueuses ! Serait-il capable d'en conduire une avec sa seule expérience de la Honda 200 ? Il n'avait jamais eu le droit de monter dessus, il les poussait simplement dehors pour les laver et les lustrer jusqu'à ce qu'elles brillent, puis il les ramenait à l'intérieur. Là, il allait devoir en choisir une pour se rendre à Johannesburg, mais laquelle ?

Il sentit le sac qui pesait au bout de son bras.

La 1200 RS était la plus rapide, mais que ferait-il du sac ? La LT avait un espace de rangement, mais elle était énorme. La GS de démonstration dans la salle d'exposition était équipée de deux sacoches inamovibles de part et d'autre de la roue arrière. La machine était là, ramassée, puissante, d'un jaune orangé.

Mon Dieu, elles étaient gigantesques.

Malgré les murs de béton hérissés de barbelés acérés et la haute grille, malgré les guetteurs postés du haut en bas de la rue et les huit hommes armés jusqu'aux dents à l'intérieur, il ne fallut que sept minutes à Tiger Mazibuko et à son Unité de réaction pour prendre le contrôle de la maison.

Ils avaient surgi dans l'obscurité en trois équipes de quatre, quatre et cinq. Les deux voitures banalisées les ayant lâchés un pâté de maisons plus au sud, ils avaient franchi sans hésiter jardins et murs d'enceinte, jusqu'à ce qu'ils puissent escalader le mur de la cour sur trois côtés et cisailler facilement et sans bruit les barbelés rouillés, en communiquant par des gestes visibles à la lumière des lampadaires.

Les montants de fenêtres étaient munis d'un système d'alarme, mais pas les larges vitres, c'est par là qu'ils entrèrent. Ils les brisèrent en douceur, plongeant et roulant sur eux-mêmes avec agilité, en trois endroits différents, à quelques secondes les uns des autres. Quand les habitants de la maison, pris de panique, tentèrent de réagir, il était trop tard. D'inquiétantes silhouettes en tenue de combat, le visage barbouillé d'une épaisse peinture de camouflage, les obligeaient déjà à se coucher par terre en leur appuyant de lourdes mitraillettes sur la tempe. Le chaos et la confusion cessèrent soudain et une voix masculine s'éleva, claire et péremptoire.

Les prisonniers furent amenés dans la pièce de devant, où on les força à s'allonger par terre, mains derrière la tête.

— Weyers, Zongu, vous surveillez la rue.

Puis Mazibuko se concentra sur l'amas de corps.

— Qui est le chef ici ?

Visage contre terre, un corps ou deux frissonnèrent légèrement. Les secondes passèrent. Pas de réponse.

— Flingues-en un, Da Costa, lança Mazibuko.

— Lequel, capitaine ?

— Commence par là. Tire-lui dans le genou. Bousille-lui la jambe.

— Compris, capitaine.

Da Costa fit bruyamment coulisser le verrou de la culasse du Heckler & Koch et appuya le canon de l'arme sur une jambe.

— Vous pouvez pas tirer, dit une voix dans le tas.

— Et pourquoi ?

— C'est pas dans le règlement de la SAPS[1].

Mazibuko se mit à rire.

— Tire, Da Costa.

La détonation retentit comme un coup de tonnerre, l'homme laissa échapper un curieux bruit de gorge. Une odeur de poudre emplit la pièce.

— Mauvaise nouvelle, bande de trous du cul. On n'est pas de la police, lâcha Mazibuko. Maintenant, je vous le redemande : qui est le chef ici ?

— Moi, répondit un homme au milieu du groupe, le visage crispé par l'angoisse.

— Debout.

— Vous allez me descendre ?

— Faut voir, espèce de crapule, faut voir.

Janina Mentz faisait systématiquement faire une copie papier de ses comptes rendus.

C'était une gageure de sécuriser l'information dans ce pays. Elle fuyait comme l'eau à travers un barrage en terre, suintant par les fissures de loyautés anciennes ou d'aspirations récentes, s'écoulant à travers un dépôt sablonneux de corruption et de cupidité mesquine. À la moindre odeur d'argent, les charognards émergeaient des repaires les plus étranges.

Dès le début, elle avait décidé de ne jamais faire totalement confiance, de ne tenter personne et d'étouffer l'odeur de l'argent.

Rahjev Rajkumar l'avait initiée à la vulnérabilité de l'information électronique. Simple à copier, simple à transmettre : les disquettes, disques zippés, CD-ROM et autres FTP, les disques durs plus petits qu'un demi-paquet de cigarettes, les e-mails, le piratage. Les réseaux étaient faciles d'accès. S'ils parvenaient à infiltrer les bases de données extérieures, tôt ou tard, grâce à un nouveau programme astucieux, quelqu'un réussirait à pirater les leurs.

1. « South African Police », police sud-africaine. (NdT.)

Il n'existait qu'un seul moyen de protéger l'information. Une seule et unique copie papier qu'on pouvait classer et contrôler.

Voilà pourquoi Rajkumar était responsable d'un autre service. Celui des dactylos. Quatre femmes qui jouaient de leurs vieilles machines IBM comme des virtuoses. Qui pianotaient à la vitesse de la lumière dans une pièce du sixième étage surveillée par une simple caméra. Qui apposaient leur signature en venant chercher les enregistrements numériques ou magnétiques, les transcrivaient et signaient de nouveau en les rapportant avec leur copie sur papier blanc. Un papier qui ne pouvait ni jaunir ni s'abîmer. De façon à ce que Radebe et son équipe puissent analyser les documents avant de les classer, avec les bandes magnétiques, dans la bibliothèque prévue à cet effet et dont la température et l'accès étaient contrôlés. On détruisait ensuite les enregistrements numériques.

Lorsque la transcription de l'entretien avec Orlando Arendse arriva sur son bureau, quarante-sept minutes après l'enregistrement à Milnerton Ridge, Janina en connaissait déjà les éléments les plus cruciaux.

Transcription de l'interrogatoire de M. Arendse par A.J.M. Williams, 55, Milnerton Avenue, Milnerton Ridge. 23 octobre, 21 h 25.

W : Je représente l'État, monsieur Arendse. J'aurais quelques questions à vous poser sur M. Thobela Mpayipheli et une certaine Monica Kleintjes…

A : Je ne travaille pas à la maison. Venez me voir demain matin à mon bureau.

W : J'ai peur que ça ne puisse pas attendre aussi longtemps, monsieur Arendse.

A : Où sont vos papiers d'identité ?

W : Ici, monsieur Arendse.

A : Laissez tomber la politesse. Ça n'est pas votre genre. Cette carte ne prouve rien. Revenez me voir demain matin, merci.

W : Vous devriez peut-être…

A : Rien du tout. Mes heures de bureau sont terminées et vous n'avez pas de mandat.

W : J'en ai un.

A : Il est où ?

W : Ici.

A : C'est un téléphone portable.

W : Prenez la communication.

A : Au revoir, mon frère.

W : Ça vient d'une maison de Mitchell's Plain qui vous appartient.

A : Quoi ?

W : Prenez la communication.

A : Allô. Oui… oui… Les fumiers… oui… Williams, nom de Dieu, qui êtes-vous ?

W : Y aurait-il un endroit où nous pourrions parler en privé, monsieur Arendse ?

A : Qu'est-ce que vous voulez ?

W : Juste quelques renseignements.

A : Dit l'araignée à la mouche[1]. Venez par ici, on va s'asseoir derrière.

W : Merci.

A : Vous avez descendu un de mes hommes, Williams.

W : Nous voulions attirer votre attention.

A : Vous ne pouvez pas tirer comme ça. Il y a des règles.

W : Je suis certain que la plupart des ministères seraient d'accord avec vous.

A : Qui êtes-vous ?

W : Nous recherchons des informations sur un certain Thobela Mpayipheli et une dénommée Monica Kleintjes.

A : Je ne connais pas cette dame.

W : Et monsieur Mpayipheli ?

A : Il ne travaille plus pour moi. Depuis deux ans…

W : Quel genre de travail faisait-il ?

A : Si vous voulez bien m'excuser, je dois téléphoner à mon avocat.

---

1. Comptine de Mary Howitt (1799-1888). *(NdT.)*

W : Je crains que ce ne soit pas possible.

A : Tu t'imagines, frangin, que je vais rester assis ici et te filer des infos compromettantes parce que mes hommes ont une arme collée sur la tempe ? Ils connaissent le topo. On prend des risques dans ce genre de boulot et ils le savent.

W : Monsieur Arendse, nous savons que vous faites partie du grand banditisme et, pour tout vous dire, ça nous est égal. C'est le problème de la SAPS. Vous croyez vraiment que ce qui se passe à Mitchell's Plain et qui est à peine légal fait partie d'un plan pour vous faire plonger ?

A : Pourquoi tu parles comme un Blanc ? Où sont tes racines, mon frère ?

W : Mpayipheli. Que faisait-il pour vous ?

A : Va te faire foutre.

W : Monsieur Arendse, mes hommes disent qu'ils ont découvert dans la maison deux cents kilos de cocaïne à divers stades de transformation. Ça au moins, ça doit compter pour vous, même si vous vous fichez de vos hommes.

[Inaudible.]

W : Monsieur Arendse ?

A : Quel est le problème avec P'tit ?

W : Qui ?

A : Mpayipheli.

W : Nous avons juste besoin de quelques renseignements.

A : Pourquoi ?

W : Une enquête de routine, monsieur Arendse.

A : À dix heures du soir ? À d'autres !

W : Je ne suis pas habilité à discuter avec vous de l'intérêt que nous portons à monsieur Mpayipheli.

A : Il s'est mis à son compte ?

W : C'est-à-dire ?

A : Il doit avoir fait quelque chose pour attirer votre attention.

W : Que faisait-il pour vous ?

A : Collecteur de fonds.

W : Collecteur de fonds ?

A : Oui.

W : Pourriez-vous être plus précis ?

A : Putain, comment tu causes ! Le gouvernement t'a bien appris.

W : Monsieur Arendse…

A : Ça va, ça va, mais faut pas t'attendre à une saga. Y'a pas grand-chose à raconter. P'tit savait manier les armes et il servait juste à intimider, c'est tout. Il montait la garde. Un tireur d'élite comme j'ai jamais vu. Il était grand et fort et vraiment teigneux. Ça se voyait dans ses yeux… un vrai vautour. Il vous observait pour trouver la faille.

W : Combien de temps a-t-il travaillé pour vous ?

A : Six ans ? Six ans, je crois.

W : Et avant ?

A : Vous devriez le savoir. Il était soldat dans la Lutte.

W : Umkhonto we Sizwe ?

A : Exactement.

W : Sauf votre respect, monsieur Arendse, les soldats du MK ne courent pas les rues à Mitchell's Plain.

A : C'est malheureusement vrai, mon frère, ils restent entre eux. Mais j'ai eu de la chance. J'avais besoin d'un gars et tu sais comment ça marche… le bouche à oreille, et voilà que cet immense Xhosa se pointe chez moi et me dit que le poste est pourvu. La meilleure recrue que j'aie jamais eue.

W : Et il vous a dit qu'il était un ancien du MK ?

A : Exactement. Comme j'étais un peu sceptique, on est allés à Strandfontein pour un vrai entretien d'embauche et on lui a filé un vieil AK 47 et un tas de cannettes de bière vides à dégommer. À deux cents mètres. T'as peut-être l'impression que c'est rien, mon frère, mais les bouteilles étaient minuscules et il les a descendues avec une régularité monotone jusqu'à ce que les mecs de la bande lui fassent une ovation… Tu me suis ?

W : A-t-il utilisé ses talents pendant qu'il était à votre service ?

A : Parle franchement, frangin. Tu veux savoir s'il a tué ?

W : Oui.

A : Il n'en a jamais eu besoin. Son regard de vautour suffisait. Sa mère devait l'aimer, mais les autres en chiaient dans leur froc.

W : Où a-t-il servi avec le MK ?

A : Comment je le saurais ? Il n'en parlait jamais.

W : Jamais ?

A : Pas un mot. Six ans et je ne sais rien de lui. Il restait dans son coin, toujours à part, comme l'étranger de Colin Wilson[1], mais je m'en fichais, c'était le joyau de ma couronne.

W : Colin qui ?

A : Référence littéraire, mon frère. Tu ne comprendrais pas.

W : Et puis il vous a quitté ?

A : Il y a deux ans, il s'est pointé en me disant que c'était fini pour lui. J'ai cru qu'il me faisait marcher pour une rallonge, mais ça ne l'intéressait pas. Après, je sais qu'il a bossé chez un concessionnaire de motos, factotum et agent d'entretien, tu te rends compte ? Il gagne des clous, alors qu'il se faisait une petite fortune avec moi. Mais, apparemment, il trafiquait autre chose à côté.

W : Et vous n'avez pas eu le moindre contact depuis deux ans ?

A : Rien, non.

W : Je ne vais pas abuser davantage de votre temps, monsieur Arendse.

A : J'aime autant.

W : Vous pouvez envoyer des secours à Mitchell's Plain. La voie est libre.

A : Monsieur Williams, vous ne savez rien de P'tit Mpayipheli, je me trompe ?

W : Qu'est-ce qui vous fait dire ça, monsieur Arendse ?

A : Disons, un vague soupçon. Que je vous donne un conseil : commandez les housses à cadavre tout de suite.

---

1. Philosophe anglais à l'origine du « nouvel existentialisme ». Livre introductif à son œuvre, *The Outsider* (L'Étranger). *(NdT.)*

VIII

Elle s'absenta pour passer un rapide coup de fil dans son bureau. Suthu, l'employée de maison, lui dit que Lisette dormait déjà. Elle la remercia d'avoir accepté de rester passer la nuit et demanda à parler à Lien.

— J'ai bien révisé mes leçons, maman, même sans ton aide.

— Je savais que tu pouvais t'en sortir toute seule.

— Je peux regarder *Big Brother* sur DSTV, maman ? Jusqu'à dix heures ?

Les enfants. Ils essayent toujours de tirer parti de la moindre occasion. Elle était partagée entre l'envie de se fâcher et celle de rire.

— Tu connais les règles, Lien. Pas avant seize ans.

En le disant, elle savait exactement quelle allait être la réponse.

— Tous mes copains le regardent, maman. Et j'ai presque seize ans. Je ne suis plus une gamine.

Les trois arguments principaux d'un seul trait.

— Je sais que tu n'es plus une enfant. Tu es une merveilleuse et adorable jeune fille de quinze ans qui n'a plus que deux mois à attendre pour en avoir seize. Après, tu pourras regarder la télé avec tes amis désobéissants. Dors bien, tu dois être en forme pour ton examen.

— Maman…

— Et dis à Lisette que je suis arrivée trop tard pour lui souhaiter bonne nuit. Que je vous aime énormément toutes les deux et que je suis très fière de vous.

— Ne travaille pas trop, maman.

— Ne t'inquiète pas.

— Nous aussi, on t'aime.

— Je sais, ma puce. Dors bien.

— Bonne nuit, maman.

Dévorée d'impatience, elle rejoignit rapidement le centre opérationnel.

— On reprend, Rahjev. S'il était membre du MK, on devrait trouver quelque chose, dit-elle en entrant.

— Oui, madame, mais le langage corporel de l'Indien exprimait le scepticisme.

— Vous n'êtes pas convaincu ?

— Madame, la méthodologie que nous utilisons pour analyser les banques de données est très pointue et nous n'avons rien trouvé. Je peux recommencer, mais le résultat sera le même.

— Il a pu mentir à Arendse sur son passé, dit Quinn. Le boulot était rare au début des années quatre-vingt-dix et les gens prêts à raconter n'importe quoi.

— Les choses n'ont pas tellement changé, lui renvoya sèchement Radebe.

— Et maintenant, nous avons un tireur d'élite armé et en fuite sur les bras, dit Janina.

Le cerveau de Rajkumar fonctionnait à plein rendement.

— L'ANC aussi gardait des doubles papier sur l'Umkhonto we Sizwe. Ils ne sont pas à Robben Island ?

— Pretoria, dit Radebe. Les dossiers du MK sont à Voortrekkerhoogte.

— Que pouvez-vous nous en dire ?

— Que l'organisation laisse à désirer. Après 76, avec l'afflux de nouvelles recrues, il y avait trop de paperasses à traiter et pas assez de personnel. Mais ça vaut peut-être la peine d'y jeter un coup d'œil.

— Et la bibliothèque de microfiches des anciens services de renseignements ? Les Boers ont informatisé le répertoire, mais le système est autonome et protégé. Il fonctionne toujours à Pretoria. On pourrait déposer une requête, renchérit Rajkumar.

Radebe laissa échapper un grognement désobligeant, dont Janina connaissait la raison. Ses collègues du nouveau service de renseignements n'étaient guère respectés parmi son équipe. Mais l'idée lui plaisait.

— Si la demande vient d'assez haut, ils feront vite, insista-t-elle. Je vais en parler au directeur.

— Madame, dit Quinn en l'arrêtant de la main.

— Qu'est-ce qu'il y a ?

— Écoutez ça.

Il appuya sur une touche et le sifflement électronique du haut-parleur emplit la pièce.

— Répétez, Nathan.

— On a retrouvé la trace du propriétaire de Mother City Motorrad. Il s'appelle Bodenstein et vit à Welgelegen. Il dit que Mpayipheli n'est pas mécanicien, juste homme à tout faire. Tranquille, travailleur, ponctuel et digne de confiance. Il ignore tout d'un éventuel passé militaire.

— Racontez-nous ce qui s'est passé avec l'alarme, Nathan.

— Pendant qu'on l'interrogeait, le téléphone a sonné. La société de gardiennage de Bodenstein voulait l'informer que l'alarme du magasin avait été coupée plus d'une heure auparavant et n'avait pas été remise en marche. Il a dit qu'il devait y aller immédiatement. On l'accompagne.

— Et qu'a-t-il dit pour la clé, Nathan ?

— Ah, oui. Il dit que Mpayipheli possédait une clé du magasin et connaissait le code de l'alarme parce que c'est lui qui ouvre le matin.

Mpayipheli faillit tomber avant même de s'être vraiment mis en route. La puissance de l'énorme machine le prit totalement par surprise lorsqu'il accéléra pour tourner dans Oswald Pirow. L'engin répondait si différemment de sa petite Honda Benly qu'il manqua lui échapper. Et la taille – la GS était massive, lourde, haute et difficile à manier. Il eut un choc, l'adrénaline lui fit trembler les mains et la visière de son casque se couvrit de buée. Il lutta pour redresser la moto, remit les gaz avec précaution et parvint jusqu'au carrefour de la N1. Quand il freina, l'ABS avant se déclencha brutalement et il fut à deux doigts de basculer à nouveau. Il s'arrêta, le souffle court, les genoux flageolants. Il ne voulait pas finir sa vie sur cette machine allemande. Le feu passa au vert, il démarra lentement, amorça avec une prudence exagérée un large virage à droite, moteur au ralenti. Bon sang, que cette machine était puissante ! Il était à 100 km/h avant même d'avoir passé la troisième ! La vitesse maximale de sa Benly.

La circulation était fluide sur l'autoroute, mais il avait une conscience aiguë des voitures qui l'entouraient. Il roulait moins vite et restait prudemment dans la file de gauche, essayant de s'habituer à la GS. Une fois lancé, on avait moins de mal à garder l'équilibre, mais les poignées du guidon étaient trop écartées et le réservoir devant lui beaucoup trop encombrant.

Un œil sur la route et un autre sur les boutons, il vérifia de nouveau la position des clignotants, le fonctionnement des codes et des phares, gardant ses distances et maintenant la vitesse juste en deçà de 100 km/h. Il s'était trompé s'il croyait avoir trouvé le bon moyen de s'éloigner du Cap le plus vite possible. Malgré tout, s'il atteignait Bloemfontein dans la soirée, il serait à l'abri car il pourrait y attraper un avion : ils ne surveilleraient sans doute pas l'aéroport. Mais il tenait à peine sur cet engin, il avait fait une erreur, un taxi collectif aurait été plus rapide. En plus, on n'y voyait rien, les lumières de Century City se reflétant sur son casque. Faudrait-il pousser jusqu'à Worcester ou s'arrêter à Paarl et balancer la foutue machine dans un fossé ?... Mais qu'est-ce qui lui était passé par la tête ?

À la bretelle de sortie de la N7, il dut changer de file pour laisser passer un camion. Il accéléra lentement, mit son clignotant, déboîta et se rabattit dans la file de gauche, soulagé. Dans le long virage de Parow qui monte vers le Tygerberg, il sentit qu'il se penchait du mauvais côté, mais la moto était peu maniable, le virage difficile à négocier, si seulement il y avait moins de circulation, où donc allaient tous ces gens en pleine nuit ? Il descendit la colline, dépassa la sortie de Belville. Les réverbères s'espacèrent peu à peu, le trafic diminua, l'enseigne de la station essence libre-service attira son regard. Il jeta un coup d'œil à la jauge. Le réservoir était plein. Dieu merci. Jusqu'où pouvait-il aller avec un plein ?

Il vérifia le compteur, 110, ralentit, sentit qu'il perdait à nouveau le contrôle, cette machine n'en faisait qu'à sa tête, un véritable mustang. Tous les sens en éveil, il essaya d'anticiper. Que faire ? Le péage se trouvait droit devant, à trente kilomètres. Que devait-il faire ? Éviter le péage ? Pousser jusqu'à Paarl ? Abandonner la moto ? Prendre un taxi ?

Il devait y avoir des taxis pour Worcester, mais il était déjà très tard. Et s'il gardait la GS ? S'attaquer au col Du Toit's Kloof avec ce monstre ?

S'il passait au péage, il se ferait repérer. Difficile de ne pas remarquer un immense Noir sur une moto, non ? Mon Dieu, franchir ce col dans le noir, perché sur cet engin, l'effrayait. Et après, il y avait d'autres cols, d'autres routes ténébreuses aux virages en épingle à cheveux et encombrées de poids lourds. Qu'est-ce qui lui était passé par la tête ?

Que faire ?

Impossible de trouver un taxi à cette heure de la nuit.

Positiver. Il était en mouvement, en route. Faire taire l'envie de bazarder la moto. Profiter de l'obscurité. Tirer parti de son avance. Jouer de l'effet de surprise. Ils ne savaient rien ; malgré les deux flics planqués dans la voiture devant le magasin, on ne découvrirait la disparition de la GS que le lendemain matin, il avait donc…

Il n'avait pas remis l'alarme. Il en prit soudain conscience, comme un coup de poing en pleine figure. Dans sa précipitation, occupé qu'il était à batailler avec la GS, il avait oublié de rebrancher l'alarme.

Nom de Dieu, il avait vraiment perdu la main.

Lorsqu'il dépassa l'embranchement de Stellenbosch, sa rage envers Johnny Kleintjes, les Renseignements et sa propre stupidité avait pris le pas sur la peur que la moto lui inspirait et il se mit à jurer dans toutes les langues qu'il connaissait.

— J'arrive pas à y croire, dit Bodenstein. Bon Dieu, j'y crois pas !

Les deux officiers et le propriétaire du magasin se trouvaient dans la salle d'exposition de Mother City Motorrad. Bodenstein leur tendit une feuille de papier.

— Lisez ce qu'il a écrit. C'est pas croyable, hein ?

Nathan lui prit la feuille des mains.

M. Bodenstein,

Je vous emprunte la GS de démonstration pour deux ou trois jours. J'ai aussi pris une combinaison, un casque et des gants. Je vous ai laissé de l'argent pour le tout dans le tiroir du bureau. Je suis malheureusement obligé d'aider un ami de toute urgence et je n'avais pas d'autre solution. L'usure, ainsi que les dommages éventuels, vous seront intégralement remboursés.

Thobela Mpayipheli.

— On croit connaître les gens. On croit pouvoir leur faire confiance et…, dit Bodenstein.

— Laquelle est la GS ? demanda Johnny.

— C'est cet énorme truc mais en jaune, répondit Bodenstein en montrant une moto gris métallisé. Il va se casser la gueule. Et pas qu'un peu ! C'est pas un jouet. Non, mais c'est pas vrai !

« Voir les choses comme elles sont et non comme on aimerait qu'elles soient », tel était un des principes de Janina Mentz.

Voilà pourquoi elle accueillit les derniers éléments de l'affaire avec calme.

Debout à l'extrémité de la longue table, dans le centre opérationnel en pleine effervescence, elle réfléchissait tranquillement aux événements, le coude appuyé sur le bras, tête inclinée reposant dans la paume de la main, l'image même de la méditation sereine. Elle savait que le directeur entendait ses moindres paroles. Ses réactions, les décisions qu'elle prenait, le ton de sa voix et son attitude corporelle faisaient impression sur son équipe, ça aussi, elle le savait.

Elle imagina la route sur laquelle Thobela Mpayipheli, le fugitif insaisissable, devait se trouver. Il se dirigeait vers le nord et la N1 serpentait jusqu'au cœur de l'Afrique, telle une artère dilatée. La raison de sa ténacité, l'origine de sa motivation demeuraient inexpliquées, mais c'était sans importance à présent. Seul comptait l'itinéraire et ce qu'il impliquait de mesures préventives et restrictives.

D'une voix douce et monocorde, elle demanda qu'on lui accroche la grande carte murale.

Elle y traça à l'encre rouge le trajet le plus plausible. Définit le rôle de l'UR. Il tomberait dans le filet de leur comité d'accueil à soixante-dix-sept kilomètres au nord de Beaufort West, là où la route se scindait en deux, multipliant ainsi les possibilités – Kimberley Johannesburg à gauche ou Bloemfontein Johannesburg à droite.

Elle chargea les équipes de Quinn et Radebe d'alerter les postes de police et les brigades mobiles du secteur, en leur stipulant de s'en tenir à un rôle d'informateur car on ignorait encore trop de choses sur le fugitif armé, même si on savait qu'il pouvait se révéler dangereux.

En savoir si peu sur ce dernier point lui pesait et elle devait y remédier : elle décida d'envoyer des équipes chez Miriam Nzululwazi et Monica Kleintjes pour en apprendre davantage. Plus question de prendre des gants. Il fallait traquer la famille du fugitif. Ses parents. Ses amis. Obtenir des renseignements. Qui ? Quoi ? Où ? Pourquoi ? Comment ? Elle voulait le connaître, ce fantôme sans visage.

Elle avait le pouvoir, elle allait s'en servir.

Extrait de la transcription de l'interrogatoire de M. André Bodenstein, propriétaire de Mother City Motorrad, Oswald Pirow Boulevard, Le Cap, mené par J. Wilkinson. 23 octobre, 21 h 55.

W : Que savez-vous des emplois précédents de M. Mpayipheli ?

B : Il était homme à tout faire.

W : Homme à tout faire ?

B : Oui. Chez un vendeur de voitures de Somerset West.

W : Comment le savez-vous ?

B : C'est lui qui me l'a dit.

W : Quel genre d'homme à tout faire ?

B : Un larbin est un larbin. Il se tape tous les boulots merdiques dont personne ne veut.

W : C'est tout ce que vous savez ?

B : Écoutez, j'ai pas besoin d'un mec avec un diplôme pour laver mes motos.

W : Et vous lui avez donné une clé ?

B : Pas tout de suite, je ne suis pas idiot.

W : Mais plus tard.

B : Nom de Dieu, il m'attendait à la porte tous les matins ! Tous les matins je vous dis, jamais malade, jamais en retard, toujours poli. Il bossait, bon Dieu, ce mec bossait dur. L'hiver dernier, je lui ai dit qu'il pouvait ouvrir, qu'il ne devait pas rester sous la pluie comme ça, il pouvait balayer en attendant et mettre la bouilloire à chauffer. Quand on arrivait, le café était prêt, tous les matins, nom de Dieu, et ça brillait comme un sou neuf. On croit qu'on peut faire confiance. On croit connaître les gens et…

Il avait travaillé à deux reprises pour l'association des motards BMW de Killarney, à l'époque où des Blancs aisés d'un certain âge venaient y apprendre les bases du motocyclisme et, maintenant, il regrettait de ne pas avoir fait attention, de ne pas avoir enregistré toutes ces notions.

Le col Du Toit's Kloof dans l'obscurité. Il avait conscience d'être la caricature même de ce qu'il ne fallait pas faire. Il avançait par à-coups, freinant et accélérant sans arrêt, passant constamment de phare en code pour tenter d'y voir clair, luttant pour ne pas se laisser aveugler par les poids lourds qu'il croisait, énormes camions qui renâclaient sur la route la plus longue afin d'éviter les péages, prenant toute la place dans les virages en épingle ou se traînant devant lui à la vitesse de l'escargot. La coûteuse combinaison remplissait son office. Il transpirait tellement que la chaleur de son corps embuait la visière de son casque et qu'il devait la relever de temps à autre, en gardant présent à l'esprit le précipice à sa gauche et les lumières tout au fond de la vallée.

Freiner, braquer, freiner, braquer, avancer. Il batailla en jurant jusqu'au sommet. Puis la route fit brusquement un coude vers l'est et les lumières disparurent. Pour la première fois, l'obscurité fut totale et la chaussée soudain tranquille. Il prit conscience de l'incroyable tension dans son torse, de ses muscles noués et se gara sur le côté, mit au point mort, ôta son casque, lâcha le guidon et s'étira en inspirant profondément.

Il devait se détendre, il le fallait, il était déjà fatigué et il lui restait des centaines de kilomètres à parcourir. Il avait progressé. Il était parvenu jusque-là et avait négocié la moitié du col dans le noir. Bien que peu maniable, la monstrueuse machine n'était pas impraticable. Elle se montrait patiente avec lui comme si elle attendait qu'il se fasse plus aérien.

Il respira à fond plusieurs fois, plutôt content de lui : il avait franchi cette étape et avait atteint le sommet. Il aurait quelque chose à raconter à Pakamile et Miriam. Il se demanda si celle-ci dormait. D'après l'horloge du tableau de bord, elle devait avoir préparé les affaires d'école du garçonnet, ses vêtements et son déjeuner. S'il avait été chez lui, sa gamelle aurait été prête, la maison en ordre, les draps du lit rabattus. Elle serait venue s'allonger à côté de lui, exhalant de merveilleux effluves d'huile de bain et de savon, aurait mis le réveil pour cinq heures, éteint la lumière, sa respiration se faisant immédiatement calme et profonde, le sommeil du juste, le sommeil du travailleur.

Il entendit un camion approcher dans le virage derrière lui, s'étira une dernière fois en savourant l'air de la nuit, rabattit sa visière et démarra. Conscient qu'il savait enfin maîtriser les gaz, il accéléra à fond, sentit la puissante machine vibrer sous son corps et attaqua le virage suivant. Il se forçait à rester relâché, se pencha avec une maladresse prudente comme il le faisait sur la Benly mais avec plus de sûreté, plus de naturel. Il accéléra lentement à la sortie du virage, déjà concentré sur le suivant, franchit l'ancien tunnel, un autre virage et un autre encore, puis il attaqua la descente vers la vallée de la Meulenaars tout en bas, luttant contre la raideur, essayant de rester décontracté et léger, faisant corps avec la machine. Braquer et se redresser, encore et encore. Il se retrouva soudain sur la route à péage d'un luxe insensé avec ses trois voies et ses larges tournants. Un énorme soulagement l'envahit.

En jetant un coup d'œil sur le compteur, il vit l'aiguille à 130 et sourit dans son casque en pensant à l'exploit qu'il venait d'accomplir.

IX

– Ce n'est pas pour ce genre d'intervention qu'on s'est entraînés ! glapit Tiger Mazibuko dans le téléphone portable.

Il se trouvait dehors, à côté de la piste d'atterrissage, et observait ses hommes à travers la vitre, encore tout excités après ce qui venait de se passer. Ils n'avaient parlé que de ça en rentrant à la base, se repassant la scène dans les moindres détails, se taquinant les uns les autres, lui compris, suppliant leur chef de tous leur laisser une chance de tirer, pourquoi seulement Da Costa ? Zwelitini avait déclaré qu'il allait envoyer une lettre bien sentie au roi zoulou pour se plaindre du fait que même dans l'unité d'élite la plus en vue de tout le pays, on était raciste, que seuls les Blancs avaient le droit de mitrailler, les pauv's Noirs n'avaient qu'à regarder et les douze avaient hurlé de rire. Pas lui.

– Je sais, Tiger, mais ça nous a été très utile.

– On n'est pas la SAPS. Donnez-nous à faire quelque chose qui soit dans nos cordes. Quelque chose qui vaille le coup.

– Un homme qui descend des bouteilles de bière avec un AK à deux cents mètres, ça vous va ?

– Un seul ?

– Malheureusement oui, Tiger.

– Non, ça ne me va pas.

– Eh bien, c'est ce que j'ai de mieux à vous offrir. Tenez-vous prêts. Je vous envoie un Oryx du 23ᵉ escadron. On poursuit le fugitif, vous partez en reconnaissance et vous l'attendez.

Le calme de Mazibuko en disait long sur son mécontentement.

Lorsqu'elle comprit ce qu'il avait en tête, elle se mit en colère.

— Si l'enjeu n'est pas assez important pour vous, vous pouvez toujours retourner à Tempe. Je suis sûre de pouvoir me débrouiller autrement.

— Qu'est-ce qu'on sait du grand flingueur de canettes ?

— Trop peu de choses. Il a peut-être fait partie du MK. Ensuite, il aurait été une sorte de garde du corps dans le grand banditisme et, maintenant, il est homme à tout faire chez un concessionnaire moto.

— Il était MK, oui ou non ?

— On y travaille, Tiger. On y travaille.

Transcription de l'interrogatoire de Mme Miriam Nzululwazi, 21, Govan Mbeki Avenue, Guguletu, mené par A.J.M. Williams. 23 octobre, 22 h 51.

W : Je représente l'État, madame Nzululwazi. J'aurais quelques questions à vous poser sur M. Thobela Mpayipheli et une certaine Monica Kleintjes.

N : Je ne la connais pas.

W : Mais vous connaissez M. Mpayipheli.

N : Oui. C'est un homme bon.

W : Vous le connaissez depuis combien de temps ?

N : Deux ans.

W : Comment l'avez-vous rencontré ?

N : À mon travail.

W : Quel est votre travail, madame Nzululwazi ?

N : Je sers le thé à l'Absa.

W : Quelle branche ?

N : Heerengracht.

W : Et comment la rencontre s'est-elle produite ?

N : C'est un client.

W : Oui ?

N : Il est venu voir un des experts conseils et je lui ai apporté un thé. Une fois l'entretien terminé, il s'est mis à ma recherche.

W : Il voulait un rendez-vous ?

N : Oui.

W : Et vous avez dit oui.

N : Non. Plus tard, seulement.

W : Et donc, il est revenu, après la première fois.

N : Oui.

W : Pourquoi lui avez-vous refusé le rendez-vous au départ ?

N : Je ne comprends pas pourquoi vous me réveillez pour me poser ce genre de questions.

W : M. Mpayipheli a des ennuis, madame Nzululwazi, et vous pouvez l'aider en répondant à ces questions.

N : Quel genre d'ennuis ?

W : Il a dérobé un objet qui appartient à l'État et...

N : Il n'a rien dérobé du tout. C'est cette femme qui le lui a donné.

W : Mlle Kleintjes ?

N : Oui.

W : Pourquoi le lui a-t-elle donné ?

N : Pour qu'il l'apporte à son père.

W : Mais pourquoi l'a-t-elle choisi, lui ?

N : Il a une dette envers son père.

W : Quel genre de dette ?

N : Je ne sais pas.

W : Il ne vous l'a pas dit ?

N : Je ne le lui ai pas demandé.

W : Vivez-vous ensemble, M. Mpayipheli et vous ?

N : Oui.

W : Maritalement ?

N : Oui.

W : Et vous ne lui avez pas demandé pourquoi on lui avait apporté un objet volé ni pourquoi il avait accepté de l'emporter à Lusaka ?

N : Comment savez-vous qu'il va à Lusaka ?

W : Nous savons tout.

N : Si vous savez tout, pourquoi êtes-vous ici à me poser ces questions en pleine nuit ?

W : Savez-vous ce que faisait M. Mpayipheli avant son travail actuel ?

N : Je croyais que vous saviez tout.

W : Madame Nzululwazi, il nous manque certaines informations. Je me suis déjà excusé pour l'heure tardive. Comme je vous l'ai expliqué, il s'agit d'une urgence et M. Mpayipheli risque de gros ennuis. Vous pouvez nous aider en bouchant les trous.

N : Je ne sais pas ce qu'il faisait.

W : Saviez-vous qu'il avait travaillé pour la mafia ?

N : Je ne veux pas le savoir. Il m'a dit qu'il avait eu une autre vie et fait des choses qu'il préférait oublier. Ce n'était pas très difficile, dans ce pays. Il m'aurait tout raconté si je lui avais demandé. Mais je ne l'ai pas fait. C'est un homme bon. Il y a de l'amour dans cette maison. Il prend soin de mon fils et de moi. Ça me suffit.

W : Savez-vous s'il était membre de l'Umkhonto we Sizwe ?

N : Oui.

W : L'était-il ?

N : Oui.

W : Il vous l'a dit ?

N : D'une certaine manière.

W : Savez-vous où il a servi ?

N : En Tanzanie et en Angola, puis en Europe et en Russie.

W : À quelle époque ?

N : C'est tout ce que je sais.

W : Mais il vous a dit qu'en tant que membre du MK, il...

N : Non. Il n'en parlait jamais. J'ai tout découvert par moi-même.

W : Que voulez-vous dire ?

N : Quand il parlait des pays étrangers à Pakamile.

W : Pakamile est votre fils ?

N : Oui.

W : Et c'est tout ce que vous aviez comme indice ?

N : Oui.

W : Il ne vous a jamais vraiment dit avoir été membre du MK ?

N : Non.

Silence – 8 secondes.

W : Madame Nzululwazi, cette dette envers Johnny Kleintjes...

N : Je vous ai déjà dit que je n'en savais rien.

W : Vous n'avez pas trouvé bizarre que Mlle Kleintjes vienne ici et qu'il accepte immédiatement d'entreprendre un voyage long et périlleux à sa demande ?

N : Pourquoi serait-il périlleux d'aller à Lusaka ?

W : Vous ignorez tout des informations qui se trouvent sur le disque ?

N : Quelles informations ?

W : Les informations volées qu'il a en sa possession.

N : Pourquoi serait-ce périlleux ?

W : Certaines personnes veulent l'intercepter. Et il y a...

N : Des gens comme vous ?

W : Non, madame Nzululwazi.

N : Vous aussi, vous voulez l'arrêter.

W : Nous voulons l'aider. Nous avons essayé à l'aéroport, mais il s'est sauvé.

N : Vous vouliez l'aider.

W : Oui.

N : Je vous demande de partir. Maintenant.

W : Madame...

N : Sortez d'ici.

Il y a une plaque à l'entrée de la base aérienne de Bloemspruit. En termes militaires, elle est récente puisqu'elle a trois ans à peine. On y voit les mots 16e ESCADRON et dessous HLASELANI. Les habitants noirs de Bloemfontein savent ce que signifie « hlaselani », mais pour être sûr que tout le monde comprenne bien, on a rajouté OFFENSIF entre crochets au bas de la plaque.

Ce sont tout spécialement les pilotes du 16e escadron qui lisent ces mots avec satisfaction. Ils définissent leur objectif et les distinguent des chauffeurs de bus volants et transporteurs aériens des autres unités, en particulier les pilotes d'hélicoptères. Cela fait d'eux une unité de combat. Pour la première fois en presque soixante-cinq ans d'existence. Finis les bombardiers légers type

Maryland, Beaufort et Beaufighter de la Seconde Guerre mondiale. Finies les Alouettes III des sombres années quatre-vingt.

Leur fierté résulte en grande partie du contenu des hangars géants : douze hélicoptères d'attaque Rooivalk AH-2A quasiment neufs, impressionnantes plates-formes volantes équipées de canons de 20 mm à 740 coups minute et capables de transporter jusqu'à seize missiles air-sol tel le ZT-35, le missile antitank à guidage laser. L'extrémité des ailes peut loger douillettement des missiles air-air R-Darter. Si y on ajoute le potentiel de combat du Rooivalk, son système défensif intégré de guerre électronique, avec protection antiradar, antilaser et système de contre-mesures, les pilotes ont l'impression d'être les seuls dans l'armée de l'air sud-africaine à avoir une technologie digne du XXIe siècle entre les jambes – blague qui revient souvent au mess des officiers quand ils sirotent un rhum-coca.

À vingt et une heures et cinquante-neuf minutes, sur ordre du général Ben Van Rooyen, de l'état-major de l'armée de l'air, deux hélicoptères Rooivalk équipés de réservoirs supplémentaires d'une autonomie de 1 260 km décollèrent en direction de Beaufort West, pour une opération réelle (contrairement aux simulations des trente-six derniers mois), le plus gros dilemme du commandant du 16e escadron étant de justifier son choix auprès des pilotes et des tireurs qui ne participaient pas à la mission.

– Comment se fait-il que le MK n'ait rien sur lui, Rahjev ? Si elle a raison et qu'il est bien allé en Russie et en Angola, comment est-ce possible ?

– Madame, on ne sait pas. On ne peut que vérifier les bases de données et analyser ce qu'on a, c'est tout.

– Quelle est la probabilité qu'un membre du MK n'ait pas de dossier ?

Rajkumar tritura d'une main grassouillette la queue-de-cheval qui lui pendait sur l'épaule.

– Qu'est-ce que j'en sais, madame... quinze pour cent ?

– Quinze pour cent.

– Dans ces eaux-là.

– Si le MK avait dans les dix mille soldats, ça voudrait dire que mille cinq cents d'entre eux n'ont pas d'états de service ? Tant que ça ?

– Pas informatisés en tout cas.

– Sur cinquante mille, sept mille cinq cents pourraient être purement et simplement passés à la trappe ?

– Oui, madame.

– Mais on peut peut-être les retrouver dans les dossiers de Voortrekkerhoogte ?

– Ils ont en effet peut-être plus de chances de tomber sur lui dans les fichiers de Voortrekkerhoogte.

– Ça prendra combien de temps ?

– Une heure ou deux. Trois agents passent les archives au crible.

– Et la bibliothèque de microfiches des Boers ?

Radebe haussa les épaules.

– Ça dépend comment les ordres d'en haut ont été reçus.

Elle arpenta la pièce. Dépendre des autres la frustrait terriblement. Elle se secoua.

– Qu'est-ce qu'un laveur de motos peut bien fricoter avec un consultant d'Absa ? lança-t-elle à la volée.

– Dites-moi que je peux aller fouiner dans la banque de données d'Absa, madame. S'il vous plaît ?

Rajkumar croisa ses doigts boudinés devant lui et s'étira en faisant craquer ses jointures d'impatience.

– Il vous faut combien de temps ?

– Donnez-moi une heure.

– Allez-y.

– Ouais, ouais, ouais !

– On en est où, sur la route ? demanda-t-elle à Radebe.

– Aucune grosse cylindrée ne s'est présentée au péage nord pour l'instant… quelques-unes qui venaient du sud mais pas de Noir. On est passés par la direction générale de la police. Ils ont alerté les flics du coin et les stations-service jusqu'à Touws River. Ils sont en train de prévenir Laingsburg, Leeu-Gamka et Beaufort West. Mais s'il ne prend pas la N1…

– Il la prendra.

Il acquiesça.

Elle les regarda. Avides de la satisfaire.

– On avance sur les gens qui ont aidé Kleintjes à uniformiser les réseaux informatiques ?

– Une transcription arrive, madame.

– Merci.

C'est la bonne, se dit-elle. Celle qu'elle attendait. Elle parcourut la pièce du regard. Ils ne savaient pas tout. Elle seule détenait toutes les pièces de ce puzzle si particulier.

Tout avait été méticuleusement planifié. Exceptionnellement géré. Il avait fallu de longs mois de préparation minutieuse pour tout mettre au point. Et maintenant, tout était fichu en l'air à cause d'un coursier à moto vieillissant.

X

Miriam Nzululwazi contemplait le plafond, allongée sur le grand lit dans la chambre obscure, les mains croisées sur la poitrine. Elle n'entendait pas les bruits nocturnes et familiers de Guguletu, les aboiements incessants des chiens, les cris des gens qui rentrent de leur dernière virée au shebeen[1] avant d'attaquer la semaine, les rugissements d'un moteur dans une arrière-cour de garage, les insectes, les basses assourdies d'un morceau de musique, les soupirs et les craquements de leur maison s'apprêtant pour la nuit.

Elle s'interrogeait sur Thobela et arrivait chaque fois à la même conclusion : c'était un homme bon.

Pourquoi le traquaient-ils ? Il ne faisait rien de mal.

Ce pays. Cesserait-on jamais de tambouriner à votre porte au beau milieu de la nuit ? Les comptes du passé seraient-ils soldés un jour ?

Thobela faisait-il quelque chose de mal ?

Était-il quelqu'un d'autre que l'homme qu'elle connaissait ?

« J'étais différent, lui avait-il confié un après-midi au début de leur relation, lorsqu'il essayait de gagner sa confiance. J'avais une autre vie. Je n'en ai pas honte. Je croyais en ce que je faisais. C'est fini à présent. Je suis là. Tel que tu me vois. »

Le premier jour, dans le bureau de l'expert conseil, elle ne l'avait même pas remarqué. C'était un client comme un autre.

---

1. Débit de boisson illicite dans les villes ou les *townships* d'Afrique du Sud. *(NdT.)*

Elle avait transféré le thé du chariot sur un plateau qu'elle avait fait glisser sur le bureau puis avait refermé la porte derrière elle en hochant la tête quand ils l'avaient remerciée, loin de se douter que ce geste sans importance allait changer sa vie. Il était venu la chercher jusque dans la cuisine. D'après la secrétaire, il voulait la féliciter pour son thé. « Je m'appelle Thobela Mpayipheli », avait-il dit en lui tendant la main. Elle avait trouvé son nom beau et honnête : « Thobela » signifie « respect ». Mais elle s'était demandé ce qu'il lui voulait.

– Je vous ai vue dans le bureau de Van der Linde. Je veux vous parler.

– De quoi ?

– De tout.

– Vous voulez sortir avec moi ?

– Oui.

– Pas question.

– Je suis trop laid ? avait-il répliqué en souriant et bombant le torse.

– J'ai un enfant.

– Un garçon ou une fille ?

– Je n'ai pas le temps de discuter. J'ai du travail

– Dites-moi seulement votre nom, s'il vous plaît.

– Miriam.

– Merci.

Il n'utilisait ni l'argot populaire ni le semblant d'américain décontracté des dragueurs du *township*, il avait pris congé et elle s'était remise au travail. Deux jours plus tard, elle avait reçu un coup de fil. Personne ne lui téléphonait à la banque et elle avait eu peur que quelqu'un soit mort. Il avait dû se rappeler à son bon souvenir avant de lui demander à quelle heure elle déjeunait. Elle avait répondu de manière évasive en lui enjoignant de ne plus l'appeler là-bas, il n'y avait qu'une seule ligne et les réceptionnistes n'aimaient pas que le personnel l'encombre.

Le lendemain, il l'attendait dehors, non pas appuyé contre un mur mais bien planté devant l'entrée, jambes écartées, bras croisés sur la poitrine et lorsqu'elle s'était dirigée vers Thibault Square pour y prendre le soleil, il l'avait précédée.

– Puis-je vous accompagner ?

– Que voulez-vous ?

– Je veux vous parler.

– Pourquoi ?

– Parce que vous êtes une jolie femme et que je veux faire votre connaissance.

– Je connais assez de gens, merci.

– Vous ne m'avez jamais dit si vous aviez un fils ou une fille.

– C'est exact.

Il avait marché à côté d'elle, elle s'était assise sur une marche et avait sorti un sandwich de son papier sulfurisé.

– Je peux m'asseoir ici ?

– C'est un lieu public. Vous pouvez vous asseoir où vous voulez.

– Je ne suis pas un *tsotsi*[1].

– Je le vois bien.

– Je veux juste parler.

Elle l'avait laissé parler. Elle était partagée – peur d'un côté, solitude de l'autre. Ses expériences passées se heurtaient aux possibilités qui s'offraient à elle. Elle devait protéger son enfant, et son cœur aussi, de ce bel homme convenable, imposant et doux à la fois, assis à côté d'elle au soleil printanier. Elle avait décidé de laisser faire, de rester passive. Qu'il parle. Ce qu'il avait fait. Il l'attendait dehors tous les jours, avec parfois quelque chose à manger, jamais rien d'extravagant : des petits pains à la viande, des frites chaudes qui dégageaient une irrésistible odeur de sel et de vinaigre, un petit bol de riz au curry parfois ou son plat préféré, un en-cas épicé, parfumé et relevé, tout frais sorti du restaurant à emporter musulman d'Adderley Street, qu'il lui faisait goûter. Il partageait son déjeuner avec elle, peu à peu elle s'était laissée fléchir. Plus détendue, elle lui parla de Pakamile et de la maison pour laquelle elle avait tant travaillé, lui dit combien elle avait peiné à la payer ; un jour, il apporta un cadeau pour l'enfant – un puzzle. Elle refusa et dit que c'était terminé, elle ne le verrait plus, elle ne voulait pas mettre Pakamile en danger, les

---

1. Gangster des *townships*. (NdT.)

hommes finissaient toujours par partir. Les hommes ne restent jamais, aussi bons soient-ils, elle savait que c'était plus fort qu'eux. C'est la vie : les hommes ne font que passer. Ils sont inconstants. Inutiles. Inutiles pour Pakamile.

— Pas tous, avait-il répondu, et elle avait failli lui lancer « Ils disent tous ça », mais quelque chose dans ses yeux, dans son attitude, dans sa bouche crispée et ses mâchoires serrées l'en avait empêchée, quelque chose qui l'avait touchée et elle s'était tue. Il avait alors ajouté :

— J'ai mené une vie dingue, j'ai fait des choses…

— Quel genre de choses ?

— Des choses au nom de la Lutte. J'étais différent. J'avais une autre vie. Je n'en ai pas honte. Je croyais en ce que je faisais. C'est fini à présent. Je suis là. Tel que vous me voyez.

— On a tous fait des choses au nom de la Lutte.

Elle s'était sentie soulagée.

— Oui. Je me cherchais. Maintenant, je me suis trouvé. Je sais qui je suis et je sais ce que je veux. Je ne suis pas un déserteur.

Elle l'avait cru. Il l'avait regardée dans les yeux et elle l'avait cru.

— Rooivalk Un, voici la météo, annonça la tour de contrôle de Bloemspruit. Dépression qui se creuse à l'ouest, de Verneuk-pan à Somerset East et arrivée d'un système frontal faible. Il pourrait pleuvoir.

Le pilote regarda son plan de vol.

— On peut passer ?

— Affirmatif, Rooivalk, mais vous feriez bien de vous bouger le cul, répondit la tour en sachant que le Rooivalk n'était pas opérationnel au-dessus de vingt mille pieds.

— Rooivalk Un, prêt à décoller.

— Rooivalk Deux, prêt à décoller.

— Rooivalk Un et Deux, autorisation de décoller. Faites-moi du boucan.

Le bruit des deux turbomoteurs Topaz fut assourdissant.

Il réussit à dompter la R 1150 GS juste avant la vallée de la Hex River. Il le sentit à la sortie d'un virage en accélérant puissamment et y prenant du plaisir. Le pot d'échappement toussa doucement derrière lui, il rétrograda, se positionna pour attaquer le virage, inclina la moto en accompagnant le mouvement de l'épaule, sans éprouver la moindre peur ni le moindre inconfort en prenant de l'angle, seulement une pointe de fierté légitime devant cette minuscule victoire et ces compétences nouvelles, satisfait d'avoir réussi à dominer la machine. Il accéléra à la sortie du virage, le regard braqué sur le suivant, enregistra les feux arrière d'un camion un kilomètre devant lui, attentif, sûr de lui, des bribes de souvenirs lui revenaient, les remarques de l'instructeur de l'école de conduite prenaient peu à peu leur sens. Il pouvait y arriver, un peu d'adrénaline, un peu plus de précision, le camion devant lui, embrayer, passer les vitesses et accélérer, murmure des freins avant, doubler à toute allure, puis il leva les yeux et vit la lune qui se détachait au-dessus des cimes, lumineuse et pleine, et sut dans l'instant qu'il allait s'en sortir, qu'il avait laissé les ennuis derrière lui. Seule la route dégagée serpentait devant lui. Il mit les gaz à fond et la vallée apparut, féerique dans la lumière iridescente de la lune.

Monica Kleintjes était recroquevillée sur une chaise dans le salon de la maison paternelle, les joues sillonnées de traces de larmes. En face d'elle, Williams se tenait assis au bord de sa chaise, comme s'il voulait la toucher pour lui témoigner sa sympathie.

— Mademoiselle Kleintjes, j'aurais fait exactement la même chose s'il s'était agi de mon père. C'est un beau geste, dit-il d'une voix douce. Nous sommes là pour vous aider.

Elle acquiesça en se mordant la lèvre inférieure, mains crispées sur les genoux, ses grands yeux pleins de larmes derrière les lunettes.

— Il y a simplement deux choses que nous devons éclaircir : les relations de votre père avec M. Mpayipheli et le genre d'informations qui sont en possession de ce dernier.

— J'ignore ce qu'il y a sur le disque dur.

– Aucune idée ?

– Des noms. Des dossiers. Des chiffres. Des renseignements. Quand j'ai demandé à mon père de quoi il s'agissait, il m'a répondu qu'il valait mieux que je n'en sache rien. Je pense... des noms...

Elle parcourut des yeux le mur qui jouxtait la cheminée. S'y trouvaient des photos en noir et blanc et en couleurs. Différentes personnes.

– Quels noms ? demanda Williams en suivant son regard et se levant.

– Des noms connus.

– Lesquels ?

Il détailla les photos. Une famille de couleur à Trafalgar Square, Johnny Kleintjes, Monica, à cinq ans peut-être, debout sur ses petites jambes potelées, bien présentes.

– L'ANC. Le régime...

– Vous souvenez-vous de noms en particulier ?

Des clichés de Kleintjes avec des personnalités actuellement en poste au gouvernement. La place Rouge, Berlin-Est, checkpoint Charlie et le mur en arrière-plan. Prague. Les hauts lieux touristiques de la Guerre froide.

– Il ne m'a rien dit.

– Rien du tout ?

Williams observait avec insistance la photo de mariage de Johnny Kleintjes. La mère de Monica en blanc, pas vraiment une belle femme, mais altière.

– Rien.

Il détourna les yeux du mur et la regarda.

– Mademoiselle Kleintjes, il est essentiel que nous découvrions de quelles informations il s'agit. Dans l'intérêt de notre pays.

Les mains de la jeune femme quittèrent brusquement ses genoux et le barrage qui retenait ses larmes céda.

– Je ne voulais pas savoir et mon père refusait d'en parler. Je vous en prie...

– Je comprends, mademoiselle Kleintjes.

– Merci.

Il attendit qu'elle se calme. Elle sortit ses mouchoirs et se moucha délicatement.

— Et M. Mpayipheli ?

— Mon père a fait sa connaissance dans la Lutte.

— Pourriez-vous être plus précise ?

Un autre mouchoir. Elle enleva ses lunettes et s'essuya soigneusement les joues.

— Il y a trois semaines... deux ou trois semaines, mon père est venu me voir au travail. Il ne l'avait jamais fait. Il m'a remis une feuille de papier en me disant qu'il s'agissait du nom et du numéro de téléphone d'une personne en qui il avait toute confiance. Si jamais quelque chose lui arrivait, je devais téléphoner à P'tit Mpayipheli.

— P'tit ?

— C'est ce qui était écrit sur la feuille.

— Ça vous a surpris ?

— Ça m'a inquiétée. Pourquoi quelque chose devrait-il t'arriver ? lui ai-je demandé. Il m'a répondu qu'il ne se passerait rien, ce n'était qu'une assurance, comme celles qu'on traite chez Sanlam. Et puis je l'ai questionné sur P'tit Mpayipheli, pour savoir qui c'était. Un phénomène, d'après lui.

— Un phénomène ?

Elle hocha la tête.

— Et il a ajouté : « Un camarade, P'tit était un camarade. » Ils avaient servi ensemble. Il l'avait vu grandir dans la Lutte.

— Votre père était-il en Europe durant la Lutte ?

— Oui.

— Et c'est là qu'il a rencontré Mpayipheli ?

— J'imagine.

— Et... ?

— Et si jamais les choses tournaient mal, je devais contacter P'tit. Je lui ai redemandé ce qui risquait de mal tourner, j'étais inquiète, mais il n'a rien voulu dire, il ne parlait que de mon joli bureau.

— Et quand vous avez reçu le coup de fil de Lusaka, vous avez appelé Mpayipheli ?

– J'ai d'abord ouvert le coffre pour prendre le disque dur. Il y avait un mot dessus. Avec le nom de P'tit Mpayipheli et son numéro de téléphone. – Alors je l'ai contacté.

– Et vous lui avez apporté le disque à Guguletu ?

– Oui.

– Et vous l'avez prié de l'acheminer à Lusaka pour vous ?

– Oui.

– A-t-il accepté ?

– J'ai une dette envers votre père, m'a-t-il dit.

– J'ai une dette envers votre père.

– Oui.

– Est-ce que vous avez une photo de lui ici ?

Elle passa en revue la rangée de portraits comme si elle les voyait pour la première fois. Elle rapprocha ses béquilles et se leva avec difficulté. Il faillit l'arrêter, désolé d'avoir posé sa question.

– Je ne crois pas.

Elle parcourut les photos du regard. Les larmes lui montèrent à nouveau aux yeux.

– Avez-vous eu le moindre contact avec M. Mpayipheli depuis ?

– Mon téléphone est sur écoute. Vous savez bien.

– Mademoiselle Kleintjes, avez-vous la moindre idée de l'endroit où il se trouve actuellement ?

– Non.

Radebe l'appela au centre opérationnel.

– Oui ?

– L'équipe qui épluche les dossiers de Pretoria, madame...

– Oui ?

– Ils n'ont rien. Impossible de trouver Thobela Mpayipheli.

XI

L'agent dépendait du bureau de Bisho, province du Cap oriental. Du point de vue opérationnel, c'était le trou du cul de l'Afrique du Sud, elle le savait, une espèce de marécage professionnel où rien n'arrivait jamais qui vous donne une chance de vous distinguer, de vous propulser jusqu'au quartier général. Plus on y restait, plus on étouffait, pris au piège des sables mouvants de la médiocrité.

Voilà pourquoi, lorsque Radebe lui téléphona du QG pour lui donner l'ordre d'interroger un sujet à Alice, elle ne fit aucune remarque sur le manque d'informations, répondit avec un empressement qui dissimulait mal sa gratitude, grimpa dans sa trépidante Golf Chico poussiéreuse, 174 000 km au compteur, et sauta sur l'occasion. Peut-être s'agissait-il de son laisser-passer pour de plus hautes distinctions.

Concentrée sur les questions à poser et le ton de voix à adopter, elle prépara son entretien jusqu'à ce que son esprit se mette à vagabonder. Elle se prit à rêvasser sur les portes qui risquaient de s'ouvrir, imagina Mme Mentz lisant son rapport (ne connaissant pas son bureau, elle le voyait tout de verre et chrome), puis appelant Radebe pour lui dire : « Cet agent est brillant, Radebe. Que fait-elle à Bisho ? Elle a sa place auprès de nous. »

Elle fut à Alice avant même que le fantasme ait vraiment pris corps, avant qu'elle ait pu meubler l'appartement de ses rêves à Sea Point et admirer la vue. Elle se gara devant la maison située à un kilomètre environ des nouveaux bâtiments plutôt réussis du campus de Fort Hare. Il y avait encore de la lumière. Elle frappa poliment, magnétophone et calepin dans le sac à main, arme dans le holster en cuir glissé dans son dos.

L'homme qui lui ouvrit la porte avait des cheveux poivre et sel, un visage profondément marqué de rides innombrables, un corps longiligne voûté par les ans, mais son « bonsoir » n'exprimait que la patience.

— Révérend Lawrence Mpayipheli ?

— C'est exact.

— Mon nom est Dalindyebo. J'ai besoin d'aide.

— Alors vous avez frappé au bon endroit, ma sœur, répondit-il d'une voix forte.

Il s'effaça et ouvrit la porte en grand. Deux pieds nus et veinés dépassaient sous la robe de chambre bordeaux.

L'agent entra, balaya la pièce des yeux, vit les étagères qui tapissaient deux murs entiers, des centaines de livres. Les murs restants étaient recouverts de photos en noir et blanc et en couleurs. La pièce était simple, modeste et dégageait une impression de paix et de convivialité.

— Je vous en prie, asseyez-vous, reprit-il. Je vais dire à ma femme qu'elle peut dormir.

— Je m'excuse pour l'heure tardive, Révérend.

— Ne vous inquiétez pas.

Le pasteur disparut sans un bruit dans le couloir recouvert de moquette. De sa chaise, l'agent tenta d'apercevoir les photos. Le pasteur et sa femme au centre, entourés de jeunes mariés, à un synode, parmi des groupes de gens indéfinissables. Sur un côté, un portrait de famille, le pasteur plus jeune, élancé et droit comme un i derrière un petit garçon de six ou sept ans, fronçant les sourcils d'un air sérieux, dents en avant. Elle se demanda s'il s'agissait de Thobela Mpayipheli.

Le vieil homme reparut.

— J'ai mis la bouilloire à chauffer. Qu'apportez-vous dans ma maison, mademoiselle Dalindyebo ?

Elle hésita un instant, doutant soudain de la phrase toute prête qu'elle avait sur le bout de la langue. Le vieil homme rayonnait d'amour et de compassion.

– Révérend, je travaille pour l'État…

Il était sur le point de s'asseoir en face d'elle lorsqu'il remarqua son embarras.

– Continuez mon enfant, n'ayez pas peur.

– Révérend, nous avons besoin de renseignements sur votre fils, Thobela Mpayipheli.

Une vive émotion passa sur le visage du vieil homme, sur sa bouche et dans ses yeux. Il resta immobile un long moment, pétrifié, suffisamment longtemps pour qu'elle s'inquiète. Puis il s'assit lentement, comme s'il avait mal aux jambes et laissa échapper un soupir plein de gravité.

– Mon fils ?

Il effleura sa tempe grisonnante du bout des doigts et agrippa l'accoudoir de l'autre main, le regard vide. Elle ne s'était pas attendue à une telle réaction. Ça risquait de durer plus longtemps que prévu et il lui faudrait revoir ses questions. Pour l'heure, elle devait se faire discrète.

– Mon fils, répéta-t-il.

Cette fois, ce n'était pas une question. Il lâcha l'accoudoir et porta sa main à sa bouche, comme suspendue, le regard ailleurs, hors de la pièce.

– Thobela, reprit-il.

On aurait dit que le nom venait de lui revenir.

Il fallut presque quinze minutes au vieil homme pour commencer. Il lui demanda d'abord comment se portait son fils, à quoi elle répondit par de vagues mensonges pour ne pas l'inquiéter. Il s'excusa pour aller préparer du café en marchant comme un somnambule. Il rapporta un plateau sur lequel il avait disposé une assiette de biscottes et de petits gâteaux. Ne sachant par quel bout attaquer l'histoire de Thobela Mpayipheli, il se lança soudain, hésitant tout d'abord, bataillant pour trouver le mot juste, l'expression correcte, jusqu'à ce que le récit coule de lui-même, torrent de paroles et d'émotions, comme s'il était en train de se confesser et quêtait son absolution.

– Pour comprendre, il faut remonter à la génération précédente. À notre génération. À mon frère et à moi. Lawrence et

Senzeni. La colombe et le faucon. Jacob et Esaü, si vous me pardonnez la comparaison.

Des enfants de la Kat River, de la misère, oui, simples mais fiers, fils d'un chef tribal. Ils s'occupaient des troupeaux, avaient appris la culture xhosa autour du feu à la veillée, découvert l'histoire de leur peuple assis aux pieds des anciens et connu l'initiation xhosa avant que celle-ci ne devienne un moyen d'exploiter les plus pauvres. Dès leur plus jeune âge, ils étaient différents. Lawrence, l'aîné, le rêveur, le grand gamin maigrichon et intelligent qui devançait toujours les autres dans la classe unique de l'école de la mission, Lawrence, le pacifique. Senzeni, plus râblé, tout en muscles, bagarreur, né pour être soldat, impatient, colérique, fougueux, dont l'attention n'était totalement en éveil que lorsqu'il écoutait les récits de combats, les yeux brillants, dévoré par l'envie d'en découdre.

Il y avait eu un épisode déterminant, bien des années auparavant, lorsque lui, Lawrence, avait dû défendre son honneur en se battant à mains nues avec un autre garçon, une bagarre insensée avec un fauteur de troubles jaloux de son ascendance. Harcelé de remarques caustiques, il n'avait pu faire autrement que de préserver sa dignité à coups de poing parmi les gamins qui vociféraient. Il lui semblait survoler la scène, les deux garçons qui se faisaient face en rétrécissant peu à peu le cercle, il lui semblait flotter, comme s'il n'était pas vraiment là. Et quand les coups avaient commencé à pleuvoir, il avait été incapable de lever la main sur le garçon. Incapable de serrer les poings, de trouver la haine ou la colère nécessaires pour faire couler le sang. C'avait été un moment divin, il avait ressenti la douleur de son adversaire avant même qu'elle existe et le désir de la soulager, de l'apaiser.

Senzeni, le petit frère, était venu à son aide. Il chancelait et saignait au milieu des gamins, la tête bourdonnante, les yeux et le nez pleins de sang et soudain Senzeni était arrivé, tel un ouragan rageur et menaçant, rouant son ennemi de coups avec une détermination effrayante et impitoyable.

Quand tout avait été fini, il s'était tourné vers Lawrence d'un air dédaigneux, presque haineux, rechignant à accepter cette responsabilité nouvelle, questionnant leur parenté en silence.

Lawrence avait découvert le Seigneur à l'école des missionnaires. Il avait trouvé en Lui tout ce qu'il avait ressenti ce jourlà. Senzeni, lui, disait que c'était la religion des Blancs.

Lawrence avait reçu une bourse de l'église et leur mère l'avait encouragé dans cette voie. Il avait étudié, s'était marié, sa longue quête spirituelle commençant ici même, parmi son peuple, dans la vallée de la Kat River. Son frère, lui, était toujours là en contrepoint, prochain chef tribal par défaut, guerrier qui s'accrochait aux rumeurs d'un nouveau mouvement venu du nord, qui relisait sans cesse le moindre article sur le procès de Rivonia[1] et devenait un disciple d'un autre ordre – un disciple de la liberté.

Et Thobela était arrivé.

Le Seigneur lui avait envoyé le garçon dans un but bien précis. Il avait observé les ancêtres, avait puisé ici et là, puis expédié dans le monde un enfant à l'image du grand-père Mpayipheli, doté de ses talents de meneur, de décideur, de sa capacité à décrypter une situation au-delà des apparences avant d'énoncer un jugement. Le Seigneur lui avait donné le corps élancé de son père, des membres similaires capables de parcourir les collines du Ciskei à grandes enjambées cadencées, et la même physionomie, de sorte que beaucoup, à commencer par le propre père de Thobela, avaient commis l'erreur de croire qu'il était tout aussi pacifiste.

Mais Dieu en avait fait un prédateur, un guerrier xhosa. Le Seigneur était remonté très loin dans la lignée, jusqu'à Phalo, Rharhabe, Nquika et Maqoma, comme il l'avait fait pour Senzeni, et il avait donné à Thobela Mpayipheli une âme de chasseur.

Lorsqu'il était petit, sa ressemblance avec son père trompait tout le monde. « Tel père, tel fils », disait-on. Mais le fils avait grandi et la vérité avait éclaté au grand jour. Son père avait été le premier à s'en rendre compte, parce qu'il était le frère de Senzeni. Il avait reconnu les signes avant-coureurs et avait demandé grâce, de peur des conséquences. Il avait entouré le garçon d'amour,

1. Procès lors duquel Nelson Mandela a été condamné à perpétuité ainsi que sept autres personnes. (NdT.)

avait tissé un cocon autour de lui pour le protéger, mais le Seigneur en avait décidé autrement. Il avait compris trop tard qu'il le mettait à l'épreuve avec cet enfant, beaucoup trop tard. Il avait échoué, malgré sa sagesse et sa compassion, son amour profond pour son fils l'avait aveuglé.

Le conflit avait démarré de manière insignifiante, accrochages domestiques entre un père et son fils qui n'avaient cessé de s'accroître au fils des ans, comme les rides à la surface d'une mare étale lorsqu'on y lance un galet.

Et Senzeni était venu chez lui pour vérifier la rumeur, leurs âmes violentes s'étaient reconnues, Thobela et son oncle, ils parlaient le même langage, aspiraient de tout leur corps aux mêmes champs de bataille, rejetaient le chemin de la paix et de l'amour. Alors Lawrence Mpayipheli avait perdu son fils.

– En 1976, lors des émeutes de Soweto, Thobela avait quatorze ans. Une nuit, Senzeni est venu le chercher. La maison lui était interdite à cause de sa mauvaise influence, mais il s'était glissé à l'intérieur comme un voleur, avait pris l'enfant avec lui et nous avait téléphoné plus tard pour dire qu'il ramènerait Thobela quand celui-ci serait devenu un homme. Il l'a fait initier on ne sait où et l'a emmené visiter tous les lieux où le sang des Xhosas avait coulé. Il lui a farci la tête de haine. Ils sont restés absents longtemps, trois mois, et lorsqu'ils sont revenus, mon fils et moi ne nous comprenions plus. Nous avons vécu ainsi pendant deux ans dans le presbytère, étrangers l'un à l'autre. Il suivait son chemin, silencieux et secret, comme s'il ne faisait que me tolérer en attendant.

« Il est parti en 1979. La veille, il nous a dit bonsoir, ce qui était plutôt rare, et le lendemain matin, on a trouvé sa chambre vide. Le lit était intact et des vêtements avaient disparu du placard. Senzeni est venu nous annoncer que mon fils était parti se battre. Il y a eu une dispute terrible ce jour-là. Des choses affreuses ont été dites. Je me suis oublié. J'étais blessé de n'avoir pas su être un père, blessé que mon frère m'ait volé mon fils. Je parlais à Senzeni, mais en vérité, c'est à Dieu que j'en voulais. Le Seigneur avait laissé mon fils m'abandonner. Il avait imposé d'étranges limites à ce pays et à cette famille. Il avait fait de moi un homme de paix et d'amour, Il m'avait choisi pour guider les hommes, puis Il avait introduit le loup dans la bergerie, faisant en sorte de me ridiculiser, de m'exposer au mépris de l'apostat et je n'arrivais pas à comprendre pourquoi.

« Ce n'est que plus tard que j'ai vraiment compris qu'il s'agissait d'une épreuve. C'était sa manière de m'enseigner l'humilité, de m'enlever l'illusion d'être béni entre tous, moi, le colosse aux pieds d'argile. Mais il était alors trop tard pour sauver mon fils, trop tard pour le ramener à la maison. On recevait parfois de ses nouvelles, Senzeni nous envoyait de temps en temps un mot disant qu'il allait bien, qu'il s'était distingué, que les leaders de la Lutte l'appréciaient, qu'il était parti à l'étranger pour apprendre à se battre pour son pays.

« Et puis un soir, la nouvelle est tombée. La police secrète avait arrêté Senzeni et l'avait emmené à Grahamstown. Ils l'ont battu à mort huit jours durant et ont abandonné son corps sur le bord d'une route, comme une immondice. Et nous n'avons plus jamais entendu parler de notre fils. »

Au-delà de la Touws River la route tournait moins et, pour la première fois, Thobela put détacher son esprit de la moto. Il fit le point sur sa position et les différentes solutions qui s'offraient à lui. La jauge était à zéro. Il devait faire le plein. À Laingsburg. Il lui resterait ensuite 200 km pour arriver à Beaufort West, une portion de route mortelle à travers le grand Karoo, immense et rectiligne, oppressante de chaleur en plein jour et démoralisante la nuit. Il comptait arriver vers minuit.

De Beaufort West, il y avait encore 500 ou 550 km pour Bloemfontein – trop loin pour y parvenir avant l'aube ? Peut-être pas, s'il se dépêchait, s'il ne traînait pas aux stations-service.

Il lui faudrait dormir à Bloemfontein, se trouver un endroit dans le *township* pour se reposer pendant la journée.

Demeurait la grande question : avaient-ils découvert le vol de la moto ? Son oubli avait-il déjà eu des conséquences ? Si la réponse était non, ça lui laissait jusqu'à huit ou neuf heures le lendemain matin avant que l'alarme ne soit donnée. Et ils devraient deviner son itinéraire.

Mais s'ils savaient déjà...

Il connaissait les règles du jeu. Il savait combien les variables peuvent se multiplier rapidement pour les chasseurs et pour les proies. Il savait quel raisonnement serait le leur s'ils étaient déjà au courant. Parier sur la grande route, la plus rapide, la plus courte, utiliser les moyens locaux parce que c'était statistiquement le plus logique, même s'ils avaient cinquante pour cent de chances de se tromper. Les routes secondaires, plus longues, étaient trop nombreuses. À vous en rendre dingue.

S'ils savaient, ils opteraient pour la N1. C'est pour cela qu'il devait profiter de l'obscurité et de l'avance qu'il avait sur eux.

Il mit pleins phares, le ruban noir s'étira devant lui, il accéléra, l'aiguille passa au-dessus de 140, atteignit 150. Il évaluait des yeux la route éclairée. Jusqu'à combien pouvait-il grimper dans le noir sans danger ?

Juste après le sommet de la côte suivante, une vallée s'ouvrit devant lui et la GS dépassa les 160. Il aperçut au loin un gyrophare bleu et rouge.

Il agrippa le frein avant, écrasa le frein arrière, l'ABS frémit, il sentit une pression énorme lui broyer les bras, débraya, crut un moment qu'il allait perdre le contrôle et réussit enfin à s'arrêter au beau milieu de la route. Il devait encore faire quelque chose, quoi déjà ? Les phares, éteindre les phares, il tâtonna en paniquant à la recherche du bouton, le trouva, le pressa du pouce droit et se retrouva soudain seul dans le noir, aveugle, avec la certitude qu'ils savaient, qu'ils l'attendaient, que tout avait changé.

Encore une fois.

XII

La chroniqueuse judiciaire du *Cape Times* ne pouvait pas savoir que ce coup de fil allait changer sa vie.

Si elle avait pris son sac une minute plus tôt pour rentrer chez elle, les pertes en vies humaines auraient-elles été moindres et l'issue différente ? Elle ne le saurait jamais.

C'était une femme bien en chair, tout en rondeurs moelleuses. Pleine d'entrain, elle avait un rire chaleureux et son visage s'éclairait facilement d'un large sourire qui lui dessinait d'agréables fossettes. Un peu plus portée à l'introspection, elle se serait sans doute interrogée sur le lien entre son apparence inoffensive et les relations faciles qu'elle entretenait avec les autres.

Elle s'appelait Allison Healy et lorsqu'un dimanche soir le téléphone sonna tardivement dans son bureau, elle répondit d'une voix enjouée, comme à son habitude.

– *Cape Times*, dit-elle.

– Allison, c'est Erasmus, de Laingsburg, fit l'homme d'une voix feutrée, comme s'il voulait éviter que ses collègues entendent. Je ne sais pas si tu te souviens de moi.

Elle se souvenait. Le policier avait été en poste à Sea Point. Ils l'appelaient « Rassie ». À vingt-huit ans, fatigué de se battre contre une banlieue en pleine déliquescence, il s'était fait muter vers des horizons plus sereins. Elle le salua joyeusement. Comment allait-il ? Aussi bien qu'on peut dans un coin où il ne se passe absolument rien, répondit-il. Elle éclata d'un rire de gorge. Puis la voix redevint sérieuse.

– Tu as entendu parler du Xhosa à la BMW ?

– Non, répondit-elle.

– Alors, j'ai un sacré article pour toi.

*** Top secret. Catégorie un ***
NOTE DE SERVICE
17 NOVEMBRE 1984. 19 H 32
Urgent
DE Derek Lategan, attaché d'ambassade, Washington.
À Quartus Naudé

Requête urgente de la CIA, Langley, Virginie : Tous renseignements ou matériel photographique sur :

Thobela Mpayipheli, *alias* P'tit, *alias* Umzingeli. Suspecté d'être un ex-Umkhonto we Sizwe, travaille sans doute pour la Stasi/KGB. Certainement opérationnel en Europe/Royaume-Uni. Noir, 1,95 m, 100-120 kg. Aucune autre information disponible.
Terminé.

Janina Mentz observa le fax, la qualité douteuse de la copie, la note manuscrite dans le coin supérieur droit, à peine lisible : « Notre aide dans cette affaire pourrait ouvrir des portes. Amitiés. Derek. »

Puis elle vérifia la première page. « Documents joints : 1 ».

– C'est tout ? demanda-t-elle.

– Oui, madame, c'est tout, répondit Radebe.

– Où est la suite ? Où est la réponse ?

– Ils disent que c'est tout ce qu'ils ont dans les microfiches, madame. Juste ça.

– Ils mentent. Demandez le reste de la correspondance et les contacts détaillés de l'expéditeur et du destinataire du mémorandum : Lategan et Naudé.

Pourquoi devaient-ils toujours se bagarrer au lieu de coopérer ? Pourquoi cette rivalité sans fin et cette politique politicienne ? Elle se sentait frustrée et en colère. Elle savait que c'était à cause de cette nouvelle information, du calibre de leur fugitif et du fait qu'ils l'avaient sous-estimé. Et cela signifiait escalade. Bâtons dans les roues. Pour elle et le projet. Et si la NIA voulait s'amuser à ça, elle allait devoir taper du poing sur la table.

Elle attrapa le téléphone et composa un numéro interne. Le directeur décrocha.

— Monsieur, dit-elle. Nous avons besoin de l'aide de la NIA. Ils ne jouent pas franc jeu. Pouvez-vous user de l'influence du NICoC ?

Le directeur — ainsi que le directeur général des services de renseignements, le chef du Renseignement militaire, le chef du service d'investigation de la police et le directeur général des services secrets —, faisait partie du NICoC, ou comité national de coordination du renseignement, sous le patronage de la ministre.

— Je téléphone directement au DG, répondit le directeur.

— Merci, monsieur.

— C'est un plaisir de vous aider, Janina.

Elle reprit le fax. En 1984, la CIA suspectait Mpayipheli de travailler pour le KGB ? En Europe ?

La CIA ?

Urgent... Notre aide dans cette affaire pourrait ouvrir des portes. Ce type ? Ce larbin vieillissant ? Le trouillard de l'aéroport ?

Elle ressortit la transcription de l'interrogatoire d'Orlando Arendse de la pile devant elle. *Que je vous donne un conseil : commandez les housses à cadavre tout de suite.*

Elle inspira profondément. Aucune raison de s'affoler. Johnny Kleintjes savait ce qu'il faisait. Il n'aurait pas remis son sort entre les mains de n'importe qui. Ils avaient sous-estimé Mpayipheli. Elle ne se laisserait plus avoir.

Elle médita ces nouvelles données et repassa sa stratégie en revue. Plus certaine que jamais qu'il prendrait la N1. Impressionnant, le bonhomme, sûr de lui, son petit jeu à l'aéroport pour donner le change, ça expliquait le désarmement en douceur des deux agents, le choix de la moto, très malin, tout ça.

Mais ils avaient encore l'avantage. Mpayipheli ignorait qu'ils étaient au courant.

Et en plus, si les choses devaient mal tourner, ils pourraient toujours se servir de Miriam Nzululwazi. Et de l'enfant.

Il devait quitter la route, il le savait. Il ne pouvait pas rester là, dans le noir. Ou alors, il devait faire demi-tour et trouver un autre itinéraire, mais il rechignait, il rejetait de tout son être l'idée de battre en retraite, il devait avancer vers le nord.

Peu à peu, ses yeux s'habituèrent à l'obscurité. Il remit le moteur en route et roula lentement jusqu'au bas-côté en observant le veld baigné de lune. Les barbelés rectilignes longeaient la N1 tel un parcours fléché. Il chercha une entrée de ferme ou un affouillement sous la clôture tout en surveillant la circulation pour ne pas se laisser surprendre dans les phares des camions qui arrivaient. Il voulait mettre pied à terre, se dégourdir un peu et réfléchir.

À quelle distance se trouvait ce barrage ? Quatre ou cinq kilomètres ? Plus près ? Trois ?

Dieu merci, le pot d'échappement de la GS était discret. Il maintenait le moteur à bas régime en scrutant les barbelés et aperçut ce qu'il cherchait de l'autre côté de la route, une barrière et un chemin de terre qui s'enfonçait dans le veld. Il traversa la chaussée, fit crisser les pneus sur le gravier, s'arrêta, mit la béquille, retira ses gants et chercha le loquet. Pas de cadenas. Il ouvrit la barrière en grand, rentra la moto et referma derrière lui.

Il devait s'éloigner suffisamment de la route, mais pas trop pour pouvoir surveiller les phares.

Il comprit la chance qu'il avait : la GS, mi-tourisme mi-trial, avec ses roues à rayons croisés, haute et bien suspendue, se comportait aussi bien sur un chemin de terre que sur le bitume. Il fit demi-tour dans le veld pour faire face à la route, s'arrêta et descendit. Il ôta son casque, y fourra ses gants, le posa sur la selle et s'étira. Il sentit la brise nocturne lui caresser le visage, entendit les sons du Karoo dans la nuit.

Des lumières bleues, rouges et orange.

Un véhicule approchait, en provenance du Cap. Il vit les phares, compta les secondes dès que le camion l'eut dépassé en illuminant l'obscurité et observa les feux arrière qui s'éloignaient en essayant d'évaluer la distance qui les séparait du barrage, mais ils disparurent au loin, noyés parmi les feux de détresse.

Il fallait faire demi-tour. Prendre une autre route.

Il avait besoin d'une carte routière. Quelles étaient ses autres options ? Quelque part, il existait une bifurcation vers Sutherland, mais où ? Il ne connaissait pas bien le coin. Ça ne menait nulle part. Un long détour ? Il tenta de se remémorer le trajet. Sur la gauche il avait vu un panneau pour « Ceres », bien avant Touws River, mais ça le ramènerait pratiquement au Cap.

Il inspira profondément. S'il le fallait, il reviendrait sur ses pas, qu'il le veuille ou non. Plutôt faire marche arrière que de perdre son temps ici.

Il s'étira, s'enroula sur lui-même pour toucher ses pieds, étendit ses longs bras vers le ciel, fit craquer ses clavicules et reprit le casque. En route.

C'est alors qu'il vit les lumières orangées se rapprocher en clignotant. Il se concentra sur elles, sans bouger. Jaunes ? Ce n'était donc pas les flics. Une éventualité lui vint à l'esprit, il les observa et reprit espoir tandis que le véhicule gagnait du terrain. Il entendit bientôt le bruit qui se matérialisa en grondant à soixante mètres de lui et vit clairement la dépanneuse qui remorquait une voiture accidentée. Ce n'était pas un barrage, personne ne le recherchait.

Un accident. Un obstacle temporaire.

Soulagement.

Il n'avait plus qu'à attendre.

– Le problème, dit Rahjev Rajkumar, c'est qu'Absa ne garde que les relevés des deux derniers mois de chaque compte. Le reste est sauvegardé sur un ordinateur central autonome, auquel on n'a pas accès. La bonne nouvelle, c'est que c'est la seule mauvaise. Notre Thobela a un compte dans une société immobilière de crédit et a fait un emprunt. C'est là que ça devient intéressant. Il a 52 341,89 rands sur son compte, une sacrée somme pour un ouvrier. Sa seule rentrée d'argent des deux derniers mois vient de Mother City Motorrad, salaire hebdomadaire de

572,72 rands, soit 2 290,88 par mois – et des intérêts du compte immobilier, qui lui rapportent un peu plus de 440 rands par mois. Le remboursement de l'emprunt, débité sur ce même compte, se monte à 1 181,59 rands. Il y a encore 129 rands qui partent tous les mois, mais je n'arrive pas à trouver à quoi ils correspondent. Ce qui lui laisse 1 385,29 rands pour vivre. Il en retire 300 chaque semaine dans une billetterie automatique, généralement celle de Thibault Square et on dirait qu'il met de côté les 189,29 restants. Un homme discipliné, ce Thobela.

– La propriété ? demanda Janina.

– C'est ça qui est drôle, répondit Rajkumar. Ce n'est pas une maison. C'est une ferme.

Il leva la tête pour voir les réactions.

– Nous sommes tout ouïe, Rahjev.

– Il y a dix-huit mois, Mpayipheli a acheté huit cents hectares près de Keiskammahoek. La ferme s'appelle *Cala*, du nom de la rivière qui y coule. L'emprunt, écoutez ça, se monte à un peu plus de 100 000 rands, mais le prix d'achat initial approchait le demi-million.

– Keiskammahoek ? dit Quinn. C'est où, bon Dieu ?

– Au fin fond du Ciskei, pas très loin de King William's Town. Ça sent le retour aux sources.

– Et la question est donc : où a-t-il trouvé les 400 000 restants ? ajouta Janina Mentz.

– Précisément, madame. Précisément.

– Bon travail, Rahjev.

– Non, non, renchérit le gros indien. Brillant.

Thobela Mpayipheli s'adossa à un rocher et regarda les phares sur la N1.

La nuit s'était rafraîchie, la lune haute ressemblait à un petit ballon solitaire, prêt à marquer un but nocturne à l'ouest. Son regard erra sur les crêtes désolées, suivit les contours de ce paysage étrange. Il y avait eu des forêts tropicales dans le coin, il y a longtemps de ça. On avait retrouvé des os de dinosaures géants entre ces fougères et ces petits arbustes rabougris, là, dans un jardin paradisiaque et verdoyant de cascades argentées et d'orages qui abreuvaient l'univers reptilien de gouttes fertiles. Des sons mystérieux devaient monter avec la vapeur de cette proto-jungle, mugissements, cris d'animaux en rut, glapissements. Et l'éternelle lutte pour la survie, chaîne alimentaire effrayante, prédateurs terrifiants aux mâchoires impressionnantes et aux petits yeux mauvais qui chassaient les herbivores. Le sang avait coulé ici même, dans les lacs et sur les plaines.

Il se recala contre le rocher glacé. Le sang n'avait cessé de couler sur ce continent. Ici, où l'homme s'était enfin séparé du singe, où il avait imprimé ses premières empreintes dans une boue qui s'était ensuite fossilisée. Imposantes rivières de glace qui avaient modifié le paysage et laissé derrière elles des monceaux de rochers aux allures grotesques, les glaciers mêmes n'avaient pu étancher ces flots de sang. La terre en était imprégnée. L'Afrique. Pas le continent noir, non. Le continent rouge. La mère nourricière. Celle qui donnait la vie sans compter. Et la mort en contrepartie, accouchant de prédateurs pour faire bonne mesure, de prédateurs sous toutes les formes, à travers les millénaires.

Jusqu'au jour où elle avait engendré le chasseur parfait, le prédateur qui avait enfin bouleversé l'équilibre, survécu aux périodes glaciaires, aux maladies et à la sécheresse, semant la ruine sans discontinuer, rejetant le pouvoir de la Nature et sa toute-puissance. Les prédateurs bipèdes avaient accompli le grand coup d'État, le coup d'État cosmique, ils avaient conquis la planète et s'étaient ensuite entretués, Blancs contre Blancs, Noirs contre Noirs, Blancs contre Noirs.

Restait-il encore de l'espoir ? Pour l'Afrique ? Pour cette terre ?

Johnny Kleintjes. Si l'inébranlable Johnny Kleintjes pouvait céder à la tentation, se laisser dévoyer par la puanteur de l'argent, un leurre parmi tant d'autres sur ce continent, restait-il encore de l'espoir ?

Il soupira profondément. D'autres phares se détachèrent du groupe dans l'obscurité, la sirène d'une ambulance gémit dans la nuit, se rapprocha, puis disparut au loin.

Ce ne serait plus très long.

Tout se calma peu à peu. Il entendit hurler un chacal, loin au-dessus des crêtes, réponse moqueuse à l'ambulance.

Prédateurs, charognards et proies.

Il faisait partie des premiers. *Faisait.*

Peut-être. Peut-être restait-il de l'espoir. S'il avait pu regarder son existence dans un miroir et la prendre en horreur, lui qui avait mené une vie sanguinaire et sans pitié, alors peut-être y en avait-il d'autres comme lui. Et peut-être cela suffisait-il, une personne, une seule personne pour commencer. Puis deux, quatre et une poignée de gens pour faire pencher la balance, d'une fraction de millimètre simplement, et reconquérir la Mère nourricière morceau par morceau, centimètre par centimètre, pour reconstruire, pour donner une lueur d'espoir.

Peut-être, si Miriam et lui parvenaient à emmener Pakamile Nzululwazi à Cala River pour prendre un nouveau départ, loin du cycle infernal de la pauvreté et des besognes abrutissantes, loin du crime et de la corruption des cultures étrangères vides de sens.

Peut-être.

Parce que rien dans ce monde ne pouvait lui permettre de redevenir ce qu'il avait été.

Les hélicoptères Rooivalk avaient choisi de voler au sommet des cumulo-nimbus, leurs tourelles blanches majestueuses sous la lune, illuminées par les éclairs, déployant leurs tentacules argentés des kilomètres à la ronde, ballottées et secouées au gré des turbulences. Les voyants verts, orange et rouges oscillant sur l'écran radar confirmaient la perturbation.

— Encore dix minutes et on en sort, annonça le pilote du Rooivalk Un. Arrivée prévue dans vingt-deux minutes.

— Message reçu, répondit l'autre.

Un peu plus de cent soixante kilomètres à l'est des deux hélicoptères d'attaque, le mécanicien de bord de l'Oryx appuya sur le bouton de l'interphone.

– Vaut mieux boucler les ceintures, Mazibuko.

– Qu'est-ce qui se passe ?

– Un cyclone. Ça s'annonce mal.

– Encore combien de temps ? demanda Tiger Mazibuko.

– Un peu plus d'une heure. J'espère que vous avez emporté des impers dans ces caisses.

– C'est pas un peu de flotte qui va nous faire peur.

Attends de voir, pensa le mécanicien. Attends que les bourrasques commencent à nous envoyer valser.

XIII

Allison Healy, la chroniqueuse judiciaire du *Cape Times*, écrivit son article dans la foulée car l'édition était déjà officiellement bouclée.

CAPE TOWN – Une chasse à l'homme a été lancée contre un dangereux fugitif armé après qu'une agence non identifiée des services de renseignements gouvernementaux eut donné l'ordre aux autorités locales et à la police de la route d'intercepter un Xhosa sur une grosse BMW, aux abords de la N1.

Non, se dit-elle. Trop soigné, trop officiel, trop chronique judiciaire. Il y a quelque chose de plus distrayant dans cette histoire, quelque chose d'unique.

CAPE TOWN – Un méchant malabar xhosa monté sur une énorme BMW fait l'objet d'une chasse à l'homme dans toute la province, après qu'une agence ultra-confidentielle et non identifiée des services de renseignements gouvernementaux a donné l'ordre d'intercepter celui qu'elle traite de « dangereux fugitif armé ».
Nous avons appris de source sûre que l'alerte avait été donnée aux environs de vingt-deux heures la nuit dernière, mais rien n'a filtré des raisons pour lesquelles l'agence de renseignements présidentielle (ARP), selon les rumeurs, recherche aussi désespérément M. Thobela Mpayipheli.
Le fugitif serait en possession de deux armes à feu et d'une BMW R 1150 GS apparemment volées, « mais il ne semble pas

que ce soit la raison pour laquelle on veut l'appréhender », d'après notre source.

Et maintenant, elle allait devoir pondre un ou deux paragraphes supplémentaires avec ces maigres détails. C'était tout ce qu'on lui laissait à la une.

Le rédacteur en chef faisait le pied de grue dans l'encadrement de la porte, impatient.

— Ça vient, dit-elle, ça vient.

Mais il attendrait, elle le savait, parce que c'était alléchant et que ça ferait une bonne première page. « Ça va faire du bruit, avait-il dit dans son box lorsqu'elle lui avait raconté toute l'affaire. Joli petit scoop, Alli, très chouette. »

Elle s'était précipitée pour écrire son article et il l'avait rappelée :

— On a une longueur d'avance. Dès que tu as fini, tu essaies d'en savoir plus. Qui est ce type ? Pourquoi sont-ils après lui ? Et qu'est-ce qu'il fout sur une BMW, nom de Dieu ?

— Les Rooivalk sont arrivés à Beaufort West, madame, annonça Quinn. Ils attendent vos instructions.

— Dites-leur de se reposer. Si on n'a rien à l'aube, qu'ils commencent à patrouiller le long de la N1, vers le sud. Mais ils doivent nous appeler avant le décollage. Je ne veux aucun contact avec le fugitif avant qu'on soit prêts.

— Très bien, madame.

Elle lui laissa le temps de transmettre le message et calcula les heures. Il ne pouvait pas être dans les environs, pas encore. S'il avait bien roulé, il devait se trouver un peu au-delà de Laingsburg. Il lui faudrait encore deux heures pour rejoindre Beaufort West. C'était peu.

— Le barrage est prêt à Three Sisters ?

— La police de la route et les policiers y sont déjà, madame. Ils se plaignent. Il pleut dans le Karoo.

— Ils râlent pour un rien, Quinn. Ils savent qu'ils doivent fouiller tous les véhicules ?

— Oui, madame.

– Combien de temps avant l'arrivée de Mazibuko ?
– D'un instant à l'autre. Dix minutes, pas plus.

Le capitaine Tiger Mazibuko était assis, les mains jointes et les yeux fermés, dans l'habitacle vibrant et baigné de lumière jaunâtre de l'Oryx, mais il ne dormait pas.

Il commençait à comprendre que l'UR ne serait jamais reconnue à sa juste valeur et ça l'empêchait de dormir. Ses coéquipiers s'étaient assoupis. Ils étaient habitués à s'entasser dans les conditions les plus inconfortables et savaient grappiller quelques minutes ou quelques heures de sommeil entre deux interventions. Comme lui. Mais il n'arrivait pas à se reposer : un malaise grandissant quant à leurs attributions ne cessait de le tarauder depuis son dernier entretien avec Mentz. Il n'avait jamais vu les choses sous cet angle : ils se situaient à mi-chemin entre un groupe antiterroriste et une brigade d'intervention, à l'image de la HRT[1] du FBI ou de son homologue britannique, la SAS. Ils étaient opérationnels depuis treize mois et n'avaient connu que des manœuvres d'entraînement et des simulations. Jusqu'à maintenant. Jusqu'à ce qu'on leur donne l'ordre d'investir un repaire de dealers comme de vulgaires flics. Car ils étaient chargés de surveiller un barrage routier dans ce désert paumé et d'attendre un fugitif vieillissant, ex-soldat du MK, d'après ce qu'on racontait.

Il devrait peut-être aller voir son père et lui demander si, avant de vendre la mèche et de passer chez les Boers, avant de chanter comme un dégonflé son hymne à la trahison, il avait connu un homme appelé Thobela Mpayipheli.

Son père. Le fameux héros de tant de batailles familiales. Son père, qui battait sa femme dans la cuisine et tabassait ses enfants jusqu'à plus soif, parce qu'il était incapable d'endurer son humiliation. Celle d'avoir craqué dans une cellule de la police secrète et d'avoir lâché noms et adresses, dispositifs et objectifs en même

1. « Hostage Rescue Team », équipe chargée de la libération des otages. (NdT.)

temps que salive, sang et vomi. Et qui, une fois relâché, avait passé sa vie à traîner sa honte derrière lui, attachée à lui comme un boulet.

Son père.

Il est grand temps que vous cessiez de vivre dans l'ombre de votre père, non ? Les paroles de Janina Mentz le hantaient.

Tu connaissais Mpayipheli, papa ? Fait-il partie de ceux que tu as trahis ?

Il avait imaginé dès le début comment se passeraient les choses. Il en rêvait la nuit et fantasmait dans ses moments de solitude. Excité par l'entraînement et la propagande de Mentz, il s'inventait des micro-batailles, des raids éclairs dans des passages obscurs, il entendait les détonations et les grenades qui explosent, il sentait l'odeur de la fumée et celle de la poudre, la vie et la mort, les balles qui lui traversent le corps, celles qui lui font éclater le crâne en éclaboussant les murs de sa rage. Il ne vivait que pour ça, n'aspirait qu'à ça. C'était ce carburant-là qui lui donnait de l'ardeur, c'était sa planche de salut, le seul moyen qu'il avait de se débarrasser des péchés paternels, d'annihiler les dernières bribes de souvenirs. Et maintenant, il se demandait si cela arriverait jamais. Il revoyait Mentz lui dire d'un air grave que le monde était devenu enragé, que les présidents et les nations ne distinguaient plus leurs amis de leurs ennemis, que la guerre ne se livrait plus avec des armées, mais que tout se jouait en secret, à coup d'enlèvements et d'occupations, de commandos suicide et de bombes artisanales. Le 11 septembre avait apporté de l'eau à son moulin, elle brandissait la moindre déclaration du moindre groupe extrémiste comme une preuve irréfutable. Et où en étaient-ils à présent ?

Il perçut le changement de régime des moteurs.

Presque arrivés.

Ils vivaient dans un pays que le monde ignorait. L'Afrique n'intéressait même plus les terroristes.

L'Unité de réaction chargée de surveiller un barrage routier ! Les agents de la circulation les mieux entraînés au monde.

Bonne aubaine que cet enfoiré ait deux armes. Dommage qu'il soit seul.

Il négocia le dernier virage sans difficulté un peu après deux heures du matin et Laingsburg apparut devant lui, illuminée. Les battements de son cœur s'accélérèrent lorsqu'il quitta l'obscurité protectrice. L'indicateur de la réserve, orange vif, ne lui laissait pas le choix. Il rétrograda au 60 autorisé, vit l'enseigne de la grosse station-service sur la gauche, autant en finir tout de suite. Il s'engagea dans l'allée et s'arrêta devant une pompe. Il était tout seul.

Le pompiste sortit lentement de son box en se frottant les yeux.

Thobela mit la moto sur béquille, en descendit et quitta ses gants. Il devait sortir de l'argent.

Le pompiste s'approcha. Il le vit écarquiller les yeux.

– Vous pouvez me faire le plein ? Avec du sans plomb ?

L'homme acquiesça avec un peu trop d'enthousiasme. Quelque chose clochait.

Il déverrouilla le réservoir, souleva le clapet.

Le pompiste introduisit le pistolet dans l'ouverture et approcha la tête tel un conspirateur.

– Ils vous cherchent, murmura-t-il d'une voix rauque.

– Qui ça ?

– La police.

– Comment le savez-vous ?

– Ils sont passés ici. Ils nous ont dit de leur signaler un Xhosa à moto. Sur une BMW.

– Et vous êtes censé faire quoi ?

– Leur téléphoner.

– Vous allez le faire ?

– Ils disent que vous êtes armé et dangereux.

Il le regarda droit dans les yeux.

– Qu'est-ce que vous allez faire ?

Le pompiste haussa les épaules, les yeux sur le réservoir.

Bruit du carburant qui glougloute, odeur doucereuse de l'essence.

– C'est plein.

Le cadran numérique affichait 77,32 rands. Mpayipheli sortit deux billets de 100. L'homme n'en prit qu'un.

— Je n'accepte pas les pots-de-vin.

Il jeta un dernier regard au motard casqué, tourna les talons et s'éloigna.

— Masethla. NIA. D'après ce que je comprends, vous avez besoin de notre aide, dit la voix dans le combiné.

Ni amicale ni obséquieuse.

Vous avez besoin de notre aide.

— J'apprécie votre coup de fil, répondit Janina sans appréciation aucune. Nous avons déposé une requête concernant un certain Thobela Mpayipheli auprès de votre service de microfiches et vous nous avez transmis un fax accompagné d'un mémorandum datant de 1984, en provenance de Washington.

— C'est exact.

— Je ne peux pas croire qu'il n'y ait que ce document. Vous avez bien dû recevoir une réponse.

— C'est possible. De quoi s'agit-il ?

— Monsieur Masethla, je ne vois pas la nécessité de vous l'expliquer. Il s'agit d'une requête officielle urgente, une requête d'intérêt national. Nous travaillons tous dans le même sens. Pourquoi n'avons-nous pas accès aux informations restantes ?

— Parce qu'il n'y en a pas.

— Quoi ? !

— Il n'existe aucun autre document.

— Vous dites qu'il n'y a que cette note de service ?

— Oui.

— Je n'arrive pas à y croire.

— Vous n'avez pas le choix.

Elle médita la question un instant.

— Monsieur Masethla, vos archives sont-elles complètes ?

Silence au bout du fil.

— Monsieur Masethla ?

— Ce ne sont pas mes archives. C'étaient celles des Boers. Dans l'ancienne Afrique du Sud.

– Mais sont-elles complètes ?

– Nous avons des raisons de penser que certains microfilms en ont été retirés.

– Lesquels ?

– Ils ont été retirés à droite et à gauche.

– Par qui ?

– À votre avis, madame Mentz ? Par des gens de chez vous.

– L'ARP ?

Il lui rit au nez.

– Non, madame. Par les Blancs.

La rage l'envahissant, elle cramponna le combiné jusqu'à s'en faire blanchir les jointures, puis elle se contrôla, ravala sa colère et attendit pour répondre que sa voix soit redevenue normale.

– L'expéditeur et le destinataire de cette note... Je veux leurs coordonnées détaillées.

– Ils ont quitté le service.

– Je veux leurs coordonnées.

– Je vais voir ce que je peux faire.

Elle laissa éclater sa furie.

– Non, monsieur Masethla, vous n'allez pas voir ce que vous pouvez faire. Vous avez une heure pour me fournir leurs coordonnées. Vous allez changer d'attitude et vous allez vous mettre au travail, vous et votre équipe, si vous ne voulez pas aller gonfler les statistiques du chômage dès demain. Vous m'avez compris ?

Il prit son temps pour répondre, elle crut qu'elle avait marqué un point.

– Va te faire voir, salope de Blanche, lui renvoya-t-il.

Et il raccrocha.

Le capitaine Tiger Mazibuko sortit le premier de l'Oryx en tenant son béret d'une main pour qu'il ne s'envole pas.

Dans l'obscurité, il distingua une fourgonnette blanche de la SAPS puis une Toyota Corolla bleu et blanc de la police de la route, gyrophare allumé. Elles étaient garées sur le bas-côté. Un unique agent de la circulation, lampe-torche à la main, était planté au milieu de la N1. On avait délimité une aire de stationnement à l'aide de quelques cônes de signalisation orange. L'agent faisait signe à un semi-remorque dix-huit roues de s'arrêter.

Mazibuko poussa un juron et se dirigea à grands pas vers le fourgon. Un des occupants lui ouvrit la porte. Il s'encadra dans l'ouverture, une main sur le toit du véhicule et se pencha à l'intérieur.

— Qu'est-ce qui se passe ici ? hurla-t-il par-dessus les moteurs de l'Oryx qui tournaient encore au ralenti.

Ils étaient deux à l'intérieur, un sergent et un agent de police, avec chacun une tasse de café à la main. Une flasque trônait sur le tableau de bord. Ils le regardèrent d'un air coupable.

— On boit un café, ça se voit pas ? lui renvoya le sergent en hurlant à son tour.

— C'est ça votre idée d'un barrage routier ?

Les deux policiers échangèrent un regard.

— On n'a pas de lampe, finit par avouer le sergent.

Mazibuko hocha la tête d'un air incrédule.

— Vous n'avez pas de lampe ?

— C'est exact.

Les moteurs de l'hélicoptère se turent peu à peu. Il attendit pour ne plus avoir à crier.

— Et qu'est-ce que vous comptez faire quand un motocycliste armé et en fuite forcera le barrage ? Lui lancer votre flasque ?

— Aucune moto n'est encore passée, rétorqua le policier.

— Que le Seigneur nous protège ! s'écria Mazibuko en secouant la tête.

Puis il claqua la porte et rejoignit l'hélicoptère. Les hommes avaient débarqué et attendaient, le visage illuminé par les reflets bleutés du gyrophare. Il aboya ses ordres. Les armes, l'équipement, la marche à suivre. Quatre hommes pour prendre le relais du policier en faction, quatre autres en renfort, une centaine de mètres plus haut sur la nationale, quatre autres enfin pour monter deux tentes au bord de la route en guise d'abri.

Le poids-lourd le dépassa lentement. L'officier n'avait même pas vérifié son chargement. Mazibuko s'approcha de l'obscure silhouette à la lampe torche. Il aperçut les deux policiers à l'extérieur du fourgon, désœuvrés.

– Votre nom ? demanda-t-il au policier.

– Wilson, monsieur.

– Wilson, une moto tiendrait-elle à l'arrière de ce camion ?

L'officier était grand et incroyablement mince, une frange informe lui tombait dans les yeux.

– Euh… possible, mais…

– Wilson, je veux que vous mettiez votre Corolla en travers de la route. Vous me bloquez cette voie. Compris ?

– Oui, monsieur.

Son regard allant et venant de Mazibuko à l'hélicoptère, il semblait profondément impressionné par l'importance des nouveaux venus.

– Et vous dites à vos amis d'avancer leur fourgonnette jusque-là, sur l'autre file, à dix mètres environ.

– Compris, monsieur.

– Et après, vous vous asseyez dans vos véhicules et vous faites tourner le moteur tous les quarts d'heure pour vous réchauffer, vous me suivez ?

– Oui, monsieur.

– Vous avez une carte routière du coin ?

– Oui, monsieur.

– Je peux la voir ?

– Oui, monsieur.

Une lumière blanche illumina soudain la nuit autour d'eux. De profonds roulements de tonnerre grondèrent au-dessus de leur tête, d'est en ouest. Quelques gouttes d'eau s'écrasèrent bruyamment sur le bitume.

– Ça se rapproche, monsieur. Ça va être un sacré orage.

Mazibuko soupira.

– Wilson.

– Oui, monsieur ?

– Inutile de m'appeler « monsieur ». Appelez-moi plutôt « capitaine ».

– Bien, capitaine, dit l'officier en le saluant de la mauvaise main.

Thobela Mpayipheli aperçut les éclairs à l'horizon, loin au nord, sans se douter qu'il s'agissait du ballet de l'orage. Au-dessus de lui, le ciel dégagé était rempli d'étoiles, mais il ne les voyait pas. Il roulait à 150 km/h. Les phares illuminaient la route qui s'étirait devant lui tel un lumineux cocon surgi de l'obscurité, mais son regard restait braqué sur le rétroviseur.

Qu'avait fait le pompiste ?

Rien derrière lui. Ils devraient foncer pour le rattraper. Même à 160 ou 180, ils auraient du mal à combler leur retard. Peut-être préviendraient-ils Leeu-Gamka ou Beaufort West par radio.

Sans doute les deux, pour le prendre en tenailles au milieu.

Ils savaient. Les agents du Cap savaient pour la GS. Ils avaient deviné son itinéraire.

Pas mal.

Et si le pompiste l'avait donné, ils sauraient qu'il savait qu'ils savaient. S'il l'avait donné. Il n'avait pas su déchiffrer son expression, son attitude je-m'en-foutiste pouvait n'être qu'un paravent.

Ils disent que vous êtes armé et dangereux.

Les pistolets. Qu'il n'avait même plus. Eh bien, qu'ils se trompent. Mais *dangereux* ? Que savaient-ils de lui ? Diverses possibilités se bousculant dans sa tête, il sentit la tension envahir son corps et c'est alors qu'Otto Müller se manifesta. En pleine nuit, sur une route du Karoo, il entendit la voix de l'instructeur d'Odessa, l'Allemand de l'Est aux traits délicats, presque féminins sous son crâne grotesquement chauve, vingt ans auparavant. Il entendit le lourd accent germanique, l'anglais étudié. *C'est une théorie du jeu. On l'appelle l'équilibre de Nash. Lorsque deux joueurs n'ont aucune raison de changer de tactique, ils gardent la même stratégie. L'équilibre. Mais comment briser l'équilibre, voilà la question. Pas en anticipant car cela entre dans la stratégie et, a fortiori, dans l'équilibre. Dans une partie d'échecs, on perd quand on ne pense qu'à son adversaire, à ses moindres options, à ses moindres alternatives. On devient fou. Il faut penser à ce qu'on va faire. Penser à sa propre stratégie. À la manière de la faire évoluer. À la façon de prendre l'avantage. Au meilleur moyen de briser l'équilibre. Soyez acteur, ne vous contentez pas de réagir. C'est la clé de la réussite.*

Otto Müller. Il existait un lien entre eux. Il n'était qu'un parmi les dix opérateurs qui venaient tous du bloc de l'Est, Pologne, Tchécoslovaquie, Roumanie. Thobela faisait partie des élus et fascinait Müller. *Je n'ai jamais enseigné à un nègre avant.*

Et il avait répondu : *Je n'ai chamais reçu d'ordres d'un Blanc afant.* Mon Dieu, qu'il était fougueux à l'époque ! Müller avait ri de l'entendre imiter son accent. *Vous avez la bonne... quel est le mot... attitude ?*

Il n'avait pas dit à l'homme de la Stasi qu'il était né comme ça, il n'en avait pas conscience alors, son *attitude* l'absorbait complètement, son *attitude*, c'était lui, son être tout entier.

À peu près un mois avant, il avait lu un article sur les enzymes dans un manuel scolaire, ces très grosses molécules qui provoquent une réaction chimique des cellules humaines en prenant une apparence qui facilite cette réaction même. Il y avait réfléchi et avait découvert en lui-même la métaphore de cette interaction biologique. Toute sa vie, il s'était laissé porter par le cours sanguinaire d'un monde auquel il présentait une apparence qui encourageait la violence, jusqu'au jour où il en avait été dégoûté, jusqu'au moment où, pour la première fois en trente-sept ans, il avait pu prendre du recul par rapport à lui-même et avait trouvé ça répugnant.

La seule différence était que les enzymes ne pouvaient pas changer de nature.

Les humains, si. Parfois, quand il le faut.

Dans une partie d'échecs, votre adversaire essaie de deviner vos mouvements. Laissez-lui voir. Donnez-lui l'équilibre de Nash. Puis transformez-le.

Mais pour ça, il lui fallait des informations.

Ils s'attendaient à ce qu'il suive la N1. Il ne pouvait modifier ses plans que s'il connaissait ses options. Il avait besoin d'une bonne carte routière. Mais où diable allait-il en trouver une ?

Sa première impulsion après avoir reposé le combiné fut de voir ses enfants.

Elle la refoula. Elle savait d'où venait ce besoin, elle savait que les injures de Masethla la poussaient à chercher du réconfort, mais une petite voix lui soufflait qu'elle devait s'y habituer. Elle aurait dû savoir que Masethla détesterait qu'on lui force la main et qu'il serait incapable, ayant lui-même un certain pouvoir, d'accepter des ordres venant d'une femme de sa trempe.

Ils étaient tous pareils.

Mon Dieu, pourquoi fallait-il qu'il y ait des hommes ? Pourquoi devait-elle se battre contre leur petit ego si fragile et si faible ? Ça et le sexe, leur mode de pensée à sens unique – si vous êtes une femme, vous êtes une proie. Si vous résistez et refusez de sauter dans leur lit, c'est que vous êtes lesbienne, si vous avez un poste à responsabilité, c'est que vous avez couché pour y parvenir, s'il s'agit d'un homme avec plus de pouvoir, alors vous êtes baisable.

Elle avait appris sa leçon, péniblement. Dix ans auparavant, lorsqu'elle avait enfin pris conscience avec frustration, et même douleur, qu'il lui faudrait supporter insinuations, déguisées ou non, et avances sexuelles, elle avait fait son propre bilan et ciblé ses deux principaux atouts physiques. Sa grande bouche aux lèvres charnues et aux dents blanches et régulières et sa poitrine, imposante sans être excessive. Elle s'était alors délibérément créé un style, pas de rouge à lèvres, de petites lunettes sévères à monture d'acier et des cheveux constamment tirés en arrière et attachés, des vêtements plutôt amples, des couleurs neutres, du gris la plupart du temps, ou du noir et du blanc. Puis elle avait épuré toutes ses attitudes, ses contacts avec les autres et ses prises de parole jusqu'à ce que la charge érotique qu'elle dégageait soit devenue acceptable, gérable.

Quant à l'autre problème, l'ego, elle n'y pouvait rien.

Voilà pourquoi elle chassa de son esprit l'image de ses enfants. Elle se leva et se redressa, défroissa sa jupe et lissa ses cheveux.

Rajkumar avait trouvé quelque chose.

– Le second prélèvement, madame, les 129 rands mensuels…

– Quoi ? demanda-t-elle, l'esprit encore ailleurs.

– Le second prélèvement sur le compte de Mpayipheli. Le code d'accès… on l'a eu. On sait où va l'argent.

— Et… ?

— Il va au lycée du Cap.

— Pour l'enfant ?

— Non. C'est un établissement d'enseignement par correspondance. Pour adultes.

— Oh.

— Enseignement secondaire. De la seconde à la terminale. Quelqu'un suit des cours chez eux.

Pas grand-chose de neuf là-dedans.

— Merci, Rahjev.

Son téléphone portable sonna. Elle regarda l'écran. Mazibuko.

— Tiger ?

— J'ai demandé à Bravo de descendre de Bloemfontein. Dans nos véhicules.

— Pour quoi faire ?

— Il ne se passe rien ici. Deux flics et un motard, plus deux voitures. Il y a un orage inquiétant qui se prépare et deux ou trois routes qui quittent la N1, entre ici et Beaufort West, et Dieu sait combien de pistes.

— Tiger, il est à moto.

— Je sais. Mais s'il repère le barrage et fait demi-tour, comment on l'attrape ?

— Avec les Rooivalk.

— Et la pluie ?

— Vous êtes vraiment sûr qu'il va pleuvoir ?

— Madame, il pleut déjà.

— Il y a cinq heures de route depuis Bloemfontein, Tiger.

— C'est pour ça que je veux qu'ils partent tout de suite.

Elle prit sa décision.

— Très bien. Qu'ils viennent.

— Mazibuko, terminé.

— Tiger ?

— Je suis là.

— Mpayipheli. Il a peut-être été plus que MK.

— Plus ?

— Ne le sous-estimez pas.

— Que voulez-vous dire ? Qu'avez-vous découvert ?

– Il… On ne sait pas encore. Simplement, ne le sous-estimez pas.

– Il est seul.

– C'est vrai.

– Mazibuko, terminé.

Elle éteignit son portable. Aperçut du coin de l'œil un document qui sortait du fax. Elle s'approcha et lut l'en-tête en attendant qu'il soit imprimé. NIA.

– Bien, bien, dit-elle à voix basse en attrapant la feuille du bout des doigts.

Dernière adresse connue – Derek Lategan : Orange River Wine Exports, PO Box 1798, Upington, Northern Cape.
Dernière adresse connue – Quartus Naudé : 28, 14e Avenue, Kleinmond, Western Cape.

Masethla lui avait fourni les renseignements. Elle imagina le conflit intérieur, les réticences, l'agacement et la peur que son coup d'éclat n'ait été raconté. Une petite victoire à son actif. Elle n'en tira aucun plaisir.

Radebe arriva en fronçant les sourcils, un autre document à la main.

– Y'a un truc bizarre, madame. Ce rapport arrive de Pretoria, mais on n'avait pas envoyé de requête.

Elle lui prit la feuille.

Transcription de l'interrogatoire de M. Gerhardus Johannes Groenewald, par V. Pillay, 807, Dallas Flats, De Kock Street, Sunnyside, Pretoria. 23 octobre, 21 h 28.

P : Faisiez-vous partie de l'équipe d'uniformisation avec Johnny Kleintjes ?
G : Je le secondais.

– C'est moi qui en ai donné l'ordre, Vincent.

– Madame ?

– J'ai téléphoné directement à Pillay. Groenewald était dans nos fichiers.

Radebe continua de froncer les sourcils.

– Je suis désolée, Vincent, j'aurais dû vous en parler.

– Madame, ce n'est pas ça...

– C'est quoi alors ?

– Je pensais connaître tous nos agents.

Elle lui sourit d'un air rassurant, sans le quitter des yeux.

– Pillay ne travaille pas tout le temps pour nous, Vincent. Je ne veux pas interférer avec vos hommes.

Il se détendit.

– Madame, il y a autre chose...

Il parlait d'une voix feutrée, comme pour éviter que les autres entendent.

– Dites-moi.

– Mpayipheli, madame. On le traite comme un criminel.

– C'en est un, Vincent. (Il semblait prêt à la contredire, mais préféra se taire.) Il a désarmé deux de nos agents, refusé de rendre un bien d'État malgré une injonction officielle et volé une moto.

Radebe avait les yeux dans le vague. Il acquiesça, mais elle sentit qu'il n'était pas d'accord. Il pivota sur lui-même. Pensive, elle le regarda reprendre son siège.

Transcription de l'interrogatoire de M. Gerhardus Johannes Groenewald, par V. Pillay, 807, Dallas Flats, De Kock Street, Sunnyside, Pretoria. 23 octobre, 21 h 28.

P : Faisiez-vous partie de l'équipe d'uniformisation avec Johnny Kleintjes ?

G : Je le secondais.

P : Aviez-vous accès aux mêmes documents ?

G : Oui.

P : Saviez-vous que M. Kleintjes avait fait des copies de certains dossiers sensibles ?

G : Oui.

P : Parlez-m'en, s'il vous plaît.

G : Ça remonte à dix ans.

P : Je sais, monsieur Groenewald.

G : La plupart de ces renseignements n'ont plus aucune valeur à présent. Les gens… les choses ont changé.

P : Nous devons savoir.

G : C'était une époque bizarre. C'était… Découvrir tout à coup ce que l'ennemi avait sur vous, leur montrer ce que nous, on avait, c'était surréaliste. L'ennemi n'était plus l'ennemi. Après toutes ces années. C'était dur de travailler avec eux. Pour tout le monde. Des deux côtés.

P : Vous travailliez pour le gouvernement du Parti national[1] avant 1992 ?

G : Oui.

P : Continuez, monsieur Groenewald.

G : Dans l'équipe, certains ne le supportaient pas. On était conditionnés, c'était ancré en nous depuis si longtemps, les secrets, l'idée que c'était eux contre nous. Des trucs disparaissaient.

P : Quel genre de trucs ?

G : Des dossiers sur certaines opérations. Le genre de choses pour lesquelles on n'a pas envie de porter le chapeau. Quand Johnny Kleintjes s'est aperçu que les gens détruisaient les documents, il s'est mis à faire des copies. On travaillait ensemble, aussi vite que possible. Et le jour où une des copies a disparu, il a commencé à emporter le travail chez lui.

P : Saviez-vous ce qu'il emportait chez lui ?

G : Il ne m'a jamais rien caché.

P : De quoi s'agissait-il ?

G : De listes classées X. Politiciens, juges, agents du Renseignement. Vous voyez le genre… qui couche avec qui, qui a des problèmes d'argent, qui fricote avec l'opposition. Et les listes E, « E » pour élimination. Qui avait été supprimé. Qui était le prochain. Et le dossier zoulou.

P : Le dossier zoulou ?

G : Vous savez, les nationalistes zoulous.

P : Je ne sais pas, monsieur Groenewald.

---

1. Parti afrikaner, protagoniste de l'apartheid. *(NdT.)*

G : Vous savez quand même que parmi les Zoulous, il existe un noyau de conservateurs qui rêvent encore d'indépendance, non ?

P : Continuez, monsieur Groenewald.

G : Ils soutenaient la politique de développement séparé du précédent régime. Ils y voyaient un moyen de reconstruire une nation zoulou souveraine. Certains partisans de l'ancien régime n'étaient que trop prêts à les aider, des promesses avaient été échangées, ils travaillaient en étroite collaboration. Et puis, F.W. De Klerk est parti et les a roulés dans la farine en reconnaissant l'ANC et en autorisant des élections libres.

P : Et... ?

G : Le dossier zoulou contient les noms de certaines personnes appartenant à l'organisation secrète pour l'indépendance zoulou, l'OIZ. Parmi eux se trouvent des politiciens, des hommes d'affaires et de nombreux universitaires. L'Université du Zoulouland était un terrain propice. Si je me souviens bien, le responsable du département d'histoire a dirigé l'OIZ pendant de nombreuses années.

P : C'est tout ? Juste une liste des membres de l'OIZ ?

G : Non, il y avait plus. Les caches d'armes, des renseignements stratégiques, des plans. Et le nom d'Inkululeko.

P : Vous allez devoir m'expliquer.

G : Inkululeko. Un nom de code. C'est un mot zoulou qui signifie « liberté ». Un membre de l'OIZ qui avait infiltré l'ANC des années auparavant. Une taupe. Mais haut placée. On racontait qu'il avait aussi travaillé pour la CIA pendant la Guerre froide. J'ai récemment entendu dire que, compte tenu de l'attitude du gouvernement actuel envers la Libye et Cuba, par exemple, il aidait toujours les Américains.

P : Savez-vous de qui il s'agit ?

G : Non.

P : Et Johnny Kleintjes ?

G : Johnny savait. Il avait vu la liste.

P : Pourquoi n'en a-t-il jamais rien dit ?

G : Je ne sais pas. Je me suis posé la question. Vous vous souvenez de la flambée de violence au KwaZulu ? Vous vous souvenez des meurtres politiques, de l'intimidation ?

P : Je m'en souviens.

G : Je me suis demandé s'il ne gardait pas la liste comme atout pour pouvoir négocier. Vous voyez, un truc du genre « arrêtez vos conneries ou je raconte tout ». Les choses se sont calmées par la suite.

P : Mais ça paraît peu vraisemblable, n'est-ce pas ?

G : Effectivement.

P : À votre avis, quelle est la vraie raison ?

G : Je pense que Johnny Kleintjes connaissait personnellement Inkululeko. Je pense que c'était un de ses amis.

XIV

Vue à travers l'objectif d'une caméra cachée ou par les yeux d'un voyeur, la scène aurait été sensuelle. Assise devant la chaîne hi-fi dans la maison mitoyenne qu'elle avait restaurée à Gardens, Allison Healy était nue. Elle venait de prendre un bain chaud et son corps plantureux luisait d'huile et de crème de massage. Elle écoutait *Women of Chicago*, Bonnie Lee, Karen Carroll, Shirley Johnson et sa préférée, Lynne Jordan. Des histoires compliquées avec les hommes. Une cigarette allumée dans le cendrier sur la table basse, près du fauteuil rembourré bleu marine, laissait échapper une longue volute de fumée qui s'étirait vers le plafond. Une lampe d'ambiance posée à côté de la petite télévision illuminait faiblement la pièce.

Malgré le potentiel érotique de la scène, ses pensées étaient loin d'être sexuelles. Elle réfléchissait au motard fonçant à toute allure dans la nuit, à l'homme mystérieux poursuivi par les représentants de la loi et les services de renseignements. Elle se demandait pourquoi.

Avant de quitter le bureau, elle avait rappelé Rassie Erasmus, de la police de Laingsburg. Pour lui poser des questions. On aurait dit deux conspirateurs en train de fomenter un mauvais coup contre les services secrets, mais la conversation n'avait rien apporté de nouveau.

Oui, l'avis de recherche avait bien été lancé par le bureau central de la police régionale. Ainsi que la demande de signalement. Non, il n'avait jamais été vraiment dit clairement que c'était l'ARP qui recherchait Mpayipheli, mais la police avait son langage, ses allusions bien à elle, ses jalousies et ses convoitises. Il était presque certain qu'il s'agissait de l'ARP. Et d'après ce qu'il avait pu glaner, le fugitif détenait quelque chose qu'ils voulaient récupérer.

— Des nouvelles de Mpayipheli, Rassie ?

— Non. Pas un mot.

Elle s'était ruée sur la bible du journaliste – l'annuaire du téléphone. Elle y avait trouvé trois Mpayipeli et quatre Mpayipheli. Tous à Khayalitsha ou Macassar, mais aucun avec l'initiale « T ». Elle avait appelé chaque numéro, consciente de l'heure tardive, sachant qu'elle risquait de réveiller des travailleurs déjà assoupis, mais elle aussi, elle avait un boulot à faire.

— Je suis désolée de vous déranger aussi tard, mais pourrais-je parler à Thobela, s'il vous plaît ?

C'était chaque fois la même réponse : « Qui ça ? », d'une voix endormie.

Pour ne rien laisser au hasard, elle avait fait une recherche sur Ananzi et Google, avait tapé « Thobela Mpayipheli » et, par acquis de conscience, « Thobela Mpayipeli », puis cliqué sur « Search ».

Aucun mot ne correspond à votre recherche – Thobela Mpayipheli.

Elle avait alors éteint l'ordinateur, prit son sac à main, dit au revoir aux quelques collègues qui travaillaient encore et elle était rentrée chez elle pour prendre un long bain chaud, se bichonner un peu, boire un demi-verre de vin rouge et fumer une dernière cigarette en écoutant de la musique.

Elle se leva pour ranger flacons et pots de crème dans la salle de bains, puis elle regagna le fauteuil, tira longuement sur sa cigarette, les yeux clos, et se laissa submerger par la chanson de Johnson, *As the years go passing by*. Elle fut prise de nostalgie, pour Nic, pour l'intensité de ces moments perdus. Non. La chanson lui donnait envie de voyager. De découvrir les bars enfumés de Chicago où l'on jouait du blues. Un monde vibrant de complaintes rythmées, de voix sensuelles et d'expériences étranges et inédites, une nouvelle vie, sans tache.

Elle se concentra sur la musique. Le sommeil était proche. La perspective d'un long repos bien mérité. Elle ne reprenait qu'à midi.

Où était-il maintenant, le méchant malabar xhosa à moto ?

Il se trouvait à deux kilomètres de Leeu-Gamka, tous phares éteints, en plein milieu du veld, à quelques centaines de mètres de la chaussée. Il retira sa combinaison, la rangea dans une des sacoches, mit le casque dans l'autre et s'achemina vers les lumières.

L'air frais et cinglant de la nuit transportait les effluves âcres des broussailles du Karoo qu'il écrasait sous ses bottes. La fatigue des cinquante, soixante derniers kilomètres avait envahi son corps, ses yeux étaient rouges et irrités, il avait soif et sommeil.

Il n'avait plus vingt ans et son corps le lui faisait sentir. Il avait tenu grâce à l'adrénaline, il le savait, mais elle était en train de retomber. Il savait aussi que les quelques heures qui lui restaient jusqu'à l'aube seraient les plus dures. Il marchait d'un pas vif pour activer la circulation, ses bottes crissaient en cadence sur le gravier de l'accotement. Les lumières de la station-service à droite et celles du poste de police à gauche de la grande route se rapprochaient peu à peu. Pas de mouvement, aucun signe de vie ni de barrage, pas le moindre indice d'un quelconque ratissage. Le pompiste de Laingsburg s'était-il tu ? Si c'était le cas, il lui devait une fière chandelle. C'était si difficile de percer les gens à jour, ils se conduisaient bizarrement. Pourquoi l'homme ne lui avait-il pas dit qu'il tiendrait sa langue ? Pourquoi le laisser dans l'incertitude ? N'avait-il pas encore pris sa décision ?

Il entra dans la station-service. Il s'y trouvait un petit café, ouvert vingt-quatre heures sur vingt-quatre. De l'autre côté du comptoir, une Noire dormait profondément, menton sur la poitrine, bouche entrouverte. Il sortit deux canettes de Coca de la vitrine réfrigérée et prit quelques barres chocolatées sur l'étagère. Le long du mur, derrière la femme, se trouvait un présentoir rempli de cartes routières.

Il s'éclaircit la gorge. Elle ouvrit les yeux.

— Désolé, ma sœur, dit-il doucement en lui souriant avec bienveillance.

— Je m'étais endormie ? demanda-t-elle, décontenancée.

— Simplement assoupie.

— Quelle heure est-il ?

— Un peu plus de trois heures.

Elle prit les canettes et le chocolat et les enregistra. Il lui demanda une carte.

— Vous êtes perdu ?

— Non, ma sœur, je cherche juste un raccourci.

— D'ici ? Il n'y a pas de raccourcis ici, mais elle attrapa l'atlas routier et le mit dans le sac plastique avec les autres articles.

Il paya et sortit.

— Soyez prudent, lui lança-t-elle en se rencognant dans son fauteuil.

Un peu plus loin, il jeta un coup d'œil par-dessus son épaule et vit à travers la vitre que sa tête s'était de nouveau affaissée. Se rappellerait-elle de son passage si on l'interrogeait ?

Il ouvrit une cannette en regagnant la moto, but à grandes goulées, rota, but encore. Le sucre lui ferait du bien. Il finit le Coca, puis avala de gros morceaux de barre chocolatée. Une Mercedes blanche éclaira la route, l'aveuglant un instant. Il mit la canette vide et les papiers d'emballage dans le sac plastique.

Il fallait potasser la carte. Il n'avait pas de lampe de poche. La lune disparaissait à l'ouest, ne donnant plus qu'une faible lueur. Il aurait dû acheter une torche.

Peut-être la lumière lunaire suffirait-elle. Il quitta la chaussée et coupa à travers le veld en pensant pour la première fois aux vipères à cornes. Par une nuit aussi froide, elles étaient sûrement inoffensives. Il rejoignit la GS et sortit l'atlas routier.

Les diverses routes s'entremêlaient devant lui telle une toile aux multiples possibilités, saisissante dans cette lumière blafarde. Il voyait mal, la lune projetait l'ombre de sa tête sur la page et l'obligeait à se déplacer. Il avait le nez collé sur la carte au point d'en avoir mal aux yeux. Il trouva enfin la bonne page.

De l'endroit où il se trouvait il pouvait relier Leeu-Gamka à Fraserburg.

Fraserburg ?

C'était la mauvaise direction, trop à l'ouest, trop peu de choix. Il devait aller au nord.

Deux autres itinéraires partaient de Beaufort West, deux filaments qui serpentaient vers Aberdeen, à l'est, et Loxton, approximativement nord nord-ouest. Ça pouvait aller. Il tourna la page pour continuer. Loxton, Carnarvon, Prieska. Encore trop à l'ouest.

Il revint en arrière et suivit la N1 jusqu'aux Three Sisters, là où bifurquait la route. Vers Bloemfontein ou Kimberley. Il avança, trouva la route de Kimberley et la parcourut du doigt. Prometteur. Beaucoup plus d'options.

Dans une partie d'échecs, votre adversaire essaie de deviner vos mouvements. Laissez-lui voir. Puis modifiez-les.

– Nous allons les modifier à Three Sisters, Herr Obergruppenführer, dit-il doucement.

Il ferait le plein à Beaufort West et demanderait le nombre de kilomètres jusqu'à Bloemfontein et l'état de la route. Avec un peu de chance, les flics en entendraient parler. Et, à Three Sisters, il prendrait vers Kimberley.

Il sortit la deuxième cannette du sac.

Il pleuvait dans le grand Karoo. L'ouragan avait déferlé sur les plaines, grondant et crachant tel un monstrueux prédateur originel, seulement visible lorsque les éclairs sondaient le ciel nocturne en de fantastiques silhouettes. Il éclatait maintenant au-dessus d'eux, déluge africain, excessif, sans pitié.

Le capitaine Tiger Mazibuko jura en pataugeant jusqu'aux chevilles dans les flaques et en essuyant son visage trempé. La pluie s'abattait par pans obscurs, le tonnerre ne cessait de claquer.

Il avait vérifié les cartes dans le véhicule du policier. Il leur faudrait bloquer au moins deux routes secondaires. À mi-chemin du barrage et de Beaufort West, l'une d'elles bifurquait à l'est vers Nelspoort, l'autre était plus proche et menait à Wagenaarskraal, vers l'ouest. Routes inhabituelles, mais envisageables pour un fugitif. Et ils avaient trop peu d'hommes et trop peu de véhicules. Il devrait déployer quatre membres de l'UR. La fourgonnette les y conduirait, mais cela réduirait d'autant l'efficacité de ce barrage-ci. Ils surveilleraient les routes par équipes de deux. Ils seraient à pied et lui à moto. La visibilité était nulle dans cette tempête. Un vrai fiasco. Typique. À la traîne. Ils étaient toujours à la traîne. On pouvait dire ce qu'on voulait des Américains, mais si le Hostage Rescue Team du FBI avait été là, on aurait eu droit à des 4 × 4, à des véhicules blindés et à des hélicoptères. Il le savait parce qu'il avait passé quatre mois là-bas, à Quantico, en Virginie, il les avait vus à l'œuvre. En Afrique, les choses se passaient autrement, en Afrique, on merdait. En Afrique, on bricole avec un pick-up de merde, une Corolla, un flic mort de trouille, deux Boers qui s'inquiètent de mouiller leurs casquettes et un putain de vieux Xhosa solitaire à moto. Bon dieu, cet enfoiré n'aurait pas pu se trouver un moyen de transport plus respectable ? Même les voyous sont ringards en Afrique !

Il montra le poing aux cieux, calmés pour l'instant. Il hurla sa frustration, bruit étrange, aussitôt noyé par la pluie.

Il passa la tête dans l'ouverture de la tente. Quatre soldats le regardèrent, interloqués.

— Il faut que je vous foute dehors, dit-il calmement, après avoir repris ses esprits.

L'heure avancée commençait à se faire sentir dans le centre opérationnel. L'urgence n'avait plus cours.

Mentz était partagée. Devait-elle envoyer quelqu'un chez Derek Lategan et Quartus Naudé cette nuit même ?

Ils n'étaient pas obligés de coopérer. Agents à la retraite, ils avaient accepté les indemnités (sans aucun doute conséquentes) du gouvernement en place. Une visite aussi tardive ne ferait que compliquer les choses. Mais elle avait besoin d'informations. Elle pesa le pour et le contre. Qu'apporteraient-ils de plus ? Pourraient-ils confirmer que Mpayipheli avait travaillé pour le KGB ? Quelle différence cela ferait-il ?

Attendons, se dit-elle. Elle observa la grande carte murale de l'Afrique australe.

Où es-tu, Mpayipheli ?

Sur la N1 ? Jusqu'où es-tu prêt à aller ? Es-tu en train de dormir dans une chambre d'hôtel pendant que nous nous livrons à des supputations erronées à ton sujet ?

Non. Il était là-bas, quelque part. Il ne devait plus être loin de Mazibuko à présent. Un contact. C'est ce qu'il leur fallait pour sortir de cette léthargie, pour retrouver leur dynamisme, reprendre les choses en main.

Contact. Action. Maîtrise.

Où donc était passé Thobela Mpayipheli ?

Elle se leva. Elle avait encore du pain sur la planche.

— Puis-je avoir l'attention de tout le monde ? lança-t-elle.

Ils se tournèrent lentement vers elle.

— Cette heure de la nuit est toujours la pire, commença-t-elle. Je sais que vous avez eu une longue journée et une longue nuit, mais si nos prévisions sont justes, nous devrions en avoir terminé avant huit heures.

Peu de réaction. Des visages inexpressifs la fixèrent en retour.

— Nous devons décider du nombre de personnes qui peuvent aller se reposer une heure ou deux. Mais, avant de désigner ceux qui vont faire un somme, je sais que certains d'entre vous se demandent pourquoi nous traitons ce fugitif comme un criminel. Je peux comprendre pourquoi.

Des yeux injectés de sang lui retournèrent son regard. Ce qu'elle disait n'avait plus le moindre impact.

— Mais nous devons aussi nous interroger sur l'origine de tout cet argent. N'oublions pas qu'il a travaillé pour le grand banditisme. Qu'il a mis ses talents au service de l'intimidation et de la peur. Qu'il a volé deux armes, après avoir refusé de coopérer. Vous voyez de quel genre d'homme il s'agit.

Une ou deux têtes acquiescèrent.

— Nous devons être professionnels. Nous ignorons trop de choses, trop de questions restent sans réponse. Nous avons à présent une idée très précise de ce qui se trouve sur ce disque dur. Et ce n'est pas encourageant. Il s'agit de renseignements sur une taupe au plus niveau, nom de code Inkululeko. Nous parlons d'informations extrêmement sensibles, d'informations qui pourraient causer des ravages inestimables si elles tombaient dans de mauvaises mains. Notre devoir est de protéger l'État. La compassion n'a pas sa place ici. Si l'on met tout dans la balance, nous n'avons qu'un seul choix : être professionnels. Rester concentrés. Analyser les faits et oublier les gens qui sont derrière.

Elle survola la pièce du regard.

— Des questions ?

Pas de réaction.

Mais peu importe. Elle avait planté la graine. Elle dut se forcer pour ne pas regarder les micros dissimulés dans le plafond.

XV

Son esprit vagabondait librement, la route demandant peu de concentration. Il pensait à tout et à rien, ressentait la fatigue, mais il voulait profiter de l'obscurité qui lui restait. Une fois le soleil levé, au-delà des Three Sisters, il se trouverait un endroit ombragé dans le veld, un endroit à l'abri des regards, pour se reposer quelques heures. Il connaissait bien les effets et le danger du manque de sommeil : absence de discernement, mauvaises décisions. Ses pensées ne cessaient de virevolter : qui étaient les agents qui le poursuivaient ? jusqu'où pouvaient-ils aller ? dans quel but ? les infos sur le disque lui avaient-elles jeté un sort ?

Dans un mois, Pakamile aurait terminé le CP. Ils pourraient quitter le *township*, depuis le temps qu'ils en parlaient !

Elle s'y refusait. Elle s'accrochait à ce qu'elle connaissait, par peur du changement. Comme lorsqu'il avait commencé à lui faire la cour. Quand il l'avait vue la première fois, dans le bureau de l'expert en placements, ses mains, si adroites et si fines, sa grâce et sa fierté, avaient été comme un signal. Elle ne l'avait même pas remarqué mais, lui, il avait à peine entendu ce que disait l'homme, tant il la dévorait des yeux. Il avait déjà été amoureux avant, à l'occasion, simple désir, parfois un peu plus, mais jamais tout à fait ce qu'il attendait. Jamais comme avec Miriam. Au début, elle ne voulait pas entendre parler de lui. Le père de son enfant l'avait dégoûtée des hommes, mais il était incapable de penser à autre chose qu'à elle, mon Dieu, être épris comme un adolescent, à son âge, les mains moites et le cœur battant la chamade lorsqu'il s'asseyait près d'elle à Thibault Square pour profiter du soleil et regarder le nuage au sommet de la montagne grossir et rapetisser, et grossir à nouveau, là, en essayant de lui cacher son désir, pour ne pas l'effrayer, son envie de la toucher, de lui tenir la main, de la serrer contre lui en disant : « Je t'aime, tu es à moi, laisse-moi te protéger, je chasserai tes peurs comme l'esprit du mal, je te chérirai, te protégerai et t'honorerai. »

Il avait dû attendre un an avant de pouvoir faire l'amour avec elle, un an, douze mois de soupirs et de rêves, et ç'avait été très différent de ce qu'il avait imaginé, doux et lent, désaltérant. Ses mains sur son corps, un corps de femme mûre, marqué par la maternité. Il avait été submergé par la compassion, il avait suivi du doigt les cicatrices, rempli d'effroi devant cet accomplissement, cet être qu'elle avait conçu, porté et mis au monde. La plénitude de sa vocation se lisait en elle et sur elle, il ne pouvait que l'effleurer du bout des doigts, conscient de sa propre incomplétude et tellement désireux de la combler.

Comment lui annoncer qu'il avait acheté un terrain ? Il imaginait déjà sa réaction, savait combien elle s'accrochait à ce qu'elle pouvait contrôler pour pallier tout ce qui lui échappait. Le combat qu'elle avait mené pour arriver jusque-là, dans sa propre maison avec son fils, avait été si long, si difficile, dans ce monde de pauvreté et de violence. Son travail, sa maison, sa routine journalière représentaient son sanctuaire, sa protection, sa survie même.

Un samedi, il avait levé la tête du livre de mathématiques dans lequel il était plongé et avait décidé que c'était le grand jour. Elle avait ses travaux d'aiguille dans les mains. Il avait éteint la radio et lui avait dit que depuis le moment où il avait regardé en lui-même, il n'avait eu de cesse de partir, de retourner d'où il venait, de poursuivre le voyage de toute une vie jusqu'à la source, de recommencer à zéro. Il voulait bâtir quelque chose de ses mains – de ses mains qui avaient détruit –, une maison, peut-être, avec sa sueur, ses muscles et sa concentration, un endroit où vivre. Il voulait enfoncer ses mains dans la terre, la retourner, planter et faire pousser. Il avait commencé les recherches et découvert ce qu'il cherchait des semaines plus tard dans la Cala Valley, un endroit merveilleux où les brumes s'élevaient à flanc de montagne en hiver, où le veld n'était qu'une étendue verdoyante et fertile, à perte de vue, le pays xhosa, la terre de son enfance et de ses ancêtres.

Il mettait un point final aux dernières transactions lorsqu'elle avait croisé son chemin. Et maintenant, des mois plus tard, le besoin était toujours aussi fort. Mais il ne pouvait plus mener son projet à bien tout seul, parce que maintenant il ne l'était plus. Il lui avait demandé de l'accompagner. Elle et Pakamile. Ils arracheraient l'enfant à ce monde cruel, ils lui montreraient son héritage, lui enseigneraient des valeurs nouvelles, lui offriraient une jeunesse insouciante. Là-bas, en ville, il y avait des écoles pour ses études. Elle pourrait arrêter de travailler. Ils seraient tous les trois, seuls, il pouvait subvenir à leurs besoins, il le ferait, il leur offrirait cette nouvelle vie.

Elle était restée tranquille un long moment, tirant son aiguille et son fil d'un geste régulier. Puis elle lui avait dit qu'elle allait réfléchir, que c'était une décision importante, et il avait acquiescé avec gratitude, soulagé qu'elle accepte de se pencher sur la question et que sa première réponse n'ait pas été négative.

Les éclairs le ramenèrent à lui, apparemment il pleuvait plus loin. Il jeta un coup d'œil au compteur, encore soixante kilomètres jusqu'à Beaufort West. L'essence avait diminué de moitié. L'horizon au levant commençait à pâlir, il devait atteindre la ville avant l'aube pour refaire le plein. Il accéléra, 160, sentit la fatigue dans son corps, 170, vérifia l'heure sur le cadran numérique, 4:43, le jour se levait, il n'avait pas beaucoup avancé et il lui restait un long trajet à parcourir.

Kimberley – s'il y parvenait, il pourrait y prendre un avion, 180, peut-être jusqu'à Durban, histoire de bousculer les plans, puis de Durban à Maputo, de Maputo à Lusaka ou quelque chose de ce genre, mais rester souple, 190, s'adapter, en finir avec tout ça et rentrer, pour que Miriam comprenne qu'il ne l'abandonnerait jamais, 200, les lignes blanches défilaient à toute allure, trop vite, il n'avait jamais roulé aussi vite. Oui, l'aube nouvelle s'étirait à l'est, tel un ruban pourpre.

Deux autres véhicules arrivèrent, une Opel Corsa et un pick-up Izuzu. Des policiers en sortirent d'un air ankylosé en serrant leurs imperméables contre eux, agacés d'avoir été réquisitionnés à cette heure et par ce temps. Ils se dirigèrent vers Mazibuko.

— Le sergent a lancé un appel radio pour confirmer qu'il avait déposé vos hommes.

— Je sais. Nous sommes en contact. Où est-il ?

— Il est rentré chez lui. Sa garde est terminée.

— Ah bon.

— Il y a beaucoup de circulation en plein jour, vous interceptez tout le monde ?

— Juste ce qu'il faut. Vous êtes là en renfort ?

— Oui.

— Dans ce cas, vous devez bouger vos véhicules.

— Comment ?

Il leur expliqua. Il voulait un barrage infranchissable. Ils suivirent ses instructions, placèrent leurs voitures en travers de la route, tandis qu'il pataugeait dans les flaques jusqu'à l'hélicoptère. Il ouvrit la porte. Le mécanicien de bord dormait à l'arrière, la bouche grande ouverte. Le pilote était devant, réveillé.

— Vous avez la météo ? demanda Mazibuko.

— Oui, répondit le pilote. De la pluie. D'une minute à l'autre.

Il sourit de sa blague.

— Et pour le reste de la journée ?

— La dépression évolue vers l'est. Ça devrait se dégager dans l'après-midi.

— Et merde !

— On peut le dire.

Mazibuko sortit son téléphone portable de sa veste et composa un numéro.

— Vous êtes encore loin ?

— Juste après Richmond, répondit le lieutenant Penrose, commandant en second de l'UR.

— Il faut foncer.

— On fait ce qu'on peut, capitaine.

— Il pleut là-bas ?

— Pas encore, mais ça ne devrait pas tarder.

— Merde, dit Tiger Mazibuko.

— On peut le dire, marmonna le pilote de l'Oryx.

La pile de quotidiens du Cap atterrit sur le bureau du rédacteur en chef de l'émission matinale de la SABS[1], à Auckland Park, Johannesburg. L'*Argus* d'hier, le *Burger* et le *Cape Times* du jour. C'était un de ses moments de vérité journaliers : les rédactions du Sud s'en tiraient-elles bien face à leurs adversaires ? Mais c'était surtout une fenêtre ouverte sur un monde étrange et peu familier, navires qui sombraient pendant les ouragans, extrémistes musulmans, gangs de Cape Flats, cirque politique du moment.

« De nouveaux leaders du NNP changent leur fusil d'épaule », titrait l'édition afrikaans du *Burger*. Rien de surprenant là-dedans. Idem pour le rugby : « Skinstad : Nous n'avons pas d'excuse ». Il sauta l'habituel baratin démago sur les donations de Noël et passa directement au dernier article de la une sur un jeune prodige du cricket âgé de treize ans. Mouais. Un truc provincial, de Barrydale. Il entoura l'article au marqueur rouge. Affaire à suivre.

Puis il tira le *Times* de la pile. « Une nouvelle alliance pour la province ? » annonçait la manchette. Et « Revoici le rand ». Puis ses yeux tombèrent sur le troisième article à la une. « Les services de renseignements recherchent le méchant malabar à moto », par Allison Healy. Il parcourut l'article.

— Molly ! lança-t-il.

Pas de réponse.

— Molly !

Un visage s'encadra dans la porte.

— Appelle-moi ce trou duc au Cap. Tout de suite.

1. South African Broadcasting Society, la télévision sud-africaine. (*NdT.*)

— Rooivalk Un, ici le centre opérationnel, répondez, à vous.

La voix de Quinn était pressante. Il attendit un moment, pas de réaction. Il vérifia la fréquence sur l'écran numérique et fit une autre tentative.

— Rooivalk Un, ici le centre opérationnel, répondez, à vous.

— Ici, Rooivalk Un, centre de contrôle. Qu'est-ce que vous avez pour nous ? À vous.

Voix légèrement endormie.

— Nous l'avons repéré, Rooivalk Un. Je répète, nous l'avons repéré. Le sujet se trouve à quatre minutes de Beaufort West, sur la N1, direction Three Sisters. À vous de jouer. Bien reçu ? À vous.

— Bien reçu, centre de contrôle, reçu cinq sur cinq. Rooivalk Un et Deux, opérationnels. À vous.

— Quand comptez-vous l'intercepter, Rooivalk Un ? À vous.

— Contact prévu dans dix minutes, centre de contrôle, je répète, dix minutes. À vous.

Quinn entendit nettement les moteurs tourner à l'arrière-plan. Il haussa automatiquement la voix :

— Nous voulons juste le rabattre vers Three Sisters, Rooivalk Un. Nous voulons une présence, mais aucun contact. Compris ? À vous.

— Aucun contact, confirmé. Aucun contact.

Les moteurs étaient lancés à plein régime.

— Êtes-vous au courant de la situation météo, centre de contrôle ? À vous.

— Nous savons qu'il pleut à Three Sisters, Rooivalk Un. Quelle est votre situation ? À vous.

— La pluie menace, centre de contrôle, il y a une sacrée dépression au nord. Rooivalk Un et Rooivalk Deux prêts à décoller, centre de contrôle. À vous.

— On reste en contact, Rooivalk Un. La ligne est ouverte. Au rapport dès que vous l'aurez intercepté. Centre de contrôle, terminé.

— Bien reçu, centre de contrôle. Rooivalk Un, terminé.

Quinn se rencogna dans son fauteuil et regarda autour de lui. Janina Mentz parlait dans son portable avec Tiger Mazibuko. Les quelques personnes qui étaient allées se reposer à quatre heures du matin avaient regagné leur poste. Il y avait de l'impatience dans l'air. Le centre opérationnel était sur le pied de guerre.

Allison Healy rêvait de sa mère quand le téléphone sonna. Elles se querellaient, une prise de bec sans queue ni tête qui n'en finissait pas, la sonnerie la soulagea. Dans son rêve, elle soulevait le combiné pour répondre, mais la sonnerie continuait.

Elle laissa échapper un grognement, rechignant à émerger du profond sommeil dans lequel elle était plongée et se redressa dans son lit en faisant glisser les draps qui dévoilèrent sa plantureuse nudité.

– Allô.

– Allison ?

La voix d'un collègue, mais elle n'arrivait pas à reconnaître lequel.

– Quoi ?

– Tu es réveillée ?

– On peut dire ça, oui.

– Tu ferais mieux de t'amener.

– Qu'est-ce qui se passe ?

– Il y a un cireur de chaussures en bas. Il veut te parler.

– Un cireur de chaussures ?

Elle se demanda si elle rêvait encore.

– C'est un ami de ton méchant malabar à moto.

– Oh, merde ! fit-elle. J'arrive.

XVI

Il avait bu un café et avalé un sandwich insipide à la station-service pendant que le pompiste faisait le plein, puis il avait demandé à quelle distance se trouvait Bloemfontein et si la police patrouillait. Il avait fait de son mieux pour passer pour un fugitif « armé et dangereux », mais il ignorait complètement si l'homme avait mordu à l'hameçon. Le pompiste ne tenait pas en place, mais ça ne voulait peut-être rien dire et, maintenant, de gros nuages noirs s'amoncelaient au-dessus de sa tête, jusqu'à vingt ou trente kilomètres de là, la route s'étirait devant lui et l'aube délavait le Karoo en tons pastel. Il roulait vite, 185, parce qu'il voulait dépasser Three Sisters et bifurquer sur Kimberley avant qu'ils aient eu le temps de se retourner. La caféine avait réveillé l'angoisse qu'il aurait dû ressentir depuis Laingsburg. S'ils savaient qu'il avait dérobé la moto et se trouvait sur la N1, pourquoi n'avaient-ils pas tenté de l'intercepter ? Pourquoi ne l'attendaient-ils pas ?

Peu importe, se dit-il, peu importe. Il était là et avait fait de son mieux pour donner l'impression qu'il allait vers Bloemfontein. Il ne lui restait plus qu'à foncer, 200 km/h si possible, peut-être qu'en plein jour ce serait moins terrifiant. Il passa la cinquième et tordit l'oreille de l'énorme engin, sentit la vibration des deux cylindres plats du moteur Boxer. Boxer, quel drôle de nom ! Il était paniqué, où étaient-ils, que faisaient-ils, à quoi pensaient-ils ? Et lorsqu'il entendit le tonnerre, il crut d'abord qu'il venait des lourds nuages au-dessus de lui ; mais le bruit était ininterrompu et son cœur se glaça. C'était un grondement surnaturel et tout à coup le ciel s'obscurcit, envahi par une ombre immense dont le vacarme couvrit le bruit de la moto. Alors il sut qu'ils étaient là et comprit ce qu'ils voulaient faire.

Miriam Nzululwazi rinçait le bol de Pakamile à la cuisine. Elle se languissait de Thobela et des matins qu'il avait su égayer. Auparavant, tout n'était que précipitation silencieuse et quasi morbide jusqu'à l'arrivée du bus scolaire, avant qu'elle-même n'attrape le Golden Arrow pour se rendre au travail. Puis cet homme avait débarqué, qui sautait du lit au point du jour avec un féroce appétit de vivre, qui faisait le café et apportait les tasses odorantes et fumantes jusque dans les chambres sans cesser de chanter, pas toujours très juste, mais dès le lever sa voix de basse leur donnait du cœur à l'ouvrage.

Elle avait dit que le garçonnet était trop jeune pour boire du café, mais il avait répondu qu'il le ferait très léger, exprès pour lui. Ça n'avait pas duré longtemps. Elle avait dit qu'elle ne voulait pas entendre ce journaliste afrikaner dans sa maison, mais il avait répondu que Pakamile et lui ne pourraient jamais devenir fermiers en écoutant tous les matins le programme musical de Radio Métro. Ils suivaient la météo, les cours du marché, les émissions sur l'agriculture et l'enfant apprenait une autre langue par la même occasion. Lorsque l'attention de ce dernier faiblissait, il le motivait par des « Pakamile, il pleut à la ferme » ou « le soleil brille aujourd'hui à la ferme, Pakamile, tu sais ce que ça signifie ? » et le garçon répondait « Oui, Thobela, les plantes se chargent en chlorophylle ». Il ajoutait alors en riant : « C'est exact, l'herbe est verte, bien grasse et bonne à manger et le bétail va être content. »

Ce matin-là, elle avait allumé la radio pour compenser son absence et rétablir un semblant de normalité. Elle écouta le bulletin météo par habitude et hocha la tête en signe de dénégation : Miriam Nzululwazi en train d'écouter de l'afrikaans ! Thobela avait changé tant de choses, il fallait qu'elle aille voir où en était Pakamile.

– Pakamile, tu t'es brossé les dents ?

– Non, maman.

– Il va faire chaud à la ferme aujourd'hui.

– Ah bon.

Indifférent. Thobela lui manquait à lui aussi. L'indicatif retentit, annonçant l'heure des informations, il fallait se dépêcher. La voix morne du présentateur résonna à travers la maison. Les Américains en Afghanistan, Mbeki en Angleterre. Le rand avait encore chuté.

– Ne traîne pas, Pakamile.

– Oui, maman.

L'essence augmentait. Thobela se moquait constamment des chroniqueurs et des journalistes quand ils annonçaient le prix mensuel de l'essence : « Écoute bien le prix du gasoil, Pakamile, j'ai le tracteur à démarrer », disait-il. Ils échangeaient alors un sourire et Pakamile répétait le mot afrikaans *trekker* pour s'amuser en roulant des « r » qu'il étirait démesurément.

« D'après un journal du Cap, les services de renseignements sont sur les talons d'un fugitif, un certain Thobela Mpayipheli, qui aurait volé une moto et semblerait se diriger vers... »

Elle se précipita dans la cuisine et éteignit la radio d'un geste brusque avant que Pakamile puisse entendre. *Volé une moto, volé une moto ?* Thobela ? Ses mains se mirent à trembler, elle avait le cœur au bord des lèvres.

Qu'avait-il fait ?

La voix du pilote résonna clairement dans le centre opérationnel.

– Rooivalk Un à centre opérationnel. Nous avons un contact. À trente kilomètres de Beaufort West, fugitif sur une moto jaune, vitesse estimée, 200 km/h, ce type fonce. Terminé.

Ils applaudirent tous, levèrent les poings en criant. Janina Mentz arbora un sourire radieux. Elle avait vu juste, mais surtout elle était soulagée. Plus que tout autre chose, elle éprouvait un énorme soulagement.

– Centre de contrôle à Rooivalk Un, bien reçu, interception confirmée. – Restez derrière, Rooivalk Un. Aucune tentative d'approche.

– Confirmé, aucune tentative d'approche, centre de contrôle. Nous nous contentons de le suivre.

– Madame…, lança Radebe, mais sa voix était couverte par les applaudissements.

– Madame ?

– Vincent ?

– L'équipe à terre nous conseille de trouver un *Cape Times*.

– Pourquoi ?

– Ils disent qu'il y a des placards dans toute la ville, madame.

Elle dut faire un effort pour changer de vitesse, s'accommoder et comprendre ce qu'il disait.

– Qu'est-ce qu'ils racontent, Vincent ?

L'anxiété dans sa voix les ramena rapidement au calme, seule la radio continuait à chuinter.

LES SERVICES DE RENSEIGNEMENTS RECHERCHENT LE MÉCHANT MALABAR À MOTO.

Elle eut l'impression de recevoir un coup au plexus.

– Trouvez-nous un journal, Vincent.

– Oui, madame.

– Quinn, dites à Mazibuko que le sujet arrive, qu'il nous prévienne dès qu'il a le contact. Rahjev…

– Oui… Madame ?

Elle jeta un coup d'œil sur la rangée de téléviseurs muraux.

– Mettez-nous TV2. Et e-TV. Et, s'il vous plaît, demandez à quelqu'un de suivre les informations à la radio.

– Très bien, madame.

La police. Elle était sûre que la fuite venait de la police.

Heureusement qu'on en avait presque terminé avec cette affaire.

L'hélicoptère volait à basse altitude, son ventre noir à peine cent mètres au-dessus de sa tête, puis il fit demi-tour en piqué. Il regarda derrière lui et s'aperçut qu'il y en avait deux côte à côte, attendant leur heure dans son dos tels des oiseaux de proie. Son corps vibrait au rythme des énormes moteurs, l'adrénaline coulait à flots dans ses veines, il était à fond, mais cela ne servait à rien. Ces machines étaient beaucoup trop rapides. Il croisa un poids lourd. Le chauffeur, n'en croyant pas ses yeux, fit pratiquement une embardée devant lui. Pourquoi n'attaquaient-ils pas ?

Le compteur dépassait les 200, les nuages menaçaient. Sur l'autre file, les véhicules avaient mis les essuie-glaces et allumé les phares, il se prit à espérer. L'orage était-il important ? Pleuvait-il fort ? Les hélicoptères le suivraient-ils dans la tourmente ? Il voulut doubler une voiture. Le chauffeur freina, déconcerté par le bruit faramineux au-dessus de lui. Oh, mon Dieu, voilà les ennuis. Il l'évita juste à temps, la visière de son casque se couvrit de gouttelettes, et merde, il allait trop vite, un rideau de pluie impénétrable se dressait devant lui, le crachin se transforma en gouttes, difficile de distinguer quoi que ce soit, il mourait d'envie de relever la visière et de l'essuyer mais à cette vitesse... Un camion devant, impossible de maintenir la vitesse, il n'y voyait rien, il ralentit, réduisit les gaz et, tout à coup, il se mit à pleuvoir à seaux, l'averse se déchaîna, énormes gouttes qui lui cinglaient le corps avec violence. Les pneus du camion soulevaient des gerbes d'eau, il ne voyait plus les voitures en sens inverse, moins vite, moins vite, il finit par essuyer sa visière, juste assez pour y voir à travers la mosaïque de gouttelettes. La pluie avait redoublé, déluge africain, le poids lourd lui céda la place, il rétrograda, puis accéléra et le doubla doucement, la visibilité était terrible, que faire, et soudain, il se rendit compte que le vacarme des hélicoptères s'estompait, qu'ils avaient disparu.

— Je m'appelle Emmanuel, dit-il à Allison Healy. Je suis le cireur de chaussures.

Elle lui tendit la main.

— Bonjour, Emmanuel.

— J'ai le *Cape Times* tous les matins. Je viens en chercher un paquet là-derrière et je le vends. Quand tout est parti, j'ai le temps de le lire, parce qu'il n'y a pas beaucoup de clients si tôt le matin.

— Je comprends, dit-elle patiemment.

— C'est comme ça que ce matin, j'ai lu l'article sur Thobela.

– Mpayipheli ?

– C'est mon ami. Et ce que vous avez écrit sur lui est faux.

– Que voulez-vous dire ?

– Ce n'est pas un *méchant malabar à moto*.

– Euh... c'est juste une façon de parler, Emmanuel.

– Mais ce n'est pas vrai. C'est un homme bon. Un vétéran.

– Un vétéran ?

– C'est exact. Il était soldat dans la Lutte. Il est allé se battre loin d'ici. En Russie et en Allemagne.

– MK ?

– Il s'est battu pour nous tous.

– Vous dites qu'il faisait partie du MK ? Ah, le scoop ! Un sacré scoop, ça !

Emmanuel se contenta d'acquiescer.

– Pourquoi a-t-il volé la moto ?

– Ce n'est pas vrai. Thobela n'est pas un voleur.

– Qu'est-ce que vous en savez, Emmanuel ?

– Je le connais. C'est mon ami. On discute, trois, quatre fois par semaine. C'est un homme honnête. Un père de famille.

– Il a une famille ?

– C'est la chose qui compte le plus pour lui. Pourquoi aurait-il volé une moto ?

– Où puis-je trouver sa famille ?

– C'est impossible. Centre de contrôle, la visibilité est trop mauvaise. Turbulences importantes. Nous devons faire demi-tour. À vous.

Parasites sur la ligne. Voix qui s'éteint.

Quinn regarda Janina Mentz. Elle hocha la tête. Il traduisit.

– Négatif, Rooivalk Un, vous restez avec lui. À vous.

– Centre de contrôle, la visibilité est nulle. Nous ne savons pas où « avec lui » se trouve. Nous n'avons même pas de contact visuel entre nous. Impossible de continuer dans ces conditions. À vous.

Il dévisagea Janina. Elle était debout, bras croisés, lèvres pincées.

– Ces appareils ont coûté combien de millions ? Et ils ne peuvent pas voler par temps de pluie ?

Quinn attendit.

– Dites-leur de faire demi-tour. Dites-leur de s'assurer qu'il ne revient pas sur ses pas.

Son téléphone portable sonna dans sa poche. Elle observait les images tremblotantes des diverses chaînes nationales sur les téléviseurs muraux, dessins animés matinaux, informations régionales, sport, CNN, murmures de voix et de musique. Sur TV2, le présentateur parlait. Derrière lui se trouvait le dessin d'un motocycliste.

Le téléphone continuait à sonner.

Rahjev Rajkumar appuya sur une console et le son emplit la pièce.

– … quelque part dans la province du Cap oriental, sur une moto volée. Les raisons pour lesquelles les autorités recherchent M. Mpayipheli, considéré comme armé et dangereux, demeurent mystérieuses pour l'instant.

Elle faillit lâcher un juron. Sortit son téléphone.

– Mentz, aboya-t-elle d'un ton sinistre.

– Maman ? Lien dit que je suis grosse, lança sa fille en pleurnichant.

Il se traînait à 50 km/h, gants en cuir trempés, mains glacées, bien qu'il ait mis le chauffage électrique dans les poignées. Son principal problème était de voir la route, l'intérieur de son casque était couvert de buée et il continuait à pleuvoir à verse, la chaussée était glissante. Comment distinguer à temps les véhicules qui le précédaient, il mourait d'envie d'accélérer et de mettre le plus de distance possible entre les hélicoptères et lui, au moins ceux-là s'étaient-ils calmés pour l'instant, mais il savait qu'ils se trouvaient à proximité, il devait absolument s'éloigner.

Il fallait qu'ils en aient vraiment après lui pour utiliser ce genre d'engins.

Johnny Kleintjes, qu'y a-t-il sur ce disque dur ?

Ils avaient attendu que le jour se lève, sûrs d'eux et confiants, comme le chat attend la souris, ils avaient attendu l'aube, sachant qu'il serait exténué, sachant que les hélicoptères, bien qu'excessifs, l'intimideraient et en viendraient à bout.

Ils étaient malins.

Les hélicoptères étaient restés derrière lui.

Comme les chiens qui rabattent un mouton.

Jusque dans l'enclos.

Ils l'attendaient. Quelque part en aval, ils l'attendaient.

Allison Healy parcourut les pages de l'annuaire, atteignit les « Nzululwazi », trouva « M. Nzululwazi, 21, Govan Mbeki Avenue », nota le numéro dans son agenda, rapprocha le combiné et composa le numéro.

Ça sonnait.

Un ancien combattant. Un père de famille. Un homme bon.

Ça sonnait toujours.

Que se passait-il ? Pourquoi le pourchassaient-ils ?

Dring, dring, dring. Personne à la maison.

Il était temps de rappeler Laingsburg. Peut-être y aurait-il du nouveau.

XVII

Dix-sept kilomètres au sud du barrage routier de Three Sisters, la piste gravillonnée quitte la N1 en direction de l'ouest, embranchement sans importance qui se termine en cul-de-sac, simple raccourci qui retombe sur la route principale poussiéreuse reliant les villages oubliés de Sneeukraal et de Wagenaarskraal.

Deux soldats étaient postés à environ trois cents mètres de la route goudronnée où les avait déposés le fourgon de police, dans le virage après le premier embranchement. Little Joe Moroka et Koos Weyers étaient au sec sous leur imperméable plastifié, mais le froid avait transpercé leur tenue de camouflage. Ils avaient le visage trempé, la pluie dégoulinait le long du canon de leur R6 d'assaut et ruisselait jusqu'au sol.

Une heure avant l'aube, ils avaient discuté du lever du soleil et du soulagement qu'apporterait le jour, mais l'averse continuait à tomber dru. Seule la visibilité s'était améliorée sur quarante ou cinquante mètres, dévoilant les acacias rabougris et le veld, les crêtes rocheuses et les flaques de boue.

Ils n'avaient pas dormi depuis vingt-quatre heures, en comptant le somme agité dans l'Oryx. L'épuisement se faisait sentir : jambes molles, yeux rouges et piquants, élancements sourds dans les tempes. Ils avaient faim et fantasmaient sur un café chaud et sucré, accompagné de saucisses, d'œufs au bacon et de toasts dégoulinant de beurre fondu. Impossible de tomber d'accord sur les champignons frits. Moroka affirma que les champignons, c'était bon pour les escargots ; Weyers lui rétorqua qu'en matière de goût on pouvait faire confiance à soixante millions de Français.

Ils n'entendirent pas arriver la moto.

La pluie étouffait les sons. Le pot d'échappement de la GS palpitait doucement, moteur au ralenti à cause de la chaussée boueuse. La fatigue et l'ennui avaient émoussé les sens des soldats et leur dernière chance d'entendre quelque chose fut noyée par la conversation.

Plus tard, en faisant son rapport détaillé devant un Tiger Mazibuko écumant de rage, Little Joe Moroka tenta de décortiquer et de reconstituer ce qui s'était passé étape par étape : ils n'auraient pas dû se trouver si près l'un de l'autre. Ils n'auraient pas dû parler, ils auraient dû être plus attentifs.

Mais il est des choses qu'on ne peut prévoir, le fait que le fugitif avait perdu le contrôle de sa machine, par exemple. La ligne droite juste avant le coude ayant une bonne adhérence, il avait dû accélérer et le brusque virage l'avait surpris. Et juste devant eux, le sol était boueux, une épaisse gadoue dans laquelle on s'enfonçait de vingt centimètres. Le motard avait suivi les traces laissées par les autres véhicules, mais la roue avant avait dérapé au moment critique.

Ils l'avaient vu – ils avaient vu le phare sur la gueule prédatrice de la monstrueuse machine, ils avaient entendu le moteur alors qu'il était déjà sur eux, telle une apparition. Moments infimes, fractions de secondes durant lesquelles les sens enregistrent ce qui se passe, envoient des signaux que le cerveau décode, essayant de produire la bonne réaction en puisant dans le stock illimité d'exercices emmagasinés dans la mémoire à l'aide d'un réseau de synapses fatiguées.

À la réflexion, Little Joe Moroka aurait voulu réagir plus vite, mais, sur le coup, il n'avait perçu que le claquement sec des crans de sûreté que Weyers et lui avaient retiré à l'unisson, conditionnés par l'entraînement, puis la moto qui dérape, fer et acier qui foncent sur Weyers. Le motocycliste éjecté de la machine, Moroka qui chancèle, glisse, tombe sur le dos, le doigt sur le pontet presse la détente par réflexe, coups de feu en l'air, il roule sur lui-même, saute sur ses pieds. L'épaule du fugitif dans son estomac, il tombe à nouveau, souffle coupé.

— Capitaine, cet homme, je ne sais pas comment il a fait son coup, je l'ai vu tomber, je l'ai vu passer par-dessus la moto à droite de Weyers, mais quand je me suis relevé, il m'a frappé, il était si rapide... »

— Il a quarante ans, bordel de merde ! avait hurlé Mazibuko à quelques centimètres de son visage.

La pluie dans les yeux, haletant, les brodequins qui essayent de trouver une prise, le motard sur son ventre qui lui cogne le visage avec le casque, la douleur qui irradie. L'homme agrippe son arme, tire, secoue, la lui arrache des mains. Du sang, son sang sur le casque et le canon du R6 en plein dans l'œil, il reste étendu dans la boue, impuissant, jusqu'à ce que l'homme relève la visière du casque et lui dise :

— Regardez ce que vous me faites faire.

Il entend Weyers gémir.

— Joe !

Weyers qui l'appelle, mais il ne peut pas tourner la tête vers son ami.

— Joe ?

L'homme au-dessus de lui a une drôle d'expression sur le visage, pas de colère, non — de regret, presque.

— Joe, je crois que j'ai la jambe cassée.

— Regardez ce que vous m'avez fait faire.

La radio numérique crachotant sur sa hanche, Tiger Mazibuko entendit un mot inattendu : « Salut. » Sa rage, attisée par la frustration, le malaise et l'épuisement, explosa aussitôt.

— Alpha Un, je vous reçois. Et pourquoi vous ne respectez pas le protocole radio, nom de Dieu ? À vous.

— Quel est votre nom, Alpha Un ?

Il ne connaissait pas cette voix. Elle était étrange et grave.

— Vous êtes sur une fréquence militaire. S'il vous plaît, veuillez la quitter immédiatement. À vous.

— Mon nom est Thobela Mpayipheli. Je suis l'homme que vous recherchez. Qui êtes-vous ?

Ce fut un moment bizarre, presque joyeux, avant qu'une appréhension profonde ne submerge tout à coup le capitaine. Quelque chose était arrivé à une de ses équipes, il le sentait, mais pour ça, il fallait être bon. Un adversaire de valeur.

— Je suis le capitaine Tiger Mazibuko, dit-il. Et je parle à un homme mort. À vous.

— Personne n'a besoin de mourir, capitaine Tiger Mazibuko. Dites à vos maîtres que je ferai ce que j'ai à faire et que, s'ils me laissent tranquille, il n'y aura pas d'effusion de sang. Je le promets.

— À qui as-tu piqué cette radio, espèce de fumier ?

— Ils ont besoin de soins ici, à l'ouest de la N1, embranchement de Sneeukraal. Vos hommes vous diront que la blessure la plus grave est un accident. J'en suis désolé. La seule façon d'empêcher ça, c'est d'éviter la confrontation. Je vous le demande gentiment. Je ne veux pas d'ennuis.

Quelque chose d'incroyable se produisit chez Tiger Mazibuko au fur et à mesure que les paroles de l'homme faisaient leur chemin dans son esprit, comme des gobelets qui s'empilent les uns dans les autres, pour aboutir à l'équivalent synaptique d'une explosion de colère blanche.

— Tu es un homme mort. Tu m'entends ? Tu es mort.

Il courut jusqu'au véhicule le plus proche.

— Tu m'entends, connard, espèce de chien !

Non, l'hélicoptère, il pivota sur lui-même.

— Même si c'est la dernière chose que je dois faire, tu es mort, connard, espèce de chien !

La distance qui les séparait, et son impuissance à agir, le rendait dingue.

— Démarrez-moi ce truc immédiatement ! lança-t-il au pilote. Da Costa, Zongu, rappelez tout le monde ! hurla-t-il. Et que ça saute. (De nouveau au pilote :) Faites-moi décoller ce putain d'hélico !

Il palpa le Z88 qu'il portait à la ceinture, sauta une fois encore à bas de l'hélicoptère, se précipita jusqu'à la tente, ouvrit un coffre, s'empara du R6 et de deux chargeurs pleins, revint à l'hélico à toute allure. Les moteurs de l'Oryx tournaient, l'équipe Alpha arriva en courant, il porta la radio à ses lèvres.

— Je vais te tuer, je le jure devant Dieu, je vais te tuer, espèce de tas de merde !

Tel un condamné, Rahjev Rajkumar lut à voix haute les informations qui se trouvaient sur le site www.bmwmotorrad.co.za, sachant comment les nouvelles qu'il apportait allaient être reçues. « Le monde dans un fauteuil. D'inépuisables aventures s'offrent à vous grâce à la BMW R 1150 GS, sur tarmac, pistes ou gravier. Par monts et par vaux, à travers plaines et plateaux, forêts et déserts – la R 1150 GS est la moto parfaite pour tout type d'aventures. »

— Il peut prendre les chemins de terre, dit Janina.

Les membres du centre opérationnel gardant le silence, on entendit soudain le murmure des voix sur les écrans de télévision muraux.

— C'est ma faute, ajouta-t-elle. J'en prends la responsabilité.

Elle aurait dû vérifier. Se renseigner. Ne pas s'en tenir aux idées toutes faites.

Elle s'approcha de la grande carte murale et vérifia la distance entre l'embranchement et le barrage. C'était trop proche. Elle avait eu raison. Sur toute la ligne. Il avait bien pris la N1. Il était arrivé une heure plus tard que prévu, mais il était là. Sans la pluie…

Elle regarda l'immense province du nord-ouest.

Que faire à présent ? Les chances de Mpayipheli augmentaient au moindre tracé rouge symbolisant une route. Quel qu'en soit le revêtement. Même en ayant recours à l'équipe Bravo, il y avait tout simplement trop de brèches, de carrefours et de bifurcations, trop d'embranchements à surveiller, trop d'options.

Que faire à présent ?

Elle avait envie d'un bain chaud, elle voulait se vider la tête, effacer cette nuit avec un bon shampoing et un décrassage en règle. Elle avait besoin de se remaquiller et de changer de vêtements. Et d'un bon petit déjeuner.

Son regard erra jusqu'à la destination finale. Lusaka.

Elle était sûre d'une chose. Il avait pris à l'ouest. Il avait fait une croix sur la route la plus directe, par Bloemfontein. Elle traça un nouvel itinéraire. Par Gaborone, Mmabatho, Vryburg et Kimberley.

C'était le plus logique.

L'orage l'avait sauvé, mais maintenant il se retournait contre lui. Ils savaient que la perturbation s'étirait sur deux cents kilomètres, mais lui ne pouvait que le supposer. Il avait dérapé sur le gravier, il maîtrisait mal la moto. Il lui faudrait rouler lentement à cause de la boue, prudemment. Il allait devoir reconsidérer ses choix. Se demander où ils se trouvaient. Surveiller les hélicoptères dans son dos et anticiper les soldats devant lui. Il était fatigué, transi et trempé. Il souffrait depuis sa chute.

Cinq, six cents kilomètres jusqu'à Kimberley. À combien pouvait-il rouler ?

Elle jeta un coup d'œil à sa montre. Déjà douze heures de passées. Il ne lui en restait plus que soixante. Mettons six, sept, huit heures même, pour atteindre Kimberley. Beaucoup de choses pouvaient arriver pendant ce temps-là.

Elle survola les visages qui attendaient. Anxieux. Fatigués. Déçus. Tous avaient besoin de se reposer, de reprendre des forces. Une douche brûlante et un petit déjeuner bien chaud.

Aller de l'avant.

Elle leur sourit.

— Nous savons où il se trouve. Et nous savons où il va. Nous allons le coincer.

Au carrefour, il faillit tomber à nouveau. Il freina brusquement, la moto dérapa et il dut faire une violente torsion sur lui-même pour rester en selle. La douleur irradia dans son épaule. Le panneau en face de lui indiquait Loxton à gauche et Victoria West à droite. Il hésita de longues secondes, indécis. L'instinct lui fit prendre à gauche : c'était le seul choix qui risquait de les surprendre. Il continua de rouler, miné par ce qui venait d'arriver. Il allait devoir encore une fois vérifier sur la carte.

Il avait besoin de dormir.

Mais il pleuvait, il ne pouvait pas s'arrêter en plein veld et s'allonger, il lui fallait une tente.

La piste était mauvaise, le terrain imprévisible. Il restait au milieu pour éviter de s'enfoncer dans la boue molle. Il avait les mains gelées et la tête lourde maintenant que l'adrénaline était retombée. Il évitait de penser aux deux soldats et à sa profonde désillusion lorsqu'il avait ramassé la moto et qu'il était remonté dessus. Un court instant, il avait été surpris du peu de dégâts, du moteur qui avait démarré du premier coup, puis il était reparti en faisant patiner la roue arrière sur le sol détrempé. Il s'en voulait, il était accablé par la haine incroyable déversée à la radio, mais il se refusait à y penser pour le moment.

Il fit le tour de ses problèmes. Ils l'avaient localisé. Ils allaient recenser ses options sur une carte. Ils avaient l'armée, des effectifs illimités, des hélicoptères. Des véhicules terrestres ? Il était fatigué, épuisé, son épaule devait être froissée ou salement contusionnée, son genou un peu moins abîmé. On l'avait chassé de la grande route, plus question d'emprunter l'itinéraire rapide. Et il pleuvait.

Mon Dieu, Johnny Kleintjes, dans quoi m'as-tu entraîné ? Je veux rentrer chez moi. Il n'avait aucune envie d'être là ; il voulait rentrer à la maison et retrouver Miriam et Pakamile.

Il aperçut la ferme du coin de l'œil. Une ruine entre arêtes rocheuses et acacias à gauche de la route qui lui apparut soudain comme une alternative imprévue, lui offrant à la fois une solution et la possibilité de se reposer. Il freina avec précaution, fit lentement demi-tour et revint jusqu'au chemin de terre. La barrière branlante était ouverte. Il s'engagea doucement sur le chemin rocailleux. Le guidon tressautait sous ses mains. Il vit la citerne de ciment et l'éolienne, l'ancienne habitation aux fenêtres condamnées par des cartons, aux murs délavés par le soleil du Karoo, le toit dépourvu de gouttières, l'eau qui giclait sur le sol à gros bouillons. Il fit le tour de la maison et s'arrêta.

Était-elle habitée ? Aucun signe de vie. Il demeura néanmoins sur la moto, la main sur la poignée des gaz. Pas de linge sur le fil, pas de traces de pneus, pas de véhicule.

Il tourna la clé, coupa le moteur et détacha son casque.

– Hé ho !...

Comme seule réponse, la pluie sur le toit.

Il descendit de la moto avec raideur, la mit sur béquille en faisant attention à ne pas la laisser basculer sur le sol spongieux. Il retira ses gants détrempés et son casque.

À l'arrière, il découvrit une porte à la peinture depuis longtemps écaillée. Il frappa, le bruit se répercutant dans le vide, « hé ho ! », une poignée de porte sans âge, il la tourna, était-ce verrouillé, il poussa de sa bonne épaule, pas de chance.

Il fit le tour de la maison en surveillant la route, ni bruit ni circulation.

Pas d'entrée de ce côté-ci, il revint sur ses pas, tenta d'apercevoir l'intérieur par une fissure entre le carton et le montant d'une fenêtre, mais il y faisait trop sombre. Il regagna l'arrière, tourna la poignée, donna un violent coup d'épaule. Dans un fracas, la porte s'ouvrit à la volée. Un mulot trottina précipitamment à travers la pièce et disparut dans un coin. L'endroit sentait le renfermé et le moisi.

Le petit poêle à charbon contre le mur avait dû être noir. Il était maintenant d'un gris terne, et la poignée du seau cassée. Un placard délabré, un châlit métallique recouvert d'un matelas en fibres de coco. Une table en bois ancienne, deux caisses à lait en plastique, une cuvette en émail, de la poussière et des toiles d'araignées.

Il resta immobile un moment et réfléchit. On ne pouvait pas voir la moto de la route. Personne n'était entré dans cette maison depuis des semaines.

Sa décision était prise. Il alla chercher son sac dans la sacoche, referma soigneusement derrière lui et s'assit sur le matelas.

Juste une heure ou deux. Juste pour éliminer le surplus de fatigue.

Il retira sa combinaison et ses bottes, trouva des habits chauds dans son sac, épousseta le matelas du mieux qu'il put et s'allongea avec le sac en guise d'oreiller.

Juste une heure ou deux.

Après, il étudierait la carte et déciderait de la marche à suivre.

L'histoire du fugitif qui avait réussi à échapper aux Oryx et au barrage, doublée de celle de l'agent des forces spéciales rapatrié à Bloemfontein par hélicoptère, se répandit comme une traînée de poudre parmi les forces de l'ordre. Lorsque Allison Healy contacta sa source à Laingsburg, l'aventure s'était déjà étoffée d'embellissements baroques dignes d'une future légende.

— Et c'est un ex-MK, lui annonça Erasmus avec délectation. Un mec de quarante ans qui a fait son temps et qui flinguait les espions de tous bords.

Cela afin qu'elle comprenne bien que la police savourait chaque minute du drame.

— Je sais que c'est un vétéran, répondit-elle, mais qu'est-ce qu'ils ont après lui ?

— Comment tu sais ça ?

Rassie brûlait d'entendre d'autres potins.

— J'ai reçu une visite. Un vieil ami. Pourquoi sont-ils après lui ?

— Pas moyen de savoir. C'est le truc que ces connards ne diront jamais.

— Merci, Rassie, je dois y aller.

— Je t'appelle si j'ai du nouveau.

Elle rangea son téléphone dans son sac et entra au siège d'Absa à Heerengracht. Elle dut faire la queue à l'accueil. Les dernières informations lui tournaient dans la tête. Le téléphone sonna à nouveau.

— Allison.

— Salut, Allison, mon nom est John Modise. J'anime un talk-show pour SAFM.

— Bonjour, John.

— C'est vous qui avez mis le doigt sur l'histoire du Noir à moto ?

— Oui.

— Ça vous dirait de participer à mon émission ce matin ? Une interview par téléphone.

Elle hésita.

— Je ne peux pas.

— Pourquoi ?

— Je me compromettrais. Vous êtes nos concurrents directs.

— Je comprends, mais votre prochaine édition ne sort que demain matin et il peut se passer des tas de choses d'ici là...

— Je ne peux pas.

— Vous saviez que ce type avait fait partie de l'Umkhonto we Sizwe ?

— Je le savais, répondit-elle le cœur serré. (Elle avait perdu l'avantage.) Comment l'avez-vous découvert ?

— C'est mon producteur qui l'a appris par la police de Beaufort West. Il leur a filé entre les doigts il y a une heure.

Maintenant, ils vendaient tous la mèche.

— Je sais.

— Vous voyez, tout le monde est au courant. Alors, il n'y a pas de mal à participer à l'émission.

— Merci, mais non, vraiment.

— OK, mais si vous changez d'avis avant onze heures, vous me passez un coup de fil ?

— Promis.

C'était son tour au guichet.

— Bonjour, dit-elle. Je cherche une certaine Miriam Nzululwazi. Elle travaille ici.

XVIII

– C'est fini, tout ça. Finis, les combats, la violence, les coups de feu, les bagarres et la haine. La haine surtout. Terminé, avait-il dit.

La scène se passait à l'hôpital de Milnerton, au chevet de son ami blanc Zatopek Van Heerden. Ils étaient bourrés de médicaments, couverts de bandages et souffraient physiquement mais aussi moralement, traumatisés par l'aventure étrange et violente à laquelle l'ex-policier et lui s'étaient trouvés mêlés par hasard. Il travaillait encore pour Orlando Arendse à l'époque. Il avait ressenti comme une illumination, la révélation de Damas[1] d'une nouvelle vie, enthousiasmé par ce *lucidum intervallum*. Van Heerden l'avait dévisagé d'un air inexpressif, seuls ses yeux trahissaient une certaine empathie.

– Tu me crois incapable de changer ?

– P'tit, c'est difficile.

P'tit. C'était son surnom. Il l'avait rejeté durant sa métamorphose, cela faisait partie du processus d'élimination du passé, tel le serpent qui se dépouille de sa mue et l'abandonne derrière lui comme un souvenir fantomatique. Il était redevenu Thobela. Son nom de baptême.

– Si tu y crois, tu peux y arriver.

– D'où sors-tu cette philosophie de bazar ?

1. Référence à saint Paul, qui eut la révélation du Christ sur le chemin de Damas. *(NdT.)*

– Je l'ai lu quelque part. C'est vrai.

– C'est de Norman Vincent Peale ou Steven Covey[1], un de ces faux prophètes. Les grands sorciers blancs.

– Connais pas.

– On est programmés, P'tit. On est faits comme ça. On est ce qu'on est, jusqu'au fond des tripes.

– Mais on vieillit et on s'assagit. Le monde change.

Van Heerden était toujours d'une honnêteté insupportable.

– Je ne crois pas qu'un homme puisse changer fondamentalement. Le mieux qu'on puisse faire, c'est de reconnaître la part de bien et de mal qui est en nous. Et de l'accepter. Parce qu'elle existe. Au moins en puissance. On vit dans un monde où le bien est glorifié et le mal méconnu. On peut changer de point de vue. Pas de nature.

– Non, avait-il répondu.

Ils en étaient restés là, sans tomber d'accord.

Lorsqu'il avait quitté l'hôpital en laissant l'homme blanc derrière lui, il lui avait fait ses adieux avec une telle ardeur à l'idée de se reconstruire, un tel enthousiasme pour le nouveau Thobela Mpayipheli, que Zatopek lui avait pris la main en disant :

– Si quelqu'un peut y arriver, c'est bien toi.

Sa voix était pressante, comme s'il s'était agi d'un enjeu personnel.

Et maintenant, il était allongé sur un matelas de coco poussiéreux et moisi au fin fond du Karoo et n'arrivait pas à dormir à cause de la scène avec les deux soldats qui ne cessait de le hanter. Il essayait de déterminer le moment singulier où il avait régressé, où ce qu'il voulait devenir lui avait échappé. L'excitation guerrière qui l'avait si vite envahi, ses mains si affreusement prêtes à tuer, son cerveau qui égrainait bruyamment les points vitaux du corps de son adversaire comme un feu roulant, le désespoir, ne frappe pas, ne frappe pas, ne frappe pas, la lutte contre soi-même, la cruelle désillusion. Si Pakamile l'avait vu ! Et Miriam ! Comme elle aurait été choquée !

1. Auteurs de nombreux ouvrages sur le pouvoir de la pensée positive. *(NdT.)*

« Regardez ce que vous m'avez fait faire. » Les mots étaient sortis avant même qu'il en ait conscience. Maintenant il comprenait qu'il avait voulu en rejeter la responsabilité sur quelqu'un d'autre, qu'il lui fallait un pécheur, mais le pécheur était en lui. Il était ainsi fait.

Qu'y pouvait-on ?

Si Van Heerden avait raison, qu'y pouvait-on ?

Ils lui avaient rendu visite une fois, Miriam, Pakamile et lui, dans une petite ferme au-delà de Table View. Il habitait une minuscule maison blanche – sa mère vivait dans la demeure principale, blanche elle aussi. Un samedi après-midi, il était passé les prendre à la station de taxis de Killarney, eux, la famille du *township*. Van Heerden et Thobela s'étaient mis à discuter tout de suite. Ils étaient liés de la manière indéfectible propre à ceux qui ont affronté la mort ensemble. Miriam était réservée, mal à l'aise, Pakamile ouvrait de grands yeux curieux. Lorsqu'ils étaient arrivés, la mère de Van Heerden attendait le garçon pour l'emmener avec elle.

– J'ai un poney rien que pour toi.

Lorsqu'il était revenu, des heures plus tard, l'enfant avait les yeux brillants d'excitation :

– Nous aussi on aura des chevaux à la ferme, Thobela, s'il te plaît, Thobela ?

L'avocate, Beneke, était là elle aussi, elle avait discuté avec Miriam en anglais, mais le courant ne passait pas, avocate et serveuse, leur couleur, leur culture, et trois cents ans d'histoire africaine avaient creusé un gouffre béant que leurs silences gênés ne parvenaient pas à combler.

Il avait aidé Van Heerden à allumer le barbecue. Debout à côté du feu, il leur avait parlé de son nouveau travail, des clients, des hommes d'un certain âge qui cherchaient un remède à la « ménopause » masculine en achetant une moto et ils avaient ri autour des bûches de *rooikrans*[1] qui se consumaient, car Thobela était doué pour l'imitation. Plus tard, pendant que Van Heerden

---

1. Acacia cyclope, bois de chauffage très courant en Afrique du Sud. *(NdT.)*

retournait les saucisses et les côtelettes d'une main experte sur les braises rougeoyantes, il avait dit à son ami :

– Je suis un homme nouveau, Van Heerden.

– J'en suis heureux.

Il s'était moqué de lui.

– Tu ne me crois pas.

– Ce n'est pas à moi d'y croire, c'est à toi.

Ils n'avaient pas réitéré la visite. Van Heerden et lui préféraient aller manger quelque part une fois par mois pour discuter. De la vie. Des gens. De race et de couleur, de politique et de projets, de psychologie, que Van Heerden s'était mis à étudier assidûment pour essayer de dompter ses démons.

Il soupira, se retourna sur le dos, son épaule était plus douloureuse à présent. Il fallait qu'il dorme, qu'il mette de l'ordre dans ses pensées.

Qu'y pouvait-on ?

On pouvait se tenir à l'écart des situations qui font ressortir le pire en soi. On pouvait s'en éloigner.

La haine dans la voix du capitaine Tiger Mazibuko. Pure, limpide, la haine à l'état brut. Il l'avait reconnue. Pendant près de quarante ans, elle avait été sa plus proche compagne.

Ce n'est pas à moi d'y croire, c'est à toi.

Il fallut près d'un quart d'heure à Allison Healy pour convaincre la femme xhosa qu'elle était du côté de Thobela. La bouche sévère, les mots rares, elle évacuait les questions d'un geste de la tête, mais finit par céder :

– Il aide un ami, voilà. Et maintenant, regardez ce qu'ils font.

– Un ami ?

– Johnny Kleintjes.

– C'est le nom de son ami ?

Allison ne prenait aucune note de peur d'effrayer la femme devant elle. Elle se contenta de mémoriser fiévreusement le nom, en le répétant dans sa tête. Miriam acquiesça.

– Ils étaient ensemble dans la Lutte.

– Comment l'aide-t-il ?

– La fille de Kleintjes est venue ici hier soir et lui a demandé d'apporter quelque chose à son père. À Lusaka.

– Quoi ?

– Je ne sais pas.

– Un document ?

– Non.

– Ça ressemblait à quoi ?

– Je ne l'ai pas vu.

– Pourquoi ne le lui a-t-elle pas apporté elle-même ?

– Kleintjes a des ennuis.

– Quel genre d'ennuis ?

– Je ne sais pas.

Allison poussa un profond soupir.

– Madame Nzululwazi, je veux être certaine d'avoir bien compris ce qui se passe, parce que si je commets une erreur et que j'écris quelque chose de faux, j'aurai des problèmes et mon journal aussi et ce n'est pas ça qui va aider Thobela. La fille de Kleintjes est venue chez vous hier soir, dites-vous, et lui a demandé d'apporter quelque chose à son père à Lusaka ?

– Oui.

– Parce que son père a des ennuis ?

– Oui.

– Et Thobela a accepté parce que ce sont d'anciens camarades ?

– Oui.

– Et donc, il a pris la moto…

La tension et la confusion étaient trop fortes pour Miriam. Sa voix se brisa :

– Non, il devait prendre l'avion, mais ils l'ont intercepté.

Pour la première fois, la journaliste comprit que son entêtement n'était rien de plus qu'un immense désarroi et posa sa main sur l'épaule menue. Miriam commença par se raidir, humiliée, avant de se laisser aller dans les bras d'Allison et de donner libre cours à son chagrin.

Janina dormit deux heures sur le canapé de son bureau jusqu'à ce que l'alarme de son téléphone portable la réveille. Un sommeil de plomb et sans rêves. Elle mit immédiatement le pied à terre et se leva résolument. Le somme ne compenserait que modérément la fatigue et la tension nerveuse, mais il faudrait que ça fasse l'affaire. Elle prit une douche dans la grande salle de bains du dixième étage, savoura la morsure de l'eau, le parfum du shampoing et du savon, tandis que son esprit allait de l'avant et déroulait la journée à venir devant ses yeux comme une carte routière.

Elle passa un pantalon noir et un chemisier blanc, enfila des chaussures noires, essuya la buée sur le miroir, se brossa les cheveux et se maquilla avec des gestes habiles, puis elle prit les dossiers dans son bureau et se dirigea vers celui du directeur.

Elle frappa.

— Entrez, Janina.

Comme s'il l'attendait.

Elle ouvrit la porte et entra. Il se trouvait près de la fenêtre qui dominait Wale Street et les bâtiments du gouvernement de la province, avec Table Mountain en arrière-plan. Matin clair et ensoleillé, les drapeaux de l'autre côté de la rue flottaient mollement dans la brise.

— J'ai un aveu à vous faire, monsieur.

Il ne bougea pas.

— C'est inutile, Janina. C'était la pluie.

— Non, monsieur, pas à ce sujet.

Lorsqu'il se tenait ainsi à contre-jour, sa bosse sautait aux yeux. C'était son fardeau. Il demeurait parfaitement immobile, comme trop fatigué pour pouvoir bouger.

— La ministre a déjà téléphoné deux fois. Elle veut savoir si cette affaire risque de devenir embarrassante.

— Je suis désolée, monsieur.

— Ne le soyez pas, Janina. Je ne le suis pas. Nous faisons notre travail. La ministre doit faire le sien. Elle est payée pour limiter les dégâts.

Elle posa les dossiers sur le bureau.

— Monsieur, c'est moi qui ai entraîné Johnny Kleintjes dans cette histoire.

Il ne fit pas un geste. Le silence s'éternisait.

— Le 17 mars de cette année, un extrémiste musulman a été arrêté par la police pour détention illégale d'armes à feu. Un certain Ismail Mohammed, un personnage important, probablement membre de Pagad, de Qibla, ou de Mail. Il n'a cessé de réclamer une entrevue avec un représentant des services secrets. Heureusement, la police s'est adressée à nous en premier. J'ai envoyé Williams.

Le directeur se retourna lentement. Elle se demanda s'il avait dormi la nuit précédente. Et s'il avait changé de chemise. Son visage ne trahissait aucune fatigue.

Il se dirigea vers le fauteuil de son bureau, sans croiser son regard.

— Voici la transcription complète de l'entretien. Seuls Williams, la dactylo et moi sommes au courant.

— Je suis certain que vous aviez une bonne raison de me dissimuler tout cela, Janina.

Elle se rendit alors compte pour la première fois qu'il était fatigué, au ton de sa voix, à la lassitude de son regard, à la façon dont il se tenait.

— Monsieur, j'ai fait un choix. Vous devriez reconnaître qu'il était raisonnable.

— Dites-moi.

— Mohammed possédait des informations sur Inkululeko.

Elle attendait ce moment depuis longtemps. Il ne réagit pas et garda le silence.

— Vous n'ignorez pas les conjectures et les soupçons qui existent depuis des années.

Le directeur soupira, comme s'il évacuait une tension interne. Il se rencogna dans son fauteuil.

— Asseyez-vous, Janina.

— Merci, monsieur.

Elle rapprocha la chaise en reprenant son souffle, mais il leva une main fine, à la paume rosée, aux ongles parfaitement manucurés.

— Vous m'avez caché cette affaire parce qu'on me soupçonne.

Ce n'était pas une question, plutôt une légère mise au point.

— Oui, monsieur.

– Était-ce le bon choix, Janina ?

– Oui, monsieur.

– Je le pense aussi.

– Merci, monsieur.

– Pas besoin de me remercier, Janina. C'est ce que j'attends de vous. Ce que je vous ai appris. Ne se fier à personne.

Elle sourit. C'était vrai.

– Croyez-vous qu'il faille me mettre au courant maintenant ?

– Je pense que vous devriez savoir ce qui concerne Johnny Kleintjes.

– Alors, racontez-moi

Elle réfléchit un instant, remit ses idées en forme. Le directeur devait connaître l'histoire d'Inkululeko depuis les années quatre-vingt, lorsque les rumeurs qui circulaient parmi les dirigeants de l'ANC, attribuées au contre-espionnage, avaient été considérées comme de fausses informations répandues par le régime précédent pour mettre en péril l'unité entre Xhosas et Zoulous au sein de l'organisation. Mais, même après 1992, les rumeurs avaient persisté, la violence dans le KwaZulu, la troisième force. Et depuis les élections de 94, le sentiment que la CIA était trop bien renseignée.

Elle tapota le dossier devant elle.

– Dans cet entretien, Ismail Mohammed affirme qu'Inkululeko fait partie des services de renseignements et qu'il est haut placé. Il dit avoir des preuves. Il dit aussi qu'Inkululeko travaille pour la CIA. Depuis des années.

– Quelles preuves ?

– Rien d'important. Juste des bricoles. Vous savez que les extrémistes musulmans du Cap ont des liens avec Kadhafi, Arafat et Ben Laden. Il raconte qu'ils ont délibérément fait circuler de fausses informations dans nos services et qu'ils observent comment évoluent les choses au Moyen-Orient. Il semble sûr de son fait.

– Et j'imagine qu'ils ont décidé d'évincer Inkululeko en nous donnant les renseignements.

– Nous devons au moins envisager cette possibilité, monsieur.

Il lissa lentement sa cravate comme s'il voulait en supprimer les plis imaginaires.

— Je crois comprendre, Janina. Vous avez demandé à Johnny Kleintjes de reprendre du service.

— Oui, monsieur. J'avais besoin de quelqu'un de crédible. Quelqu'un qui aurait eu accès aux informations.

— Et vous l'avez envoyé au consulat américain.

— Oui, monsieur.

— Il devait leur faire croire qu'il avait des informations à vendre. Et si c'était moi, je lui aurais suggéré d'utiliser les attentats du 11 septembre comme motivation. Quelque chose du style : « Je ne supporte plus de me croiser les bras en voyant de telles choses se produire alors que je possède des renseignements qui pourraient vous aider. »

— Quelque chose comme ça.

— Et on lâche le nom d'Inkululeko en passant, comme par accident ?

Elle se contenta d'acquiescer.

— De façon à ce qu'ils sachent que nous sommes au courant. Bien vu, Janina.

— Apparemment pas assez, monsieur. Il se pourrait bien que ça nous revienne dans la figure.

— J'imagine que vous aviez quelques noms à vous mettre sous la dent, quelques Inkululeko potentiels ? Pour tester leur réaction ?

— Trois noms. Et de nombreuses informations sans le moindre intérêt. Si les Américains avaient répondu que ça n'avait ni queue ni tête, nous aurions su qu'il ne s'agissait d'aucun des trois. S'ils avaient accepté de payer, nous savions que nous étions dans la bonne direction.

— Et mon nom figurait parmi les trois ?

— Oui, monsieur. Après la visite de Johnny au consulat, la CIA a réagi comme nous l'espérions. Ils lui ont dit de ne plus chercher à entrer en contact directement, que le bâtiment était sous surveillance. *N'appelez pas, c'est nous qui vous appellerons.* Je me suis débrouillée pour le faire mettre sur écoute. Ils ont téléphoné il y a une semaine, une couverture pour un rendez-vous dans les jardins du musée. Là, ils ont demandé à Johnny d'apporter les informations à Lusaka.

– Qu'est-ce qui a mal tourné, Janina ?

– Nous pensons que Johnny a agi de son propre chef, monsieur. Nous pensons que le disque qu'il a emporté ne contenait rien. Ou des informations sans valeur.

– Johnny Kleintjes, répéta le directeur avec nostalgie. À mon avis, il ne vous faisait pas entièrement confiance, Janina.

– C'est possible. On a eu du mal à le persuader de marcher avec nous. Les trois noms...

– Il les connaît tous les trois.

– Oui, monsieur.

– Et il est persuadé qu'aucun d'entre eux ne peut être Inkululeko.

– C'est exact.

– Typique de Johnny. Il a d'abord voulu vérifier par lui-même. Mais en se gardant une porte de sortie au cas où les choses tourneraient mal avec les Yankees.

– Je soupçonne Thobela Mpayipheli d'être en possession du véritable disque.

– Celui que vous aviez préparé.

– Oui, monsieur.

– Et vous ne voulez pas que ces informations atteignent Lusaka.

– J'ai cru qu'on arrêterait Mpayipheli à l'aéroport. Je voulais faire passer le disque par un de mes hommes. C'est encore ce que j'ai en tête.

– Une précaution supplémentaire.

Elle hocha la tête.

– Exactement.

Le directeur ouvrit un des tiroirs de son immense bureau.

– Moi aussi, j'ai une confession à vous faire Janina, dit-il en sortant un instantané écorné.

Il le lui tendit. Elle prit délicatement du bout des doigts le cliché aux couleurs fanées et l'approcha de ses yeux. On y voyait le directeur, jeune – facilement vingt ans de moins. Il tenait par l'épaule un grand Noir baraqué, un jeune homme musclé et félin aux traits réguliers, au visage carré, l'air déterminé. À l'arrière-plan se trouvait un véhicule militaire.

— Dar es Salaam, dit le directeur. 1984.

— Je ne comprends pas, monsieur.

— L'autre homme sur la photo est Thobela Mpayipheli. Nous étions amis.

Un léger sourire flottait sur les lèvres minces du Zoulou. Janina fut parcourue d'un frisson.

— C'est pour ça que vous avez laissé l'Unité de réaction intervenir ?

Il fixait le plafond, perdu dans ses souvenirs. Elle attendit patiemment.

— C'est un homme sans pitié, Janina. Un monstre de la nature. Il n'a... il n'avait que dix-sept ans quand il s'est engagé. Mais il a tout de suite été repéré. Pendant que les autres suivaient un entraînement d'infanterie classique en Tanzanie et en Angola, on l'a envoyé rejoindre l'élite en Union soviétique. Et en Allemagne de l'Est. Le KGB est tombé sous le charme en premier et nous tenait au courant de ce qu'il faisait. Les Allemands le leur ont piqué. Ils savaient...

— C'est pour ça qu'il n'y a aucun dossier.

Le directeur était toujours dans le passé.

— Il était tout ce dont ils avaient besoin. Consciencieux, intelligent, fort, mentalement aussi. Rapide... Il savait tirer, ah, P'tit savait tirer...

— P'tit ?

Il balaya la question d'un geste.

— C'est une histoire en elle-même. Mais par-dessus tout, personne ne le connaissait dans ce milieu ; c'était un joker dont les Américains, les Anglais et même le Mossad ignoraient tout. Un Noir inconnu, un nouveau pion tout neuf, un tueur à gages sans le moindre dossier, avec une faim de...

Le directeur s'arracha à ses pensées, ses yeux se posant lentement sur elle.

— Ils nous l'ont acheté, Janina. Avec les armes, les explosifs et l'entraînement. Mais il y avait un léger problème. Il n'était pas d'accord. Il voulait rentrer en Afrique du Sud pour flinguer des

Boers et foutre en l'air la SADF[1]. Sa haine avait un objectif. Ils sont restés avec lui pendant près de quinze jours, en essayant de lui expliquer qu'il y contribuerait, que la CIA et le MI5 étaient de mèche avec les Boers, que faire la guerre à ces derniers revenait à faire la guerre aux autres. Quinze jours... Jusqu'à ce qu'ils le retournent.

Elle fit glisser la photo sur le bureau et croisa le regard du directeur. Il la dévisageait, la testait, attendait.

— Il me fait penser à Mazibuko, dit-elle.

— Oui.

— Était-il celui qu'on appelait « Umzingeli » ?

— Je ne connais pas toute l'histoire, Janina.

Elle se leva.

— Je ne peux pas me permettre de le laisser atteindre Lusaka.

Le directeur acquiesça.

— Il est du genre à retrouver Johnny et les informations.

— Et ce serait ennuyeux.

— Oui, ce serait ennuyeux.

Le silence s'installa entre eux, tandis qu'ils réfléchissaient aux conséquences chacun de leur côté, puis le directeur reprit la parole :

— Je veux que vous sachiez que je rentre chez moi me reposer. Je reviendrai plus tard. Allez-vous envoyer l'équipe habituelle pour me surveiller ?

— Ce sera la même, monsieur.

Il acquiesça d'un air fatigué.

— Très bien.

---

1. South African Defense Force, Forces de défense d'Afrique du Sud. (*NdT.*).

XIX

Le rédacteur en chef du *Cape Times* observait la silhouette plantureuse d'Allison Healy en se disant une fois de plus : si seulement elle pouvait perdre dix ou quinze kilos... Elle était très sensuelle. Était-ce ses rondeurs, se demanda-t-il, ou sa personnalité ? Mais il existait une belle femme mince, enfouie quelque part.

— ... et personne n'est au courant pour ce Johnny Kleintjes, ce qui nous laisse toute latitude pour l'article de demain. J'ai son adresse et je vais interviewer sa fille. Et cet après-midi, on aura une photo de Mme Nzululwazi et du garçonnet. En exclusivité.

— Très bien, répondit le rédacteur en chef en se demandant si elle était vierge.

— Mais il y a plus, chef. J'en suis sûre. Et je veux me servir de ce talk-show pour appâter le poisson, faire du bruit.

— Tu ne vas pas lâcher le scoop, hein ?

— Non, chef, je saurai me montrer réservée mais maligne.

— Tu es toujours réservée et maligne, Allison.

— Autant pour moi, dit-elle en riant.

— Débrouille-toi pour nous faire de la pub. Et si tu peux caser qu'on en dira plus demain matin...

Janina prit place à la grande table, sûre d'elle, à l'aise.

Tiger, vous nous recevez ? demanda-t-elle.

La pièce entière entendit la voix du capitaine dans les haut-parleurs.

— Je vous reçois.

— Bien. Quelle est la situation ?

— L'équipe Bravo vient d'arriver avec nos véhicules. Nous attendons le retour de l'Oryx d'un moment à l'autre et le deuxième hélico a quitté Bloemfontein.

Elle sentait l'impatience dans sa voix, la colère rentrée.

— Comment évolue la météo, capitaine ?

— Il ne pleut plus aussi fort, l'armée de l'air dit que la dépression se déplace vers l'est.

— Merci, Tiger.

Elle se rapprocha de Vincent Radebe.

— Nous sommes absolument certains que Thobela Mpayipheli a fait partie du MK et qu'il a été entraîné à l'Est. Il y a encore quelques détails qui nous échappent, mais il s'agit d'un adversaire digne de respect, Tiger. Il a reçu une formation spéciale. Ne soyez pas trop dur avec votre équipe.

Sifflement sur la ligne, pas de réponse.

— En tout cas, ce n'est pas un citoyen innocent, reprit-elle en regardant Radebe d'un air entendu.

Il soutint son regard sans baisser les yeux.

— Il sait que nous voulons à tout prix récupérer les informations et n'a pas hésité à recourir à la violence. Il a choisi la confrontation. Il est dangereux et déterminé. J'espère que vous comprenez tous bien.

Quelques têtes acquiescèrent.

— Nous savons aussi que les informations en question sont d'une nature particulièrement sensible pour le gouvernement et plus encore pour nous, en tant que service de renseignements. Tellement sensible que vous êtes autorisé à utiliser tous les moyens à votre disposition pour l'arrêter, Tiger. Je répète : tous les moyens à votre disposition.

— Bien reçu, répondit le capitaine Tiger Mazibuko.

— Dans les trente minutes à venir, je vais réquisitionner tous les effectifs disponibles des bases militaires de De Aar, Kimberley et Jan Kempdorp. Nous avons besoin d'hommes supplémentaires sur le terrain. Il y a trop de routes à surveiller. Tiger, vous serez basé à Kimberley, de façon à pouvoir réagir rapidement. Étant donné le passé du fugitif, nous avons besoin d'hommes hautement mobiles et bien entraînés, en vue de la prochaine confrontation. La police et l'armée s'occuperont des routes. Je vais demander que l'escadrille de Rooivalk au complet soit transférée à Kimberley en attendant.

— À quel point êtes-vous sûre pour Kimberley ? fit la voix de Mazibuko sur les ondes.

Elle réfléchit un moment avant de répondre.

— C'est une hypothèse. Mais d'après ce que je sais, il est fatigué, trempé, affamé et la pluie le ralentit. Il voit le temps passer et les heures qui lui filent entre les doigts. Kimberley, c'est le plus court chemin pour atteindre le Botswana vu sa position, et le Botswana pour lui, c'est la liberté et le succès.

Elle vit un des agents de Rahjev Rajkumar lui murmurer quelque chose à l'oreille.

— Un problème, Raj ?

— La radio, madame. SAFM.

— Des questions ?

Elle attendait les réactions de Radebe et de Mazibuko.

— Mazibuko, terminé, fit le capitaine dans le haut-parleur.

Radebe s'assit et fixa la console numérique devant lui.

— Allumez, Raj.

— ... en liaison avec Allison Healy, chroniqueuse judiciaire pour un journal du Cap, qui a révélé au grand jour la saga du méchant malabar xhosa à moto, dans son édition du matin. Bienvenue sur l'antenne, Allison.

— Merci, John, c'est un honneur d'être avec vous.

— Vous avez de nouvelles informations intéressantes sur notre fugitif à moto ?

— Effectivement, John. À la lumière de certains renseignements, qui apportent un éclairage nouveau sur les mobiles de M. Mpayipheli, il semblerait que ce dernier se sente investi d'une mission. Ses motivations, semble-t-il, sont rien moins que nobles.

— Je vous en prie, continuez.

— J'ai bien peur de ne pouvoir en dire plus, John.

— Et comment avez-vous obtenu cette information, Allison ?

— D'une source qui lui est très proche. Appelons ça quelqu'un qui l'aime bien.

— Quinn, fit Janina en dissimulant sa rage.

— Oui, madame ?

— Faites-la venir.

Il la regarda d'un air éberlué.

— Miriam Nzululwazi. Faites-la venir.

— Très bien, madame.

— … du côté du fugitif ?

— Ce n'est pas à moi de prendre parti là-dessus, John, mais il y a deux choses qui me laissent perplexe. D'après les informations sans aucun doute fournies à la police par l'ARP, M. Mpayipheli aurait volé la BMW. Or, il semble que ce soit faux. Aucune plainte pour vol n'a été déposée auprès de la police, il n'y a pas d'enquête en cours et en discutant avec le propriétaire du garage, il y a cinq minutes, j'ai appris que M. Mpayipheli avait laissé un mot expliquant qu'il n'avait d'autre choix que d'emprunter la moto, mais qu'il rembourserait ce privilège. Je n'appelle pas ça du vol.

— Et la deuxième chose, Allison ?

— Le Cape Times a sorti l'article il y a maintenant plus de cinq heures, John. Si le fugitif n'a rien à se reprocher, pourquoi le gouvernement ne remet-il pas les pendules à l'heure ?

— Je vois où vous voulez en venir. Que croyez-vous qu'il se passe ?

— Je pense que le gouvernement est une fois de plus en train de brouiller les cartes, John. Je ne serais pas étonnée de découvrir une histoire de corruption ou quelque chose de similaire. Je ne dis pas que c'est le cas. Je dis simplement que ça ne me surprendrait pas. J'enquête sur plusieurs autres pistes et le Cape Times *publiera un article complet demain matin.*

— Merci beaucoup, Allison Healy, chroniqueuse judiciaire pour un journal du Cap. Vous écoutez John Modise, sur SAFM. Notre antenne vous est ouverte à présent, si vous avez quelque chose à dire, n'hésitez pas à nous appeler. Et souvenez-vous… nous parlons ce matin du fugitif à moto, alors continuons là-dessus…

— Monica Kleintjes, dit Janina. Elle aussi, il faut l'amener ici. Avant que les médias n'aillent s'agglutiner devant chez elle.

– Bien, madame, répondit Quinn. Qu'est-ce qu'on fait pour sa ligne téléphonique s'ils rappellent de Lusaka ?

– Pouvez-vous transférer les appels ici ?

– C'est possible.

Janina était incapable de se concentrer. Comment cette Healy avait-elle obtenu ces informations ? Comment avait-elle fait le rapprochement entre Mpayipheli et Nzululwazi ? Comment la mettre hors-jeu ?

– ... *de la section des Hell's Angels de Pretoria. Bonjour, Burt.*

– *Bonjour, John. Nous voulons savoir où se trouve le bonhomme. Vous avez une idée ?*

– *Nous savons qu'il était dans les environs de Three Sisters à six heures du matin, Burt. Où est-il à présent, je vous laisse deviner. Pourquoi une telle question ?*

– *Parce que c'est notre frère, mec. Et qu'il a des ennuis.*

– *Votre frère ?*

– *Tous les motards sont frères, John. Vous avez peut-être entendu raconter tout un tas de mensonges sur les Angels, mais je peux vous dire que quand un de nos frères a des ennuis, on se serre les coudes.*

– *Et comment comptez-vous vous y prendre pour l'aider ?*

– *De toutes les façons possibles.*

Rajkumar laissa échapper un grognement désapprobateur et baissa le volume.

– Les rats sortent de leur trou, lança-t-il.

– Non, dit Janina. Laissez allumé.

Il dormit par intermittence, passant sans cesse de la veille au sommeil, du rêve à la réalité. Il sillonnait des routes sans fin sur la GS, sentait la légère vibration de la machine entre ses jambes, discutait avec Pakamile, puis il entendait la pluie sur le toit de la ferme, le bruit de ventouse des pneus dans la boue, un moteur à bas régime, mais il ne s'éveilla vraiment qu'en entendant une porte claquer. Il sauta à bas du matelas et roula sur lui-même jusqu'au mur sous la fenêtre.

– *Anonyme de Mitchell's Plain, c'est à vous, vous êtes à l'antenne.*
– *Salut, John, vous m'entendez ?*
– *Vous êtes à l'antenne, allez-y.*
– *Je suis à l'antenne ?*
– *Oui, anonyme, le pays tout entier vous écoute.*
– *Ah. Bon. Je voulais juste dire que ce Mpayipheli n'est pas le héros que vous prétendez.*
– *Nous ne prétendons pas qu'il soit un héros. Les faits parlent d'eux-mêmes. Qu'avez-vous pour nous ?*
– *Je ne sais pas s'il s'agit du même type, mais il y avait un Thobela Mpayipheli qui bossait pour un dealer de Mitchell's Plain. Un grand Noir. Teigneux comme un pou. On racontait qu'il avait fait partie du MK. On l'appelait « P'tit ».*
– *Il travaillait pour un dealer ?*
– *Oui, John. Il était ce qu'on appelle un « encaisseur ».*
– *« On », anonyme ? De qui s'agit-il ?*
– *J'ai été dealer aux Cape Flats.*
– *Vous avez vendu de la drogue ?*
– *Oui.*
– *À Mitchell's Plain ?*
– *Non. Je travaillais dans les banlieues sud.*
– *On dirait un système de franchise. Et que fait un « encaisseur », anonyme ?*
– *Il se débrouille pour que le fournisseur touche son fric. En tabassant les dealers ou en les flinguant. Eux ou leur famille.*
– *Et Mpayipheli travaillait comme encaisseur pour un fournisseur ?*
– *Il bossait pour le plus gros fournisseur de toute la Péninsule, à l'époque. Avant que la mafia nigériane ne débarque. Aujourd'hui, les patrons, c'est eux.*
– *La mafia nigériane ? Il faudra qu'on refasse une émission spéciale rien que pour vous, anonyme. Et qu'est-ce qui vous a poussé à arrêter ?*
– *J'ai fait de la taule. Je me suis rangé, à présent.*
– *Et voilà toute l'histoire ! Étrange mais vraie.*
– *On vit dans un drôle de pays, John, croyez-moi.*
– *Ainsi soit-il, mon frère.*

Il resta allongé par terre, respirant la poussière. Quelqu'un semblait faire le tour de la moto. Puis il entendit une voix.

– Hé ho !...

Il chercha instinctivement une arme autour de lui, se maudit de ne pas avoir gardé le fusil d'assaut du soldat, songea à casser un pied de la table. Il fit un pas et s'arrêta. Plus de violence, plus de bagarre. Les conséquences lui traversèrent l'esprit. Cela signifiait-il que le voyage s'arrêtait là ? Qu'il pouvait rentrer à la maison ? Dans ce cas, Johnny Kleintjes était dans la merde. Il ne savait que faire, tiraillé entre désir et instinct.

– Hé ho, la maison...

Une voix d'homme. En afrikaans. Le fermier ?

Les bras le long du corps, il ne cessait de contracter les poings.

– Thobela ? (Il entendit son nom.) Thobela Mpayipheli ?

Des soldats, pensa-t-il. Décharge d'adrénaline dans les veines. Il bondit, saisit un des pieds de la table et s'arc-bouta pour l'arracher. Non, lui souffla une voix intérieure, non, laisse faire.

– *Allez-y, Élise, comment réagissez-vous au drame qui se joue en ce moment même ?*

– *Deux choses, John.* Primo, *je ne crois absolument pas à cette histoire de drogue. Pourquoi les gens veulent-ils toujours rabaisser les autres dès qu'ils deviennent célèbres ?* Secundo, *je suis la secrétaire du club BMW de Pretoria et je voulais juste dire que nous n'avons pas besoin que les Hell's Angels agissent en notre nom. M. Mpayipheli conduit une BMW et si quelqu'un doit l'aider, c'est la confrérie des motards BMW. Je me demande comment les Hell's Angels comptent s'y prendre sur les pistes gravillonnées du Nord avec leurs Harleys.*

– *Donc, le fugitif fait partie d'un club de motards BMW ?*

– *Non, John, mais il en conduit une.*

– *Et ça vous donne un droit de regard.*

– *Nous n'avons aucun droit de regard, John. Mais les Hell's Angels non plus.*

– *C'est quoi cette histoire de pistes gravillonnées ?*

– *M. Mpayipheli a échappé aux barrages en empruntant les pistes. Il conduit une GS, vous savez.*

– *Et c'est quoi, une GS ?*

– *C'est une moto qui roule aussi bien sur bitume que sur piste.*

– *Comme une moto de trial ?*

– Non. Enfin… je suppose qu'on peut parler d'une trial avec une hyper-thyroïdie.

– Ha ! Ha ! Ça, c'est le mot du jour. Comment savez-vous qu'il a échappé au barrage ?

– Tout est sur notre site web, John.

– Votre site web ?

– Oui, www.bmwmotorrad.co.za. Nous avons nos sources.

– Et comment vous débrouillez-vous pour obtenir des renseignements ?

– Oh, les policiers aussi conduisent des BMW, vous savez.

– Thobela, j'entre, ne tire pas. Je suis un ami.

Ne tire pas. Ils le croyaient encore armé.

– Je suis seul, Thobela, sois sympa.

La porte s'ouvrit.

– Je suis de ton côté, mon frère.

Il laissa passer un battement de cœur et se ramassa sur lui-même, prêt à bondir.

– Je n'arrive pas à entrer sur le site, dit Rahjev Rajkumar.

Le navigateur de recherche délivrait un message d'erreur. Impossible d'ouvrir cette page. La page que vous recherchez n'est pas disponible pour l'instant. Le site est actuellement inopérant. Veuillez modifier votre demande.

– Motorrad, avec deux « r », dit Vincent Radebe à voix basse.

– Comment tu le sais ? lui renvoya méchamment Rajkumar.

– C'est l'allemand pour « moto ».

Il entra la nouvelle adresse. Cette fois, le site se chargea. En haut de la page, sous l'intitulé, on pouvait lire :

SUIVEZ LE FUGITIF À LA GS – L'HISTOIRE VÉCUE DE L'INTÉRIEUR.

Il était debout, jambes écartées, épaules rentrées, le conflit intérieur faisait rage en lui, c'était son moment de vérité, celui où il allait perdre ou gagner – sur beaucoup de plans.

La porte s'entrouvrit un peu plus, lentement. La voix était douce et apaisante.

— Je suis un homme de paix.

Un homme de couleur entra, vêtu d'un costume en lambeaux, d'une chemise grise quelconque et d'un nœud papillon qui avait dû être rouge en d'autres temps. Il écarquillait les yeux et tendait les mains devant lui pour se protéger.

— Qui êtes-vous ?

— Je m'appelle Koos Kok, répondit l'homme très prudemment. Tu ne vas pas me tuer maintenant, hein ?

— Comment connaissez-vous mon nom ?

— Il suffit de regarder la grosse moto. On ne parle que de toi à la radio. Le méchant malabar xhosa à moto.

— Quoi ?

— Tout le monde est à cran à cause de toi.

— Qu'est-ce que tu fais là ?

Mpayipheli se redressa.

— Ma résidence d'hiver me manquait, répondit l'homme en désignant la ferme d'un geste. Je suis venu me mettre au chaud.

— *Un barrage a été mis en place à Three Sisters, surveillé par un détachement de l'armée, des officiers de la SAP ainsi qu'un gros hélicoptère. Des hélicoptères d'attaque Rooivalk, basés à Beaufort West, ont essayé de poursuivre le fugitif, mais la pluie les a forcés à rebrousser chemin.*

Rajkumar lisait à voix haute le contenu du site web en se demandant quelle mauvaise étoile l'avait désigné pour être le porteur de mauvaises nouvelles.

— Et merde ! lâcha Quinn.

— Continuez, dit Janina.

— *La GS aurait emprunté une route secondaire, vraisemblablement celle qui mène à Sneeukraal et aurait forcé un barrage gardé par deux soldats, blessant sérieusement l'un deux. Puis elle aurait disparu. C'est tout ce que nous savons pour le moment.*

« La seule façon de dépanner ce type, c'est que tous les propriétaires de BMW du pays s'unissent. On devrait tous se retrouver à

Three Sisters pour essayer de découvrir où il est. Comme ça, on pourra l'aider à se rendre là où il doit aller. »

— Ils veulent lui donner un coup de main, fit Quinn.

— Qui a écrit ça ? demanda Janina.

— Un initié. C'est tout ce qu'on sait.

— Putain de flic ! lâcha Quinn. (Il vit le regard désapprobateur de Janina.) Je vous demande pardon, madame.

— Autre chose ? demanda-t-elle à Rajkumar.

— Quelques messages de gars qui disent qu'ils vont venir à la rescousse.

— Combien ?

Il compta.

— Onze. Douze.

— C'est peu, ajouta Quinn.

— C'est déjà trop, dit Janina. Ils vont nous mettre des bâtons dans les roues.

— Madame, lança Vincent Radebe.

— Oui ?

Il lui tendit le téléphone.

Le directeur.

Elle prit le combiné.

— Monsieur ?

— La ministre veut nous voir, Janina.

— Dans son bureau ?

— Oui.

— Je vous rejoins là-bas, monsieur ?

— *Nous avons le temps de prendre un dernier appel. Burt, des Hell's Angels, vous revoilà ?*

— *Oui, John. Deux choses. Nous ne conduisons pas de Harleys. Enfin, certains de nos membres, mais juste quelques-uns. Et cette histoire, comme quoi le type noir appartient aux gens de BMW, c'est de la foutaise.*

— *Surveillez votre langage, Burt. C'est une émission familiale.*

— *Je suis désolé, mais ils ne sont rien d'autre qu'un tas de motards du dimanche, tout juste bons à se retrouver quand il fait beau pour une ballade de santé après le petit déjeuner.*

— *Qu'est-il arrivé à la grande confrérie des motards, Burt ?*

— *Des vrais motards, John. Pas ces poules mouillées de BMW. Ce Mpheli... Mpayi... ce type là-bas, ça c'est un vrai motard. Un vétéran, un guerrier de la route. Comme nous.*

— *Et vous n'êtes même pas fichu de prononcer son nom.*

XX

Ils eurent droit à deux ministres pour le prix d'un.

Le ministre des Renseignements était une femme, mince, comme il convient à ce genre de poste, une Tswana de quarante-trois ans originaire de la province du nord-ouest. Le ministre des Eaux et Forêts était assis dans un coin, un Blanc aux cheveux grisonnants, une icône de la Lutte. Il ne disait mot. Janina Mentz ignorait la raison de sa présence.

Elle prit place devant le bureau avec le directeur et lui jeta un bref coup d'œil avant de commencer à parler. Il lui fit comprendre d'un discret signe de tête qu'elle ne devait rien omettre. Elle commença par planter le décor : l'interview d'Ismail Mohammed, l'opération de contre-espionnage et ce qui avait capoté.

– Avez-vous vu le journal télévisé ? lança la ministre d'un ton glacial.

– Oui, madame la ministre.

Résignée. Janina se demanda une fois encore pourquoi les politiciens étaient plus sensibles à la télévision qu'à la presse.

– Il ne se passe pas une demi-heure sans qu'il y ait du nouveau à la radio. Et plus ils en parlent, plus ils le glorifient. Et nous, on passe pour la Gestapo.

Elle souligna son propos en frappant le bureau d'un poing délicat et sa voix monta d'une demi-octave.

– Ça ne peut pas continuer. Je veux des solutions. Nous sommes confrontés à une crise de relations publiques. Qu'est-ce que je dirai au président quand il appellera ? Parce qu'il va appeler ! Qu'est-ce que je lui dis ?

— Madame la ministre... commença Janina.

— Deux agents à l'aéroport. Deux hélicoptères Rooivalk plus une brigade au complet à Three Sisters et vous ne savez même pas où il se trouve !

Janina ne sut que répondre.

— Et on se demande pourquoi le rand s'écroule et le monde entier se moque de nous ! De l'Afrique. De l'Afrique empotée et arriérée. Je suis fatiguée de ce genre d'attitude, j'en ai par-dessus la tête. Ce cabinet (elle se leva, trop en colère pour rester dans son fauteuil, soulignant ses paroles d'un geste de la main) travaille nuit et jour, contre vents et marées, et comment l'administration nous aide-t-elle ? En cafouillant. Avec des excuses bidons. Vous croyez que ça suffit ?

Janina gardait les yeux rivés au sol. La ministre poussa un profond soupir, reprit le contrôle d'elle-même et se rassit.

— Madame la ministre, intervint le directeur de sa voix douce et empreinte de diplomatie. Puisque nous parlons franchement, puis-je mettre quelques petites choses au point ? Il s'agit de la première opération de contre-espionnage parfaitement planifiée que nous tentons de mettre en place et je dois dire qu'il était grand temps. Elle n'est pas seulement essentielle, mais astucieuse. Novatrice. Rien de ce qui est arrivé n'a mis en danger l'objectif de la mission. Au contraire... plus les choses traînent en longueur, plus elles sembleront authentiques à la CIA. L'opération ne s'est pas déroulée comme prévu, je reconnais, mais c'est la vie.

— Est-ce le message que je dois transmettre au président, monsieur le directeur ? Que c'est la vie ?

Sarcastique et glaciale.

Il lui répondit sur le même ton.

— Madame la ministre, vous savez que je n'ai pas pour habitude de fuir mes responsabilités, mais si les membres de la police étaient loyaux vis-à-vis de l'État, les médias ne s'en donneraient pas à cœur joie. Peut-être devrions-nous rejeter la faute sur ses auteurs : le ministère de la Sûreté. Ils n'ont que trop traîné pour régler le problème.

– Cette opération est placée sous ma responsabilité. Il s'agit de mon portefeuille.

Elle s'était calmée, mais son humeur semblait instable.

– Mais c'est l'attitude d'un autre ministère qui met cette opération en danger. Qui la sape. Nous n'avons pas peur du châtiment, encore faudrait-il qu'il soit mérité. Les circonstances à l'aéroport étaient telles que nous avons voulu éviter tout incident. Nos agents ont agi avec circonspection. Quant à la météo : notre influence ne va pas jusque-là…

Janina n'avait jamais entendu le directeur s'exprimer avec une telle flamme.

La ministre en fut réduite au silence. Le directeur enchaîna :

– Considérez un instant la possibilité de ridiculiser la toute-puissante CIA. Pensez à ce que ça pourrait nous rapporter, à tous points de vue. Qu'ils se moquent de l'Afrique. Rira bien qui rira le dernier.

– Le croyez-vous vraiment ?

– Nous allons conclure cette opération avec succès. Et dans les plus brefs délais. Mais des mesures sévères s'imposent en ce qui concerne la police.

– Combien de temps vous faut-il pour en finir avec cette affaire ?

C'était à Janina d'intervenir.

– Deux jours, madame la ministre. Pas plus.

– En êtes-vous sûre ?

– Madame la ministre, si le ministère de la Défense et la police coopèrent, je suis prête à parier ma réputation professionnelle.

Elle s'entendit parler et se demanda si elle y croyait vraiment.

– Je vous garantis qu'ils vont coopérer, rétorqua la ministre d'un ton féroce. Qu'est-ce que je dis aux médias ?

Janina avait une réponse toute trouvée.

– Il y a deux possibilités. La première, c'est de ne rien dire.

– Ne rien dire ? Avez-vous idée du nombre de coups de fil que nous avons reçus au bureau ce matin ?

– Madame la ministre, aucun pays au monde n'autorise les médias à mettre leur nez dans les opérations secrètes. Pourquoi devrions-nous l'accepter ? Quoi que vous disiez, les médias annonceront et publieront ce qui leur chante, ils déformeront vos paroles ou les utiliseront contre nous. Ignorez-les, montrez-leur qu'ils ne nous font pas peur. Demain, après-demain, autre chose les aura détournés de cette affaire.

La ministre réfléchit longuement.

— Et la seconde possibilité ?

— Retourner les médias à notre avantage.

— Expliquez.

— La marge entre criminel et héros est très étroite, madame la ministre. Elle dépend souvent de l'interprétation qu'on donne des faits.

— Continuez.

— Le fugitif faisait partie d'un réseau de drogue qui a contribué à la fracture sociale et entraîné des jeunes des Cape Flats à leur perte. Il a mis son expérience d'ex-MK au service de l'intimidation et de la violence. On le soupçonne d'être encore en activité… il a de grosses sommes d'argent inexpliquées sur son compte en banque. C'est un homme qui n'hésite pas à profiter d'une femme innocente et de son fils, qui n'a même pas d'endroit où vivre. Un homme dangereux qui a sérieusement blessé un jeune soldat blanc et ce, de manière délibérée, un homme qui a par deux fois choisi de faire obstacle à la raison d'État alors qu'il aurait pu se rendre. Les innocents, les citoyens honnêtes et les héros ne deviennent pas des fugitifs. Beaucoup d'anciens membres du MK ont suivi une autre voie. Ont choisi de reconstruire cette nation, non de la détruire. Continuent, aujourd'hui encore, à se battre pour la bonne cause, malgré le chômage et la pauvreté. Et tout ce que nous avons à faire, c'est de livrer ces informations aux médias.

La ministre des Renseignements repoussa ses lunettes cerclées d'or plus haut sur son nez, pensive.

— Ça peut marcher, dit-elle.

— Vous préférez la seconde option ?

— C'est plus, disons… pratique.

La voix mélodieuse du ministre des Eaux et Forêts s'éleva dans son coin.

— Il y a une chose que nous devons garder à l'esprit, dit-il.

Toutes les têtes se tournèrent vers lui.

– C'est d'Umzingeli dont nous parlons.

Sans cesser de jacasser, Koos Kok était allé chercher deux chaises à l'arrière de sa Chevrolet El Camino déglinguée, vieille d'un quart de siècle, et ils étaient maintenant attablés devant des pilchards à la sauce tomate pimentée et du pain, et buvaient un cognac bon marché dans des gobelets en émail.

– Je suis le grand troubadour griqua, annonça-t-il dans son dialecte, le joueur de guitare que David Kramer[1] a laissé tomber, *skeefbroer* de naissance, *voorlopig* étant petit, *vooran* dès mon plus jeune âge, *norring* de musique, *langtanne* par l'école[2]...

Thobela l'arrêta.

– Je ne comprends rien à ce que tu dis.

– Je ne parle pas xhosa, mon frère, *sôrrie*, c'est une *skanne*[3] et arrière grand-papa Adam Kok qui est parti vivre avec vous et tout ça.

– Tu ne parles pas afrikaans non plus.

– L'afrikaans des Hollandais ? Si, je peux.

Et son histoire jaillit en un flot de paroles d'un égocentrisme éhonté, le visage ridé et patiné par les éléments s'anima en racontant dans la langue conventionnelle jusqu'à ce que l'homme revienne à sa langue natale. Thobela fronça les sourcils et l'arrêta d'une main pour obtenir la traduction. Devant lui se tenait le Troubadour de la province septentrionale du Cap, l'amuseur des « citadins » qui fréquentaient les dancings où il chantait le pays et ses habitants avec sa guitare et ses vers.

– Mais je n'aime pas la foule, je n'aime pas rester au même endroit, alors l'été je voyage et, l'hiver, je m'installe ici, je fais du feu et j'écris mes chansons et de temps en temps, quand ça me

1. Célèbre chanteur engagé d'Afrique du Sud. *(NdT.)*
2. « Différent de naissance, toujours à part étant petit, arriviste dès mon plus jeune âge, dingue de musique, pas emballé par l'école ». *(NdT.)*
3. « Honte ». *(NdT.)*

démange trop, je vais faire le *jongman-jongman*[1] à Beaufort West avec les filles.

Et ce matin-là, il avait entendu les informations dans son vieux pick-up rouillé. Ensuite, il avait écouté John Modise et c'est comme ça qu'il savait qu'un méchant malabar xhosa à moto rodait en liberté dans le coin, et quand il avait vu l'engin garé derrière ses quartiers d'hiver, il avait tout de suite compris. C'était l'œuvre de Dieu, un signe divin, et il n'allait pas rester là *paphanne*[2], non, il allait faire quelque chose.

— Tu vas m'aider ? demanda Thobela, l'estomac bien rempli et le cognac dans les veines.

— *Ja,* mon frère. Koos Kok a un plan.

Tiger Mazibuko réunit l'équipe Alpha tout entière devant la porte ouverte de l'Oryx. La pluie avait diminué et des pans de ciel bleu s'immisçaient entre les nuages. Les gouttes étaient fines et le vent ne se calmait pas.

— Ce matin, j'ai envoyé chier Little Joe devant tout le monde et je veux m'excuser. J'ai eu tort. J'étais en colère. J'aurais dû me maîtriser. Joe, ce n'était pas ta faute.

Little Joe acquiesça en silence.

— Je ne supporte pas qu'il arrive des trucs à un de mes hommes, ajouta Mazibuko, mal à l'aise.

Il pouvait lire la fatigue sur leurs visages.

— Nous partons pour Kimberley. École de défense anti-aérienne. Il y aura des repas chauds et de bons lits. L'équipe Bravo prendra le premier tour de garde. L'armée et la police s'occupent des barrages.

Faibles sourires de-ci de-là. Il voulait en dire plus pour rétablir le contact et minimiser les dégâts, mais les mots ne vinrent pas.

— Grimpez, fit-il. Allons nous reposer.

---

1. « Le jeune homme ». *(NdT.)*
2. « Les bras ballants ». *(NdT.)*

Allison Healy était en route pour la banlieue sud, là où habitait Johnny Kleintjes d'après l'annuaire. Elle se servit du kit main libre pour appeler le bureau et demander un photographe, puis elle composa le numéro d'Absa. Elle voulait interroger Miriam sur la prétendue implication de Thobela dans un réseau de drogue. Elle n'y croyait pas. Le témoignage à la radio était truffé d'insinuations, mais n'apportait pratiquement aucune preuve.

— Mme Nzululwazi n'est pas ici, répondit la standardiste.

— Pouvez-vous me dire où elle se trouve ?

— Ils sont venus la chercher.

— Qui ça « ils » ?

— La police.

— La police ?

— Je peux lui laisser un message ?

— Non.

Elle aurait voulu se garer, mais se trouvait dans De Waal Drive. Le Cap s'étalait sous ses yeux, spectaculaire. Il n'y avait pas d'accotement, impossible de s'arrêter. Ses mains commencèrent à trembler. Elle chercha le numéro de l'officier de liaison de la SAPS et pressa un bouton.

— Nic, Allison à l'appareil. Je dois savoir si c'est vous qui avez emmené Miriam Nzululwazi pour l'interroger.

— Je me demandais quand tu allais appeler.

— Alors, elle est chez vous ?

— Je ne sais pas de quoi tu parles, Allison.

— De la concubine de Thobela Mpayipheli, l'homme à la moto. Ses employeurs disent que la police est venue la chercher à son travail.

— J'ai entendu parler de lui mais pas d'elle.

— Tu peux te renseigner ?

— Je ne sais pas...

— Nic, je te demande ça gentiment...

— Je vais voir. Et je te rappelle.

— Autre chose... On raconte que Mpayipheli aurait travaillé pour un dealer des Cape Flats...

— Oui ?

— Quelqu'un serait au courant ?

— Richter. Brigade des Stups.

— Tu peux lui poser la question ?

— OK.

— Merci, Nic.

— Je me sentirai responsable envers cet homme jusqu'à ma mort, dit le ministre des Eaux et Forêts.

Il était assis à contre-jour près de la fenêtre, auréolé de la lumière de cette fin de matinée. Janina se demandait si c'était la tristesse qui donnait à sa voix cette gravité.

— J'étais chef du personnel, pour les opérations. C'était à moi de prendre la décision. Nous devions beaucoup aux Allemands.

Il passa ses mains sur son large visage, comme s'il voulait en effacer quelque chose.

— Ça n'a plus aucun sens à présent, ajouta-t-il en posant ses coudes sur ses genoux.

Il croisa les mains. On aurait dit qu'il allait prier.

— Tous les six mois, je recevais un visiteur de Berlin. En signe de bonne volonté, si on veut. Un rapport oral de ses progrès, jamais rien d'écrit, un geste diplomatique pour me faire savoir comment P'tit se comportait. Combien ils étaient contents de lui. « Il fait honneur à votre pays. » C'était toujours le même Allemand, grand et mince. Ils étaient tous minces. « Yond Cassius a l'air maigre et affamé ; il réfléchit trop : de tels hommes sont dangereux. » Chaque fois, ils comptabilisaient les résultats. Comme pour un match. « Il en a eu six. Ou neuf. Ou douze. »

Le ministre croisa ses bras sur sa poitrine.

— Ils ont fait appel à lui dix-sept fois. Dix-sept.

Son regard ne cessait d'aller et venir de la ministre au directeur et du directeur à Janina.

— Celui dont ils n'arrêtaient pas de parler, c'était Marion Dorffling. CIA. Une légende. Trente ou quarante éliminations, stupéfiant. C'était une drôle d'époque, une drôle de guerre. Et Umzingeli l'a eu. Il l'a débusqué et l'a suivi pendant des semaines.

Il sourit avec une nostalgie pleine d'affection.

– C'était mon idée, Umzingeli. Le chasseur. Son nom de code.

Il hocha lentement la tête, que de souvenirs incroyables. Il les avait oubliés. Pendant une ou deux minutes, il fut ailleurs. Lorsqu'il reprit la parole, sa voix était plus enjouée.

– Il est venu me voir. Deux mois avant les élections de 1994. Ma secrétaire, bon, il y avait tellement de gens qui voulaient me parler… elle ne m'a rien dit. Elle croyait bien faire en les tenant à l'écart. Un jour, en fin d'après-midi, elle est entrée dans mon bureau et m'a lancé : « Il y a un grand type qui refuse de partir. » Et quand j'y suis allé, il a eu l'air de s'excuser en disant qu'il était désolé de me déranger.

Il hocha de nouveau la tête.

– Désolé de me déranger.

Janina Mentz se demandait où tout cela menait. Ce discours décousu avait-il une raison d'être ? Elle bouillait d'impatience.

– J'ai eu honte ce jour-là. Il m'a raconté ce qui était arrivé depuis la chute du Mur. Ses maîtres allemands s'étaient envolés en une nuit. On avait arrêté de le payer. Il ne savait plus vers qui se tourner. Et il était à son tour devenu une proie car l'Ouest avait mis la main sur les dossiers de la Stasi et il savait qu'on allait le rechercher. Le monde avait changé et tout un chacun voulait oublier, sauf ceux qui en avaient après lui. Il était totalement inconnu dans nos bureaux de Londres. Le personnel était nouveau, ils ne savaient rien de lui et ne tenaient pas à savoir. Il s'est fait oublier un moment et quand il a fini par rentrer au pays et qu'il est venu solliciter du travail, j'ai dit que je l'aiderais, mais les élections sont arrivées et il y a eu le nouveau gouvernement et je l'ai oublié. Je l'ai tout simplement oublié.

Le ministre des Eaux et Forêts se leva brusquement et fit sursauter Janina.

– Je vous fais perdre votre temps, dit-il. C'est ma faute, j'en accepte la responsabilité. C'est ma faute s'il a trouvé un autre moyen de subsistance. Mais je tiens à dire ceci : quelque chose est arrivé à cet homme parce que, s'il était encore Umzingeli, vous auriez déjà à répondre de quatre cadavres. Si vous parvenez à découvrir pourquoi il les a épargnés, vous avez une chance de l'arrêter.

XXI

— Merci monsieur, dit Janina au petit Zoulou, une fois dans l'escalier.

Il s'arrêta et fronça les sourcils d'un air pénétré.

— De rien, Janina. J'étais honnête, tout simplement. Je pense réellement que votre plan est astucieux.

— Merci monsieur.

— Pourquoi n'avez-vous rien dit ?

— À propos de votre nom sur la liste ?

Il acquiesça.

— Je crois que ça n'avait pas grand-chose à voir avec l'objet de cette réunion.

Il acquiesça de nouveau et descendit lentement les marches. Elle ne bougea pas.

— Êtes-vous Inkululeko, monsieur ?

Il atteignit le bas de l'escalier, se retourna et la regarda avec un léger sourire avant de rejoindre son bureau.

Il était couché sur un vieux matelas à l'arrière du El Camino, la R 1150 GS reposant à côté de lui, incongrue. Les étuis à bagage, détachés, se trouvaient près du carton de mouton volé (un petit pas vers la redistribution des richesses, je suis un *skorrie-morrie*[1], lui avait expliqué Koos Kok), parmi les morceaux de

1. « Agitateur-fainéant ». *(NdT.)*

meubles branlants – deux chaises, une table basse à trois pieds et une tête de lit. Quatre valises défraîchies débordaient de vêtements et de documents. Le tout camouflé par une bâche en toile de tente sale, couverte de taches de peinture. Les amortisseurs du pick-up étaient morts, la piste particulièrement cahoteuse, mais le matelas rendait les secousses supportables. Il se tenait recroquevillé en position fœtale dans cet espace exigu. Il ne pleuvait presque plus, une averse de temps à autre sur la toile goudronnée et de l'eau qui s'infiltrait par les trous.

Il revoyait le moment où la porte s'était ouverte, repensait au sang-froid dont il avait fait preuve, la raison l'avait emporté sur l'instinct, il avait réussi à contrôler sa première impulsion presque irrépressible et, oui, il était fier de lui. Il avait envie de le raconter à Miriam. Il lui téléphonerait bientôt pour lui dire qu'il allait bien. Elle devait s'inquiéter. Mais que de choses il aurait à raconter à Pakamile à la veillée. Koos Kok le Griqua. « Jamais entendu parler d'Adam Kok, Xhosa ? Il est parti vivre avec vous autres. » Il avait eu droit à une version simplifiée de l'histoire.

Le cognac l'ayant rendu somnolent, lorsqu'ils prirent vers Loxton sur la route goudronnée qui reliait Rosedene à Slangfontein, il s'endormit, bercé par le doux balancement du pick-up. Ses dernières pensées furent pour un dieu marin. Otto Müller leur avait exposé la théorie de deux savants britanniques selon laquelle les animaux se comportent de manière imprévisible pour survivre, comme le lièvre qui fuit le chien. *Est-ce qu'il court en ligne droite ? Bien sûr que non. S'il court en ligne droite, il se fait prendre. Alors, il zigzague. Mais de façon aléatoire. Un coup zig, un coup zag, de sorte que le chien ne sait jamais, qu'il essaie constamment de deviner. Les savants britanniques appelaient ça un comportement « protéen ».* D'après le dieu grec Protée qui pouvait se transformer à volonté, de pierre en arbre ou d'arbre en animal, de façon à confondre ses ennemis.

Le méchant malabar xhosa à moto était devenu le méchant malabar xhosa en camion. Müller aurait approuvé cette stratégie d'évitement de l'adversaire.

Sa dernière pensée consciente avant de sombrer dans un profond sommeil réparateur fut pour son ami Zatopek Van Heerden, qui refusait d'admettre qu'il avait enfin découvert sa véritable nature – protéenne.

Allison Healy avait frappé, fait le tour de la maison, frappé à nouveau, mais il n'y avait personne. Elle s'appuya contre sa voiture garée dans l'allée et attendit. Peut-être Monica Kleintjes était-elle sortie un moment. Le photographe était venu et reparti, disant qu'il ne pouvait rester, il devait se rendre à l'aéroport – Bobby Skinstad rentrait d'Europe après la défaite de l'équipe de rugby. Il avait pris des photos de la maison, juste au cas où. Ce n'était pas particulièrement spacieux, il y avait un joli jardin, de grands arbres, l'endroit ignorait le drame qui se jouait en son sein.

Elle alluma une cigarette. Habitude confortable, dix par jour, parfois moins. Les endroits où on pouvait fumer se faisaient de plus en plus rares à présent. C'était son régulateur d'appétit, son prix de consolation, son échappatoire vers de petites oasis tout le long de la journée.

C'était Nic qui lui avait appris ça.

Nic l'avait séduite alors qu'il était encore marié.

Nic disait qu'elle l'avait fait bander dès le premier jour, quand elle était venue se présenter au bureau de la SAPS. Il disait que c'était plus fort que lui.

Leur histoire avait duré seize mois. C'était un homme simple, un fumeur invétéré, un homme bon au fond, exception faite de son infidélité. Très demandeur émotionnellement, pas très attirant, quelconque comme amant. Mais, à l'époque, elle n'était pas très à même de juger. Cinq hommes, depuis la première fois à l'université.

Ils se retrouvaient dans son appartement une ou deux fois par semaine. Pourquoi avait-elle laissé faire ?

Parce qu'elle était seule.

Mille et une connaissances et pas un petit ami. C'était le lot des filles grassouillettes dans un monde où la norme privilégiait les maigrichonnes.

Ou se cherchait-elle simplement une excuse ?

La vérité, c'est qu'elle n'arrivait pas à trouver sa place, tenon arrondi dans un monde de mortaises carrées. Elle ne se sentait à l'aise dans aucun groupe d'amis.

Pas même avec Nic.

C'était toujours mieux après son départ, lorsqu'elle se retrouvait allongée sur le lit, nue et comblée, à écouter de la musique en fumant une cigarette, mieux même que ça ne l'était dans la passion, au moment de l'orgasme.

Elle ne l'aimait pas. Elle lui était seulement très attachée. C'était encore le cas, mais, après le divorce, avec la culpabilité qu'il traînait derrière lui comme un boulet, elle avait mis un terme à leur relation.

Il la relançait de temps à autre. « On pourrait se voir ? Juste une fois ? » Elle y réfléchissait. Sérieusement parfois, parce qu'elle avait besoin d'être prise dans les bras et caressée… Il aimait son corps. « Tu es sexy, Allison. Tes seins… »

C'était peut-être ça le truc, il avait accepté son corps, ce corps qu'elle ne pouvait changer, aux rondeurs héréditaires qu'on se passait de mère en fille sans interruption, femmes corpulentes, grassouillettes malgré les régimes et autres exercices physiques.

Elle écrasa la cigarette dans l'herbe du bout du pied. Le mégot y resta comme un reproche. Elle le ramassa et le jeta derrière un arbuste, dans un parterre de marguerites.

Où était Monica Kleintjes ?

Son téléphone sonna.

– C'est le boss, Allison. Où es-tu ?

– Newlands.

– Tu ferais mieux de rappliquer. Le ministre donne une conférence de presse dans un quart d'heure.

– Lequel ?

– Renseignements.

– J'arrive.

Lors de la conception et de l'aménagement de la salle d'interrogatoire de l'ARP, Janina Mentz avait demandé pourquoi il fallait une table. Personne n'avait su lui répondre. Il n'y en avait donc pas. Elle avait demandé pourquoi les chaises devaient être dures et inconfortables. Pourquoi les murs devaient rester nus à l'exception du miroir sans tain. Elle avait demandé si une pièce dépouillée, désagréable et glaciale donnait de meilleurs résultats qu'une pièce chaleureuse. Personne n'avait su quoi lui répondre.

– On n'est pas dans un commissariat, avait-elle décrété.

Il y avait donc trois fauteuils rembourrés, de ceux que les magasins Lewis ou Star Furnishers vendaient par centaines pour les salons des particuliers. Ils étaient recouverts d'un marron passe-partout et traités pour résister aux taches. La seule différence, c'est qu'ils étaient fixes, afin que personne ne puisse empêcher ou retarder l'entrée dans la pièce en s'en servant pour bloquer la poignée. Les fauteuils étaient vissés sur place en un triangle intime. Le sol était recouvert d'une moquette d'un beige uniforme, ni kaki ni orangé, mais un beige correspondant strictement aux indications de Janina. Le micro était dissimulé sous le néon du plafond, le système de télévision en circuit fermé se trouvait dans la pièce de surveillance adjacente, dardant son œil de cyclope à travers la vitre sans tain.

Janina se tenait à côté de la caméra et observait la femme installée dans l'un des fauteuils. Elle notait avec intérêt que tous ceux qu'on amenait choisissaient le siège qui tournait à moitié le dos à la vitre. Comme s'ils le sentaient.

Trop de séries télévisées ?

La femme était Miriam Nzululwazi, la concubine de Thobela Mpayipheli.

Que pouvait bien lui avoir trouvé Umzingeli ?

Elle avait l'air sombre. Elle ressemblait à ces affligés chroniques au visage marqué de rides de chagrin indélébiles autour de la bouche. Aucune trace de rire.

Elle pressentait que la femme refuserait de coopérer. Elle s'attendait à ce qu'elle soit tendue et hostile. Elle soupira. Il fallait en passer par là.

Le téléphone d'Allison sonna pendant qu'elle grimpait les marches.

— C'est Nic.

— Des nouvelles ?

— Ta Mme Nzululwazi n'est pas chez nous.

— Elle est où ?

— Je ne sais pas.

— Est-ce que les Renseignements ont le droit de retenir des gens ? Sans procès ?

— Normalement, il y a des lois contre ça, mais ils font ce qui leur chante, parce que c'est dans l'intérêt de la nation et que les gens avec qui ils bossent ne sont pas du genre à se précipiter au tribunal pour détention illégale.

— Et côté drogue ?

— J'ai parlé à Richter. Il dit que Mpayipheli est bien connu de ses services. Il travaillait pour Orlando Arendse à l'époque où celui-ci régnait sur les Cape Flats. Aucune arrestation, aucun casier, mais ils l'avaient à l'œil.

— Et Orlando Arendse était un dealer ?

— Importateur et distributeur. À grande échelle. Mpayipheli était chargé d'intimider les dealers qui refusaient de payer. Ou qui ne remplissaient pas leur contrat. Un autre genre d'affaire, ça.

— Où est-ce que je peux trouver Arendse ?

— Allison, ce sont des gens dangereux.

— Nic…

— Je vais voir ce que je peux faire.

— Merci, Nic.

— Il y autre chose.

— Pas maintenant, Nic.

— Rien à voir avec nous.

— Qu'est-ce que c'est ?

— Un mémo du ministre. Tous ceux qui livrent des informations sur Mpayipheli aux médias risquent gros. Coopération totale avec nos collègues des renseignements, mobilisation maximum dans la province septentrionale du Cap.

— Tu n'es pas censé me dire ça.

— Non.

— J'apprécie.

— Je veux te voir, Allison.

– Au revoir, Nic.

– S'il te plaît.

Petite voix enfantine.

– Nic...

– S'il te plaît, rien qu'une fois.

Elle se laissa fléchir sous la pression de... toutes sortes de choses.

– Peut-être.

– Ce soir ?

– Non.

– Quand alors ?

– Ce week-end, Nic. Un café quelque part.

– Merci.

Il avait l'air si sincère qu'elle se sentit coupable.

Quinze ans s'étaient écoulés depuis cette nuit terrible dans une cellule de Caledon Plain, mais la peur que Miriam Nzululwazi avait alors ressentie ressurgit tout à coup dans la salle d'interrogatoire. Elle se cramponna aux accoudoirs du fauteuil, les yeux aveugles au mur qui se trouvait en face d'elle. Elle se rappelait, une femme dans la cellule ne cessait de hurler, de hurler, ses hurlements vous pénétraient jusqu'à la moelle, plainte incessante. Elle revit le policier au visage rubicond ouvrant la grille, se frayant un passage avec sa matraque parmi les corps en sueur jusqu'à la femme qui criait et levant l'objet contondant haut au-dessus de sa tête.

Elle avait dix-sept ans et rentrait chez elle, dans les masures en bois construites à la va-vite sur les hauteurs surpeuplées de Khayalitsha, ses gages de la semaine bien serrés dans son sac à main, elle rejoignait l'arrêt de bus de la place de la Parade[1] lorsque la foule des manifestants avait bloqué la rue. Une cohue grouillante qui ondulait bruyamment tel un python gravide devant la mairie, brandissant des bannières, sifflant, chantant et dansant le toyi-

---

1. Nom d'une place connue du Cap, où venaient défiler les soldats jusqu'au XVIIIe siècle. *(NdT.)*

toyi[1], criant, un carnaval endiablé pour protester contre les salaires dans l'industrie du vêtement ou quelque chose comme ça. Elle s'était laissé porter par la foule qui allait dans sa direction, en se moquant des jeunes hommes qui gambadaient comme des singes et soudain les policiers étaient là, les gaz lacrymogènes, la charge, le canon à eau, le python avait engendré le chaos.

Ils l'avaient poussée à l'arrière d'un gros camion jaune, l'en avaient sortie avec le reste de la horde une fois arrivés au poste et les avaient enfournés sans ménagement dans une cellule trop pleine où personne ne pouvait s'asseoir, et la femme qui criait, qui gémissait, quelque chose au sujet d'un enfant, elle devait retrouver son enfant malade, l'homme blanc au visage rougeaud qui brandissait la matraque au-dessus de sa tête en hurlant d'un air menaçant, la voix qui se perd dans le tintamarre, le bras qui s'abaisse, encore et encore, et la terreur avait envahi Miriam, il fallait qu'elle sorte de là, elle avait poussé les autres, s'était frayé un chemin parmi les femmes hurlantes, s'était agrippée aux barreaux et là aussi d'autres policiers vociféraient, fous de colère, puis quelqu'un l'avait tirée en arrière et la plainte s'était soudain arrêtée.

Elle ressentait la même terreur dans cet espace confiné, avec cette porte fermée à clé, pourquoi était-elle retenue sans raison, elle n'avait rien fait de mal. Elle sursauta quand la porte s'ouvrit. Une Blanche entra et vint s'asseoir en face d'elle.

— Comment puis-je vous convaincre que nous voulons aider Thobela ? dit Janina Mentz en utilisant sciemment le prénom.

— Vous ne pouvez pas me garder ici, dit Miriam en entendant la peur dans sa voix.

— Madame, ces gens se servent de lui. Ils lui font courir un danger inutile. Ils lui ont menti et l'ont trompé. Ils sont mauvais.

— Je ne vous crois pas. C'était l'ami de Thobela.

— C'était. Il y a des années. Mais il a mal tourné. Il veut nous trahir. Trahir notre pays. Il nous veut du mal et il se sert de Thobela pour ça.

1. Type de danse spécifique aux manifestations de la population noire en Afrique du Sud. *(NdT.)*

Elle lut le doute sur le visage de Miriam. Il fallait en tirer parti.

— Nous savons que Thobela est un homme honnête. Nous savons qu'il a été un héros de la Lutte. Nous savons qu'il ne se serait pas engagé s'il avait su toute l'histoire. Nous pouvons régler tout ça et le ramener à la maison sans encombre, mais nous avons besoin de votre aide.

— Mon aide ?

— Vous avez parlé aux médias…

— Elle aussi, elle voulait aider. Elle aussi, elle était du côté de Thobela.

— Ils vous manipulent, madame.

— Et vous ?

— Comment voulez-vous que les médias fassent rentrer Thobela à la maison ? Nous, nous pouvons. Avec votre aide.

— Je ne peux rien faire.

— Attendez-vous un coup de fil de lui ?

— Pourquoi voulez-vous le savoir ?

— Si nous pouvions lui faire passer un message…

Miriam dévisagea Janina d'un air glacial, ses yeux, sa bouche, ses mains.

— Je ne vous crois pas.

Janina soupira.

— Parce que je suis blanche ?

— Oui. Parce que vous êtes blanche.

Le capitaine Tiger Mazibuko n'arrivait pas à dormir. Il n'arrêtait pas de se retourner sur son lit de camp. Il faisait lourd à Kimberley, pas trop chaud, encore couvert, mais l'air était particulièrement humide et la pièce mal ventilée.

D'où venait cette haine qu'il éprouvait pour Mpayipheli ?

Cet homme avait été dans la Lutte. Cet homme n'avait pas trahi ses camarades.

D'où venait cette haine ? Elle le consumait, elle influait sur son comportement, il n'avait pas été correct avec Little Joe. Il avait toujours ressenti de la colère, mais jamais encore elle n'avait affecté son leadership.

Pourquoi ?

Ce n'était qu'un pauvre homme entre deux âges qui avait eu son heure de gloire il y a longtemps.

Pourquoi ?

Il entendit un grondement de plus en plus fort à l'extérieur.

Comment dormir ?

C'était les Rooivalk. Les fenêtres vibrèrent sur leur châssis, le ronflement sourd des moteurs se répercuta dans sa poitrine. Plus tôt dans la nuit, il avait eu droit aux camions qui partaient résolument les uns après les autres en direction de leur objectif. On déployait des soldats pour mettre en place de nouveaux barrages sur les pistes et les routes goudronnées. On élargissait le filet pour attraper un seul et unique poisson.

Il se retourna une nouvelle fois.

Peu importe d'où venait cette haine. Tant qu'il était capable de la contrôler. De la canaliser.

Tous les moyens à votre disposition, avait dit Janina Mentz. En d'autres termes, descendez-moi ce salaud si ça vous chante.

Bon Dieu, il n'attendait que ça.

XXII

Les six hommes de l'équipe fouillèrent la maison de Guguletu en professionnels.

Ils filmèrent les lieux et prirent des photos numériques avant de commencer pour pouvoir tout remettre parfaitement en place. Puis la fouille proprement dite démarra, laborieuse et méthodique. Ils connaissaient les planques des fraudeurs, professionnels ou amateurs, et passèrent les moindres recoins au crible. Le sol et les murs furent sondés au stéthoscope, de puissantes torches illuminèrent les interstices entre toit et plafond. Les passe-partout qu'ils avaient apportés pour les placards et les portes ne leur furent d'aucune utilité. Un des six agents était chargé de l'inventaire. Il parlait à voix basse dans un magnétophone grand comme la main, à l'instar d'un homme d'affaires dictant une lettre.

C'était une petite maison plutôt modeste. La fouille prit cent trente minutes. Puis ils disparurent dans le minibus avec lequel ils étaient arrivés. Le responsable de l'inventaire appela son patron, Vincent Radebe.

— Rien, annonça-t-il.

— Rien du tout ? insista Vincent.

— Ni armes, ni drogue, ni liquide. Quelques relevés de compte. Les papiers habituels. Mpayipheli suit des cours, il y a des lettres et des bouquins. Des magazines, des cartes, on a trouvé des petits billets doux adressés à cette femme dans le tiroir où elle range ses vêtements. « De la part de Thobela. Pour Miriam. Je t'aime ceci, je t'aime cela. » Rien d'autre. Des gens ordinaires.

Au centre opérationnel, Vincent Radebe hocha la tête. C'était bien ce qu'il pensait.

– Oh non, encore une chose... Un potager derrière la maison. Très soigné. Les plus belles tomates que j'ai vues depuis des années.

Le truc lors d'une conférence de presse, c'est de formuler ses questions de façon à ne pas dévoiler aux autres ce qu'on sait.

Voilà pourquoi, après que la ministre eut lu le discours qu'on lui avait préparé sur la vie agitée et le passé criminel de Thobela Mpayipheli et qu'elle eut opposé à une horde de journalistes de la radio, de la presse et de la télé un invariable « Il m'est impossible de répondre à cette question étant donné la nature particulièrement sensible de cette opération », Allison Healy lui demanda :

– Détenez-vous actuellement une autre personne susceptible d'être mêlée à cette affaire ?

Et comme la ministre ne savait pas, elle hésita. Puis elle trouva une parade qui lui permettait de se couvrir si l'inverse était vrai.

– Pas à ma connaissance.

C'était là une déclaration que, plus tard, elle souhaiterait de tout cœur n'avoir jamais faite.

Ils apportèrent du café et des sandwichs à Miriam dans la salle d'interrogatoire. Elle demanda quand ils la relâcheraient. Celui qui lui avait apporté à manger l'ignorait. Il allait se renseigner.

Elle ne toucha à rien. Elle essayait de surmonter sa peur. Les murs l'étouffaient, la pièce sans fenêtres l'oppressait. Ce soir, c'était elle qui avait besoin de voir son enfant, ce soir, c'était elle qui avait envie de hurler d'une voix suraiguë et apeurée : « Laissez-moi partir ». Elle devait aller chercher Pakamile. Son enfant, son enfant. Et son travail. Que devaient penser les gens à la banque ? La prenaient-ils pour une criminelle ? Allait-on la libérer ? Quelqu'un irait-il expliquer à ses employeurs pourquoi on était venu la chercher ?

Il fallait qu'elle sorte de là.

Il fallait qu'elle sorte.

Et Thobela ? Où était-il à présent ? La Blanche avait-elle dit vrai, était-il en danger ?

Elle n'avait pas demandé.

Janina Mentz attendit que tous les agents au repos soient revenus avant de les réunir autour de la table.

Puis elle leur expliqua presque toute l'histoire. Elle omit de dire que le nom du directeur se trouvait sur la liste, mais confessa avoir monté toute l'opération depuis le début. Elle ne s'excusa pas de les avoir laissés dans l'ignorance. Ils devaient comprendre pourquoi elle avait agi ainsi, ajouta-t-elle.

Elle décrivit l'entretien avec la ministre, confirma que Thobela Mpayipheli, nom de code Umzingeli, était bien un ancien membre du MK, qu'il avait reçu une formation poussée, qu'il s'agissait d'un adversaire redoutable et qu'il était de la plus haute importance qu'on l'intercepte.

– Nous avons perdu assez de temps à découvrir qui il était. Nous devons nous concentrer sur ce qu'il est devenu. Vu son passé, son comportement des dernières dix-huit heures n'a aucun sens. Il n'a pas cédé à la violence et ce, de manière délibérée. À l'aéroport, il a dit, je cite : « Je ne veux de mal à personne. » Lors de la confrontation avec les deux membres de l'Unité de réaction, il a dit : « Regardez ce que vous m'avez fait faire. » Mais il ne s'est rendu à aucune de ces occasions. Je ne comprends pas. Quelqu'un aurait-il une idée ?

Elle savait que Rajkumar en aurait une. Il en avait toujours une.

– L'escalade, dit-il. Il n'est pas idiot. Il sait que s'il descend quelqu'un, la situation va lui échapper.

Radebe demeura silencieux, mais elle se méfiait. Elle le poussa à parler.

– Vincent ?

Il était assis, le visage dans les mains et les doigts sur les tempes, et fixait la grande table.

– Je ne crois pas.

– Qu'est-ce que tu veux dire ? lança Rajkumar, agacé.

— Mettons les choses bout à bout, reprit Radebe. Il a quitté le business de la drogue. De son propre chef. Orlando Arendse dit qu'il est simplement parti, sans explication. Il a volontairement choisi un travail non violent, sûrement beaucoup moins rentable. Il vit depuis un certain temps avec une mère célibataire et son fils, suit des cours par correspondance, a acheté une ferme. Ça nous apprend quoi ?

— C'est un paravent, rétorqua Rajkumar. Et tout le fric ?

— Il a travaillé pendant six ans dans le milieu de la drogue, ça rapporte gros. Qu'est-ce qu'il en aurait fait ?

— Des milliers de choses. Le vin, les femmes, le jeu. La belle vie, quoi.

— Non, insista Radebe.

— Vous pensez à quoi, Vincent ? demanda doucement Mentz.

— Je crois qu'il a commencé une nouvelle vie.

Elle scruta les visages autour de la table. Pour voir qui marchait avec lui. Personne ne suivit.

— Pourquoi ne pas se rendre alors, Vincent ? dit Rajkumar avec un geste grandiloquent.

— Je ne sais pas, répondit Radebe. Je ne sais vraiment pas.

Rajkumar se rencogna dans son fauteuil comme s'il avait emporté le morceau.

— Chassez le naturel, il revient au galop, renchérit Janina. Il ne faisait plus partie du gros gibier depuis dix ans. Mais, à présent, il est de retour. Et je pense que ça l'amuse.

Il se réveilla en sursaut et comprit immédiatement que le El Camino s'était arrêté et que le moteur était coupé. Il entendit des voix.

— Koos Kok, sors de là.

— Pourquoi ?

— On veut vérifier si tu planques pas un homme avec une moto.

Il ne voyait rien de ce qui se passait sous la bâche.

— *Ja*, c'est bon, vous m'avez eu. Ayez pitié, c'est juste un nain sur une 50 cm^3.

Un barrage. Le sang battit à ses tempes, il respirait fort, avait-il fait du bruit en se réveillant ?

— T'as toujours su embobiner les gens, Koos, toute ta vie.

— Et toi, t'es un *ghwar*[1], Sarge[2], même pour un Hollandais.

— *Ghwar* ? C'est quoi, un *ghwar* ?

— Je rigolais, Sarge, qu'est-ce qui t'arrive aujourd'hui ?

— Combien t'as de moutons à l'arrière, Koos ?

— J'ai arrêté le business, Sarge.

— Tu mens, Koos Kok, tu resteras un voleur de moutons jusqu'à la fin de tes jours. Soulève-moi cette bâche.

Combien d'hommes y avait-il ? Pourrait-il… ?

— Fous-lui la paix, Gerber, on a des trucs plus importants à faire.

— C'est un voleur. Je te parie qu'il y a de la viande là-dedans.

Thobela Mpayipheli entendit la voix de l'homme tout près de lui, il entendit le bruissement d'une main sur la toile. Mon Dieu, il était à leur merci, désarmé, couché là sans la moindre chance de s'en tirer.

— Tu peux regarder, c'est rien que mes meubles, fit Koos Kok.

— Tu vas où ?

— Bloemfontein. Je cherche un vrai boulot.

— Ha ha ! Tu mens comme un arracheur de dents !

— Laisse-le partir, Gerber, il bloque la route.

— Je te dis qu'il y a des moutons là-dedans…

— Laisse-le partir.

— C'est bon, Koos, vire-moi ton *skedonk*[3] de là.

— Mais le nain avec la moto ? Il peut pas rester à l'arrière tout le trajet !

— Dégage, Koos, avant d'avoir des ennuis.

— Ça va, ça va, Sarge. Je me tire.

La suspension s'affaissa sous le poids de Koos Kok, puis le moteur ronfla et les six gros cylindres grondèrent.

1. Un « trou du cul ». *(NdT.)*
2. « Sergent », en argot militaire. *(NdT.)*
3. « Épave ». *(NdT.)*

– Putain de Dieu, Koos, tu pourrais pas réparer ton pot d'échappement ?

– Dès que je me suis débarrassé de la moto, lui renvoya Koos Kok avant de démarrer en faisant patiner les pneus.

Quinn déposa la première édition de l'*Argus* avec précaution devant elle.

Le fugitif à moto était un héros du MK.

Le fugitif à moto actuellement recherché sur tout le territoire par les services de renseignements, l'armée et la police sud-africaines, était un soldat haut placé de l'Umkhonto we Sizwe qui s'est distingué pendant la Lutte, d'après un ancien colonel des Forces de défense de l'Afrique du Sud et camarade de M. Thobela Mpayipheli.
« Bien que n'ayant pas suivi le déroulement de carrière de Thobela pendant les dernières années de lutte contre l'apartheid, je n'ai aucun doute quant à son honorabilité de soldat », nous a déclaré le colonel « Lucky » Luke Mahlape, qui a pris sa retraite de commandant en second du premier bataillon d'infanterie de Bloemfontein l'année dernière.
Le colonel Mahlape, qui vit maintenant à Hout Bay, a appelé l'*Argus* afin de dissiper tout malentendu, après que la cavale champêtre de M. Mpayipheli sur une grosse BMW eut fait la une des journaux locaux plus tôt dans la journée.

Ils allaient devoir changer de disque à présent, se dit-elle. Si la ministre avait bien fait son boulot.

Il ne put se rendormir et s'agita sur le matelas, refoulant l'adrénaline. Y aurait-il d'autres barrages ? Ses nerfs ne le supporteraient pas. Il voulait sortir de là-dessous, remonter sur la moto et reprendre le contrôle des opérations, il ne supportait plus de rester sans rien faire, à se demander où ils se trouvaient, combien de temps il avait dormi.

Il faisait pratiquement noir sous la bâche, il ne voyait même pas les aiguilles de sa montre. Il se retourna pour pouvoir soulever la toile, se rendit compte que la pluie avait cessé et se ménagea une ouverture. Midi vingt. Il rabaissa la bâche.

Deux heures de route à une moyenne de 90, 100 km/h. Richmond, c'était sans doute là qu'on les avait interceptés. Un des coins risqués dont ils avaient parlé en potassant la carte dans la maison. Il voulait pousser jusqu'à De Aar, Koos Kok avait refusé, l'armée y était, passons plutôt par Merriman pour atteindre Richmond et prenons ensuite les routes secondaires jusqu'à Philipstown. Là, le pire serait derrière nous, Petrusville, Luckhoff, Koffiefontein, il faudrait peut-être se méfier à Petrusburg parce que c'était sur la route principale, à mi-chemin de Kimberley et de Bloemfontein, mais après, c'était tout droit, Dealesville, Bloemhof, Mafikeng et le Botswana, et personne n'y verrait rien.

Il n'en était pas si sûr. Le plus direct, c'était Kimberley. Et c'est là qu'ils l'attendraient. Sur une moto, pas à l'arrière d'un camion.

Il décida que le jeu n'en valait pas la chandelle.

Le pick-up ralentit.

Quoi encore ?

S'arrêta.

Mon Dieu.

– Xhosa, dit Koos Kok.

– Quoi ?

– Ne t'inquiète pas. Il faut que je prenne de l'essence.

– Où ?

– Richmond. On y est.

Mon Dieu.

– D'accord, ça va.

Koos Kok redémarra.

Il aurait dû ajouter : « Pas de blagues sur l'homme à moto. » Mais ça n'aurait sans doute rien changé.

XXIII

Elle était naïve en entrant au *Cape Times*. Toute fraîche émoulue de l'école de journalisme de l'université Rhodes, elle avait le regard brillant et brûlait de mettre en pratique son amour des mots à *Cosmo* ou *Fair Lady*, mais était prête néanmoins à faire son apprentissage dans un quotidien. Elle faisait confiance à tout le monde, croyait ce qu'on lui disait et regardait avec de grands yeux émerveillés les célébrités qu'elle croisait lors de son train-train journalier.

Mais le désenchantement n'avait guère tardé, ni spectaculaire ni soudain. Les vérités mesquines avaient pris le dessus petit à petit sans qu'elle s'en rende compte. Elle avait découvert que les gens étaient peu fiables, malhonnêtes, égocentriques, égoïstes, traîtres, violents, sournois. Qu'ils mentaient, trichaient, tuaient, violaient et pillaient, quels que soient leur statut, leur nationalité ou leur couleur. Ç'avait été un processus graduel, mais souvent traumatisant pour quelqu'un qui ne jurait que par le bien et la beauté.

Miriam Nzululwazi et Emmanuel, le cireur de chaussures, affirmaient avec conviction que Mpayipheli était un homme bon. La ministre en avait dressé un tableau bien différent, la tragédie du soldat jadis loyal mais qui avait mal tourné. Très mal tourné.

Où était la vérité ?

Le véritable Thobela pourrait-il se lever, s'il vous plaît ?

La seule façon de découvrir la vérité, elle le savait, était de continuer à chercher. Continuer à poser des questions et séparer le bon grain de l'ivraie.

Finalement, Nic lui avait transmis les coordonnées d'Orlando Arendse.

— Essaie toujours, mais ça ne sera pas facile, avait-il ajouté.

Elle avait commencé à appeler, un numéro après l'autre.

— Orlando qui ? lui répondait-on sans exception.

Elle débitait son histoire à toute vitesse sans reprendre son souffle, avant qu'on mette fin à la communication : c'était au sujet de Thobela Mpayipheli, elle cherchait simplement des informations, elle protégerait sa source.

— Vous devez vous tromper de numéro, ma petite dame.

— Bon, dans ce cas, quel est le bon numéro ?

On raccrochait et elle passait au suivant.

— Je m'appelle Allison Healy, je travaille pour le *Cape Times*, je voudrais parler à M. Orlando Arendse, je vous garantis la confidentialité absolue...

— Où avez-vous eu ce numéro ?

Prise à l'improviste, elle avait failli lâcher : « C'est la police qui me l'a donné », mais se reprit à temps.

— Je suis journaliste, c'est mon travail de dénicher les gens, mais s'il vous plaît, c'est à propos de Thobela Mpayipheli...

— Désolé, vous faites erreur.

Elle appela les cinq numéros sans succès, frappa le bureau du plat de la main tant elle était frustrée, puis sortit fumer une cigarette sur le trottoir, tirant de courtes bouffées coléreuses. Tenter la menace ?

— Si Arendse refuse de me répondre, je parlerai de lui et de ses activités dans chaque article que j'écris sur le sujet. À vous de voir.

Non. Mieux valait réessayer.

Comme elle tendait la main vers son agenda, le téléphone sonna.

— Vous voulez parler à Monsieur O ?

Une seconde durant, elle se sentit perdue.

— Qui ça ? demanda-t-elle avant d'ajouter à la hâte : Oh, oui, oui, je veux lui parler.

— Vous voyez le squelette de baleine bleue au muséum ? Soyez-y à treize heures.

On avait raccroché avant qu'elle puisse dire un mot.

L'immense salle où se trouvait la baleine était plongée dans la pénombre, un faible éclairage bleuté symbolisant les abysses et les chants enregistrés des mastodontes conférant à la pièce une atmosphère surréaliste. Deux jeunes gens de couleur déambulaient main dans la main d'une vitrine à l'autre. Elle ne leur prêta aucune attention jusqu'à ce qu'ils soient tout proches. L'homme prononça alors son nom.

– Oui ? répondit-elle.

– Je dois vérifier le contenu de votre sac à main, dit-il en s'excusant.

Elle resta clouée sur place, puis comprit enfin de quoi il retournait.

– Oh !

Elle lui tendit son sac.

– Et moi, je dois vous fouiller, ajouta la fille avec un semblant de sourire.

Elle avait dans les dix-neuf, vingt ans, de longs cheveux d'un noir de jais et des lèvres pulpeuses. Elle était maquillée avec goût, mais de manière trop appuyée.

– S'il vous plaît, levez les bras.

Elle obéit sans réfléchir, sentit les mains expertes qui glissaient le long de son corps. Puis la fille recula.

– Je garde ça pour l'instant, dit le jeune homme en montrant son magnétophone. Veuillez nous suivre.

Dehors, la lumière était aveuglante. Devant elle, se trouvaient les jardins de la Compagnie[1], avec leurs pigeons, leurs écureuils et leurs fontaines. Ils l'escortèrent sans un mot jusqu'au salon de thé où deux Noirs d'un certain âge et au visage sévère se trouvaient assis.

Ils échangèrent un signe de tête, les deux hommes se levèrent, la fille invita Allison à prendre place.

– Ravie de vous avoir rencontrés, lança-t-elle avant qu'ils ne disparaissent.

1. Anciens jardins de la Compagnie des Indes. *(NdT.)*

Elle s'assit, son sac à main coincé sous le bras. Elle s'attendait presque à voir Pierce Brosnan en personne se pencher vers elle en lui disant : « Bond… James Bond. »

Elle patienta. Rien ne se passait. Des familles et des hommes d'affaires occupaient les autres tables. Lequel d'entre eux était Orlando Arendse ? Elle sortit ses cigarettes et en porta une à ses lèvres.

— Je vous en prie, fit une voix à côté d'elle.

Un briquet apparut. Elle leva les yeux. Il ressemblait à un maître d'école en costume fait sur mesure et portait une chemise bleue et un nœud papillon à pois rouges. Il avait les tempes grisonnantes, mais son visage très sombre et marqué disait une vie difficile.

Pendant qu'elle allumait sa cigarette, il prit la parole :

— Veuillez excuser la mise en scène. Mais nous devons prendre des précautions.

Il s'assit en face d'elle et ajouta :

— Rubens.

— Je vous demande pardon ?

— C'est un jeu, mademoiselle Healy, Rubens aurait fait votre portrait. J'adore Rubens.

— C'est celui qui aimait les femmes bien en chair.

Elle se sentit insultée.

— Non, rétorqua Arendse. C'est celui qui peignait des femmes parfaites.

Elle ne sut que dire.

— Monsieur Arendse…

Il tira la chaise en face d'elle.

— Vous pouvez m'appeler Orlando. Ou oncle Orlando. J'ai une fille de votre âge.

— Elle est aussi dans…

— Le trafic de drogue ? Non, mademoiselle Healy. Ma Julie travaille dans la pub, pour Ogilvie. L'année dernière, elle a gagné le prix Pendoring pour sa contribution à la campagne Golf Volkswagen.

Allison rougit profondément.

— Veuillez m'excuser. Je me suis méprise.

– Je sais. Vous prenez quoi ?

– Un thé, s'il vous plaît.

Il héla le serveur avec l'aisance de ceux qui sont habitués à donner des ordres. Il commanda un thé pour elle, un café pour lui.

– Une seule condition, mademoiselle Healy. Pas question de mentionner mon nom.

Elle leva les sourcils d'un air interrogateur.

– Si je me mets en avant dans le journal, je risque d'attirer l'attention de la SAPS, ajouta-t-il. Je ne peux pas me le permettre.

– Vous êtes vraiment un baron de la drogue ?

Il n'en avait ni l'allure ni le parler.

– J'ai toujours trouvé cette expression amusante. Baron de la drogue.

– En êtes-vous un ?

– À une époque de ma vie, quand j'étais jeune, j'aurais répondu à cette question en me justifiant longuement, mademoiselle Healy. Je vous aurais dit que je ne faisais que répondre au besoin d'évasion des gens. Que je n'étais rien d'autre qu'un homme d'affaires qui procure un produit très demandé. Mais, avec l'âge, on apprend à regarder la réalité en face. Je suis, entre autres, un fournisseur. J'importe et je distribue illégalement des substances prohibées. Je suis un parasite qui se nourrit de la faiblesse des hommes.

Il parlait d'une voix calme, sans regret, simple constatation des faits. Allison était sidérée.

– Mais pourquoi ?

Il sourit d'un air paternel devant une question aussi évidente.

– Disons que c'est la faute de l'apartheid, lui renvoya-t-il en riant doucement par-devers lui.

Puis il prit l'accent et les intonations des Cape Flats comme s'il parlait une autre langue.

– C'est l'occasion qui fait le larron, *mêrrim, djy vat wat djy kan kry, verstaa'djy*[1].

Elle hocha la tête d'un air songeur.

– Vous en auriez des histoires à raconter, dit-elle.

---

1. « On prend ce qu'on trouve, vous comprenez ? » *(NdT.)*

– Un jour, quand j'écrirai mes mémoires. Mais parlons de l'homme du moment, mademoiselle Healy. Que voulez-vous savoir sur P'tit Mpayipheli ?

Elle ouvrit son calepin. Elle lui rapporta la déclaration de la ministre, ses allégations au sujet d'un Mpayipheli, héros déchu qui aurait mis ses compétences au service du mal. Elle fut interrompue par l'arrivée du serveur. Arendse lui demanda si elle prenait du lait, le lui versa. Il en prit aussi, ajouta trois cuillerées de sucre et avala son café à petites gorgées.

– Les Renseignements sont venus me voir hier soir. Ils ont sorti le grand jeu, du style « on a le pouvoir et le droit... ». Il est intéressant de constater combien les choses semblent évoluer, alors qu'en réalité rien ne change. Au lieu de pourchasser les Nigérians qui sont en train de prendre la relève ici. Comment est-on censé vivre ? Pourtant, ça m'a donné à réfléchir, la nuit dernière et ce matin, pendant qu'on parlait de P'tit aux informations. J'ai beaucoup pensé à lui. Dans ma partie, on voit de tout. On apprend à reconnaître les gens pour ce qu'ils sont et non pour ce qu'ils essayent de vous faire croire. Et P'tit... J'ai su qu'il était différent dès le moment où il a passé ma porte. J'ai su qu'il ne resterait pas. Comme si son corps était là, mais pas son âme. Pendant des années, j'ai cru que ça venait du fait qu'il était xhosa dans un monde de métis, comme un poisson hors de l'eau. Mais, à présent, je sais que ce n'était pas le problème. Au fond de lui, il n'a jamais été un encaisseur. C'était un guerrier. Un combattant. Il y a trois cents ans, il aurait mené la charge contre ses ennemis, armé d'une lance et d'un bouclier, il aurait été celui qui atteint les lignes adverses quand ses camarades tombent autour de lui, celui qui continue à frapper jusqu'à ce qu'il n'y ait plus que sang, sueur et dévastation.

Il revint à la réalité.

– Je suis romantique dans l'âme, ma chère, je vous prie de m'excuser.

– Était-il violent ?

– *Ça, c'est une vraie question.* Qu'est-ce que ça veut dire « violent » ? Nous avons tous une certaine violence en nous, en tant qu'espèce. Elle bouillonne juste sous la surface comme un volcan. Ceux qui ont de la chance traversent la vie entière sans une éruption.

— Thobela Mpayiheli était-il plus enclin à la violence que la moyenne ?

— Qu'est-ce que vous essayez de prouver ? lui lança-t-il avec colère.

— Vous avez lu l'*Argus* d'aujourd'hui ?

— Oui. Ils disent que c'est un héros de la Lutte.

— Monsieur Arendse...

— Orlando.

— Orlando... les services de renseignements poursuivent cet homme à travers tout le pays. Si c'est un criminel violent, ça donne un tout autre éclairage à ce qu'ils font. Et à la façon dont ils le font. Le public a besoin de savoir.

Orlando Arendse grimaça, les rides de son visage se creusant profondément.

— C'est ça mon problème avec les médias, mademoiselle Healy. Vous voulez mettre les gens dans des cases. Vous n'avez que le temps et l'espace suffisants pour faire ça. Leur coller une étiquette. Mais on ne peut pas cataloguer les gens. On n'est pas bon ou mauvais. Il y a un peu des deux en chacun de nous. Non. Il y a beaucoup des deux en chacun d'entre nous.

— Mais nous ne devenons pas tous criminels ou violeurs.

— Je vous l'accorde.

Il prit un sucre et le fit tourner entre ses doigts.

— Il n'a jamais recherché la violence. Vous devez comprendre qu'il est immense. Un mètre quatre-vingt-quinze. Quand on est dealer aux Cape Flats et qu'on voit se pointer cet enfoiré de Noir gigantesque qui vous regarde droit dans les yeux, ça ne présage rien de bon. La violence, c'est bien la dernière chose qu'on a envie de provoquer. Il portait cette menace en lui.

— Y a-t-il eu recours parfois ?

— Mon Dieu, vous ne laisserez pas tomber tant que vous n'aurez pas la réponse, le sensationnel que vous cherchez.

Elle hocha la tête en signe de dénégation, mais il continua avant qu'elle ait pu protester.

— Oui, il a parfois eu recours à la violence. Vous vous attendiez à quoi dans ce genre de boulot ? Mais n'oubliez pas, il y était poussé. Avant que les Nigérians commencent à nous mettre des bâtons dans les roues, c'étaient les Russes qui essayaient de prendre le contrôle du marché. Et ils étaient racistes. P'tit en a expédié deux directement aux soins intensifs. Je n'étais pas là, mais les hommes me l'ont raconté, en murmurant avec des yeux écarquillés comme s'ils avaient vu quelque chose de surnaturel. Une violence terrifiante. Brute. Ce qui les a le plus impressionnés, c'est qu'il semblait y prendre plaisir. Comme s'il rayonnait.

Elle griffonnait dans son calepin à toute vitesse pour ne pas en perdre une miette.

— Mais si vous voulez le définir de cette manière, vous êtes dans l'erreur. Il y a une grande bonté en lui. Un hiver particulièrement rigoureux, on se trouvait en ville tard le soir, de l'autre côté de Strand Street dans le quartier des prostituées, pour collecter l'argent de l'assurance. Il regardait les gamins sans-abri. Il a traversé la rue, les a rassemblés, il devait y en avoir vingt ou trente, et les a emmenés au Spur Steakhouse. Il a annoncé à la direction que c'était leur anniversaire, qu'on devait leur servir à manger avec une boisson gazeuse et que les serveurs devaient leur chanter « Joyeux anniversaire : c'était une petite fête en votre honneur ».

Elle leva les yeux de son bloc-notes.

— Il a fait un choix à cette époque. Il est venu travailler pour vous. Je n'arrive pas à comprendre pourquoi un vétéran du MK pourrait vouloir travailler pour un gros bonnet de la drogue.

— Parce que vous n'avez jamais été un vétéran du MK au chômage dans la nouvelle Afrique du Sud.

— Touché.

— Quand vous avez voué votre vie à la Lutte et que vous avez gagné, vous escomptez une certaine reconnaissance. C'est humain, ça semble naturel comme attente. La liberté est une récompense éphémère. On ne la tient pas dans la main. Un matin, on se réveille et on est libre. Mais votre *township* est toujours un ghetto, vous êtes toujours aussi pauvre, les gens de votre peuple supportent toujours les mêmes fardeaux. La liberté ne nourrit pas son homme. On ne peut pas acheter une maison ou une voiture avec.

Il avala une grande gorgée de café.

– Madiba était notre Moïse et il nous a emmenés jusqu'à la Terre promise, mais il n'y avait ni lait ni miel.

Il reposa sa tasse.

– Ou quelque chose dans ce goût-là. (Il sourit gentiment). Je ne sais pas quoi vous dire. Vous cherchez le véritable P'tit et je ne crois pas que quiconque sache qui il est. Tout ce que je peux affirmer, c'est que durant les années où il a travaillé pour moi, il n'a jamais été en retard, n'a jamais été malade ; il ne buvait pas et n'a jamais touché à la drogue. Les femmes ? P'tit est un homme. Il a des besoins. Et les filles en étaient dingues, les jeunes – dix-sept, dix-huit ans – lui couraient après, le poursuivaient ouvertement. Mais il n'y a jamais eu le moindre problème. Son corps était à ce qu'il faisait, mais pas son esprit, j'en suis certain.

Orlando Arendse hocha la tête à ces souvenirs.

– Que je vous raconte l'histoire des Français. Un jour qu'on se baladait en ville, le long de Saint-George, on tombe sur ces touristes, des Français, une carte à la main, paumés. Ils m'interpellent dans leur mauvais anglais et me disent qu'ils cherchent un endroit. Et voilà que d'un coup, l'immense P'tit se met à bavarder en français, d'une façon incroyable. Là, sous mes yeux, il était devenu quelqu'un d'autre, avec un corps différent, un regard différent, une autre langue, un autre pays. Soudain, il était vivant, son corps et son esprit enfin réunis, il était vivant.

Il rit à ce souvenir.

– Vous auriez dû voir la tête des touristes, ils l'ont presque pris dans leurs bras, ils jacassaient comme des pies. Et quand on s'est éloignés, je lui ai demandé de quoi il s'agissait. Et il m'a répondu : « Ma vie antérieure ». C'est tout, « ma vie antérieure », mais il l'a dit avec une nostalgie dont je me souviens encore. C'est là que je me suis rendu compte que je ne le connaissais pas. Que je ne le connaîtrais jamais. Encore un peu de thé ?

– S'il vous plaît, dit-elle, et il la resservit. Quand vous a-t-il quitté ?

Orlando Arendse finit son café.

– P'tit et moi... on se respectait. On se regardait dans les yeux et, croyez-moi, ça n'arrive pas souvent dans mon métier. Ce respect venait en partie du fait qu'on savait tous deux que ça arriverait un jour.

– Pourquoi est-il parti ?

– Pourquoi ? Parce que l'heure était venue, c'est sûrement la réponse la plus simple, mais pas l'entière vérité. En fait, je l'ai prêté à quelqu'un juste avant qu'il ne démissionne[1]. Une longue histoire. Appelons ça les affaires, une transaction. Il y a eu de la bagarre, des coups de feu. P'tit a atterri à l'hôpital. Quand il en est sorti, il a dit que c'était terminé pour lui.

– Prêté ?

– J'ai juré sur l'honneur de ne rien dire, ma chère. Il faudra demander à Van Heerden.

– Van Heerden ?

– Zatopek Van Heerden. Ancien policier, ancien détective privé, maintenant je crois qu'il enseigne la psychologie à l'Université.

– L'université du Cap ?

– Les voies du Seigneur sont impénétrables, *verstaa'djy,* lui renvoya-t-il avec un clin d'œil, et il fit signe au serveur d'apporter l'addition.

Vincent Radebe referma la porte de la salle d'interrogatoire derrière lui. Miriam Nzululwazi se tenait devant le miroir sans tain et fronçait les sourcils d'un air inquiet.

– Quand est-ce que je pourrai rentrer chez moi ? demanda-t-elle en xhosa.

– Pourquoi ne vous asseyez-vous pas, ma sœur ?

Voix douce, bienveillante, sérieuse.

– Pas de *ma sœur* avec moi.

– Je comprends.

– Vous ne comprenez rien. Qu'est-ce que j'ai fait ? Pourquoi me retenez-vous ici ?

– Pour vous protéger, vous et Thobela.

1. Cf. *Les Soldats de l'aube,* publié dans cette même collection. *(NdT.)*

– Vous mentez. Vous êtes noir et vous mentez aux gens de votre peuple.

Radebe s'assit.

– Je vous en prie, madame, discutons. Je vous en prie.

Elle lui tourna le dos.

– Madame, de tous les gens qui sont ici, je dois être le seul à penser que Thobela est un homme bon. Je crois avoir compris ce qui s'est passé. Je suis de votre côté. Il doit bien y avoir un moyen pour que vous acceptiez de me croire.

– Il y en a un. Laissez-moi partir. Je vais perdre mon travail. Je dois m'occuper de mon fils. Je ne suis pas une criminelle. Je n'ai jamais fait de mal à personne. Laissez-moi partir.

– Vous ne perdrez pas votre travail. Je vous le promets.

– Et comment allez-vous faire ?

– Je parlerai aux banquiers. Je leur expliquerai.

Elle se retourna.

– Et pourquoi je vous croirais ?

– Je vous l'ai dit. Je suis de votre côté.

– C'est exactement ce que cette Blanche m'a dit.

Mentz avait raison, pensa-t-il. Ce n'était pas facile. Il avait proposé de venir lui parler. Ça le mettait mal à l'aise de la savoir ici, prisonnière. Il était avec elle en pensée, il compatissait, mais le mal était déjà fait. Le silence envahit la pièce.

Elle lui offrit une échappatoire.

– Qu'est-ce que je peux vous dire ? Qu'est-ce que je peux faire pour que vous me laissiez partir ?

– Deux choses. Ce matin, vous avez parlé aux journalistes…

– Qu'est-ce que vous espériez ? Ils viennent à mon travail. Eux aussi, ils disent qu'ils sont de mon côté.

– Ce n'est pas vrai. C'est juste risqué. Ils écrivent n'importe quoi. Nous…

– Vous avez peur qu'ils écrivent la vérité.

Il lutta contre sa frustration, essaya de rester calme.

– Madame, Thobela Mpayipheli se trouve on ne sait où avec des informations que certaines personnes désirent ardemment. Quelques-unes sont prêtes à tout pour l'arrêter. Plus les journaux en parlent, plus ils tenteront des choses dangereuses. C'est ce que vous voulez ?

— Je ne leur parlerai plus. Ça vous va ?

— Oui, ça me va.

— Quoi d'autre ?

— Nous devons savoir pourquoi il ne s'est pas encore rendu.

— Ça, il faudra le lui demander vous-même.

Parce que si tout était bien comme ils le lui avaient expliqué, elle ne saisissait pas non plus.

— Nous aimerions beaucoup. Nous espérions que vous nous aideriez à lui faire comprendre...

— Et comment je pourrais ? Je ne sais pas ce qu'il a dans la tête. Je ne sais pas ce qui s'est passé.

— Mais vous le connaissez.

— Il voulait aider un ami, c'est tout ce que je sais.

— Qu'a-t-il dit avant de partir ?

— Je l'ai déjà raconté au métis qui est venu chez moi. Pourquoi est-ce que je dois le répéter ? Il n'y a rien d'autre à dire. Rien. Je resterai tranquille, je ne parlerai à personne, je vous le jure, mais vous devez me relâcher tout de suite.

Il vit qu'elle était à deux doigts de craquer, il savait qu'elle disait vrai. Il avait envie de tendre la main pour la réconforter. Il sentait aussi qu'elle ne le tolérerait pas. Il se leva.

— Vous avez raison, madame. Je vais m'en occuper.

XXIV

Il avait besoin d'étendre les jambes, les crampes n'étaient pas loin et son épaule l'élançait douloureusement. La cachette sous la bâche était trop étroite à présent, trop étouffante et poussiéreuse. Il ne supportait plus les trépidations du camion sur les pistes, combien leur restait-il encore à parcourir, il avait besoin d'air, de sortir, ils n'allaient pas assez vite, les heures s'étiolaient dans le ronronnement monotone du Chevrolet. Chaque fois que Koos Kok ralentissait, il croyait être arrivé, mais ce n'était qu'un virage de plus, qu'un énième embranchement. Il n'en pouvait plus d'impatience et d'inconfort quand, tout à coup, le Griqua s'arrêta et souleva la toile d'un geste théâtral :

— La voie est libre, Xhosa, *laat jou voete raas*[1].

Il fut aveuglé par le brusque soleil de midi. Il se redressa avec raideur, donnant à ses yeux le temps de se réhabituer. Le paysage avait changé, ressemblait moins au Karoo. Il vit des prairies, des collines, une ville au loin.

— Philipstown, dit Koos Kok en suivant son regard.

La route s'étirait devant eux, droit au nord.

Ils sortirent avec difficulté la GS du camion en confectionnant une rampe à l'aide de deux planches qui s'incurvèrent profondément sous son poids, mais ils eurent moins de mal que lors du chargement. Ils se hâtaient, inquiets de la circulation éventuelle.

---

1. Littéralement : « Que tes pieds la frappent ». *(NdT.)*

– Il faut attendre le crépuscule, dit Koos Kok.

– Pas le temps.

La GS était posée sur sa béquille. Thobela enfila sa combinaison, ouvrit le sac de sport et compta quelques billets qu'il tendit à Koos Kok.

– Je ne veux pas de ton argent. Tu as déjà payé l'essence.

– Je te dois bien ça.

– Tu ne me dois rien. Tu m'as offert la musique.

– Quelle musique ?

– Je vais écrire une chanson sur toi.

– C'est pour ça que tu m'as aidé ?

– Si on veut.

– Si on veut ?

– On a un choix dans la vie, Xhosa. Être une victime. Ou pas.

À peine si l'on discernait son sourire.

– Oh !

– Un jour, tu comprendras.

Il hésita un moment et remit l'argent dans sa poche de poitrine.

– Prends ça pour la fatigue, ajouta-t-il en lui tendant 200 rands.

– Bon vent, Xhosa.

– Porte-toi bien, Griqua.

Ils se faisaient face, mal à l'aise. Enfin il serra la main de Koos Kok.

– Merci.

Le Griqua lui rendit sa poignée de main et lui renvoya un grand sourire édenté.

Il rangea le sac dans la sacoche latérale, enfila ses gants et enfourcha la moto. Appuya sur le démarreur. La GS toussa une seconde avant de ronronner, il leva la main en signe d'adieu et se mit en route, accélérant doucement pour laisser chauffer le moteur. Il se sentait bien, à sa place, enfin il avait de nouveau les choses en main. La route défilait, quatrième, cinquième, sixième, 140 km/h, il se repositionna, trouva la bonne inclinaison, une grande partie du torse à l'abri du pare-brise, se pencha légèrement en avant et laissa l'aiguille grimper au compteur. Puis il jeta un coup d'œil dans le rétroviseur et s'aperçut que Koos Kok et le El Camino n'étaient déjà plus que deux petits points sur la route.

L'horloge numérique indiquait 15:06. Il fit quelques calculs, visualisa le trajet dans sa tête, deux cents kilomètres de bitume jusqu'à Petrusburg – c'était la partie la plus dangereuse, en plein jour sur la R48 –, mais la route était tranquille. Il serait à Petrusburg vers quatre heures trente, cinq heures. Il referait le plein là-bas et, s'il se faisait repérer, il lui resterait toujours le réseau de pistes en direction du nord, il y en avait trop pour qu'ils puissent les surveiller toutes et il aurait le choix, passer par Dealesville ou Boshoff, les options étaient infinies. D'ici là, il ferait noir et, si tout se passait bien, il traverserait la frontière à Mafikeng avant minuit. Une fois de l'autre côté, il serait loin, à l'abri et téléphonerait à Miriam de Lobatse pour lui dire qu'il allait bien, malgré tout ce qu'on racontait à la radio.

Mais d'abord, il lui fallait dépasser Petrusville et traverser l'Orange River.

S'ils dressaient un barrage, ce serait près de la Grande Rivière, comme l'appelait Koos Kok. Près du pont. D'après la carte, il n'existait aucune autre possibilité, à moins de tenter sa chance en Orania[1].

L'idée le fit sourire.

Drôle de pays.

Que penseraient les Boers d'Orania s'il s'arrêtait dans un nuage de poussière en disant :

– Je m'appelle Thobela Mpayipheli, les gars, et le gouvernement rêve de me mettre la main dessus.

Est-ce que ce serait du genre « Si tu es contre le gouvernement, tu es avec nous » ? Probablement pas.

Il doubla un poids-lourd chargé de moutons, ralentit en mettant son clignotant comme n'importe quel citoyen obéissant, accéléra de nouveau en inclinant la moto dans les virages qui zigzaguaient entre les collines, conscient de la beauté du paysage. Pays magnifique que celui-là. Coloré. C'était ça, la différence, la grande différence entre ce paysage-ci et le Karoo. Plus de couleur,

1. Enclave afrikaner dans la province Nord du Cap. *(NdT.)*

comme si la palette de Dieu ne cessait de s'élargir au fur et à mesure qu'on se rapprochait du sud. Ici, le vert était plus vert, les crêtes plus foncées, l'herbe plus jaune, le ciel plus bleu.

C'était la couleur qui avait foutu la merde dans ce pays. La différence de couleur.

La route redevint rectiligne, ruban noir qui s'étirait à travers la prairie et les broussailles d'épineux. Les cumulus défilaient à la queue leu leu dans les cieux, telle une armée en marche. Il contemplait le visage de l'Afrique. Indubitablement.

Zatopek Van Heerden soutenait que le problème n'était pas la couleur, mais les gènes. Van Heerden s'y connaissait en gènes. Les gènes avaient poussé les Boers d'Orania à former le *laager*[1] pour se défendre. D'après Van Heerden, le racisme faisait partie intégrante de la nature humaine, était l'expression du désir de protéger ses propres gènes, de rechercher les siens pour perpétuer la lignée.

Thobela s'était élevé contre cette philosophie. Elle était vide de sens, trop accablante, simpliste.

— Donc, je peux faire ce que je veux et hausser les épaules en disant : « C'est les gènes » ?

— Il faut faire la différence entre programmation génétique et morale, Thobela.

— Je ne comprends pas ce que ça signifie.

Van Heerden avait courbé les épaules comme si le poids de la connaissance était trop lourd à porter.

— Il n'y a pas moyen de l'expliquer simplement.

— C'est souvent comme ça avec les pires conneries.

Il avait ri.

— T'as sacrément raison. Mais pas là. Le problème, c'est que la plupart des gens refusent les vérités universelles. Tu devrais les voir s'empoigner dans le courrier des lecteurs du *Burger* à propos d'évolution. Et pas seulement chez nous. En Amérique, on n'a pas le droit d'enseigner la théorie de l'évolution à l'école.

---

1. Cercle que formaient les pionniers avec leurs chariots pour se défendre contre les attaques. *(NdT.)*

Au XXIe siècle ! L'évidence saute aux yeux et, pourtant, ils résistent jusqu'au bout.

Van Heerden affirmait que la première étape, c'était d'admettre la théorie de l'évolution. Les gens sont le résultat d'une sélection naturelle, corps, esprit et comportement. Ils sont programmés. Pour une seule chose : la survie de l'espèce. La préservation du pool génétique. L'homme blanc avait fait de son mieux pour le convaincre, lui assenant un argument après l'autre, mais bien qu'il ait fini par reconnaître qu'il y avait du vrai dans ce que disait Zatopek, il n'avait pu admettre que c'était là l'entière vérité. Il le savait, il le sentait au plus profond de lui. Et Dieu dans tout ça, et l'amour, et toutes ces choses étranges et merveilleuses dont les gens sont capables, tout ce que nous faisons, vivons, pensons ?

Van Heerden avait évacué tout ça d'un geste de la main :

– Laisse tomber.

Alors il lui avait rétorqué :

– Tu sais quoi, p'tit Blanc ? Pour moi, c'est le Nouvel Alibi. Toutes les grandes calamités de ce monde ont été perpétrées au nom d'un alibi. La christianisation, le colonialisme, la doctrine du Herrenvolk[1], le communisme, l'apartheid, la démocratie et, à présent, l'évolution. Où est-ce la faute des gènes ? Des prétextes, une justification de plus pour faire ce qu'on veut. J'en ai marre de tout ça. J'en ai terminé. Je suis fatigué de mes propres excuses et de celles des autres. Dorénavant, j'assume la responsabilité de mes actes. Sans me défiler. J'ai le choix, tu as le choix. On peut décider de sa vie. C'est tout. C'est le seul choix qui nous reste. Terminé, les excuses. Soit tu vis comme il faut, soit tu vas te faire voir.

Il s'exprimait avec ferveur et conviction. Il parlait fort et des têtes s'étaient retournées sur lui dans le café où ils étaient assis, mais il s'en fichait. Et maintenant, dans ce coin désolé d'Afrique, lancé à 160 km/h, il sut qu'il avait raison et comprit avec allégresse ce qui lui restait à faire. Pas seulement pour l'histoire du sac, mais après. Mener une vie responsable, prouver que si on veut changer les choses, il faut commencer là, en soi-même.

---

1. Doctrine qui fait référence à la doctrine nazie d'un « peuple de maîtres » et sur laquelle a été fondé l'apartheid. *(NdT.)*

— Madame, laissez-la partir.

Vincent Radebe était assis à côté de Janina et parlait d'une voix douce afin de couper court à tout conflit éventuel. Il savait qu'elle l'avait à l'œil, qu'elle doutait de son opinion et de son soutien. Mais il devait faire ce qu'il avait à faire.

Elle était assise à la grande table devant son ordinateur. Elle finit de taper ce qu'elle avait en cours sans se retourner.

— Salut, Vincent.

— Elle ne sait rien. Elle ne peut rien nous apporter, dit-il.

— Mais elle peut faire des dégâts.

— Madame, elle a compris qu'elle ne devait plus parler aux journalistes.

Janina posa sa main sur le bras de Vincent avec compassion.

— C'est bien de vous avoir dans l'équipe, Vincent. Vous y apportez un équilibre. Je respecte et j'apprécie votre contribution. Et votre honnêteté.

Il ne s'attendait pas à ça.

— Puis-je aller le lui dire ?

— Imaginez un peu le scénario. On dépose Mme Nzululwazi chez elle. Elle récupère son fils et un photographe du *Cape Times* les prend main dans la main devant leur petite maison. Le cliché fait la une dès demain matin. Avec la légende : « Une mère et son fils attendent dans l'angoisse le retour du fugitif »... ou un truc dans ce goût-là. Pensez-y. Est-ce qu'on a besoin de ça ? Au moment où la ministre essaie d'expliquer aux médias qui est vraiment Mpayipheli ? Elle a déjà fait des dégâts. Vous avez entendu le journaliste à la radio. « Sa concubine affirme que c'est un homme bon. »

Il comprenait ce qu'elle voulait dire.

— De toute façon, Vincent, qu'est-ce qui vous prouve qu'elle ne fera pas de nouvelles déclarations ? Qu'est-ce qui arrivera quand ils sortiront le chéquier ?

— Je ne la vois pas comme ça, rétorqua-t-il.

Elle acquiesça d'un air pensif.

– Vous êtes peut-être mieux placé pour prendre cette décision, Vincent.

– Je vous demande pardon ?

– La décision vous appartient.

– Vous voulez dire que c'est à moi de décider si on la relâche ou non ?

– Oui, Vincent, uniquement à vous. Mais vous devrez en assumer la responsabilité. Et les conséquences.

Il essaya de deviner ce qu'elle avait en tête, soudain sur ses gardes.

– Il va falloir que j'y réfléchisse, dit-il.

– C'est ce que vous avez de mieux à faire.

Il ralentit en voyant Petrusville. Il avait espéré que la route contournerait la ville, mais elle la coupait en plein milieu. Koos Kok avait raison, il aurait mieux valu rouler la nuit, mais il était trop tard, il devait faire face. Il vérifia le niveau d'essence, il restait plus de la moitié du réservoir. Le compteur à 60, il pénétra en ville, bâtiments d'un étage ou deux, panneaux publicitaires décolorés par le soleil, architecture désuète. Du coin de l'œil, il voyait les visages du quartier noir qui se tournaient vers lui et le dévisageaient. Dieu merci, il était incolore, sans identité, sous le casque. Il s'arrêta à un carrefour. Une voiture s'immobilisa à côté de lui, conduite par une grosse femme d'une quarantaine d'années. Elle les examina tout à tour, la moto et lui. Il regarda droit devant, atrocement conscient de l'attention soutenue qu'il provoquait. Puis il démarra. L'activité était réduite au cœur de l'après-midi étouffant et assoupi. Des piétons. Des voitures, des pick-up, des vélos. Il tendait l'oreille, à l'affût du moindre signal d'alarme, le dos crispé comme dans l'attente d'une balle. Il maintenait la vitesse à 60 en essayant de se faire discret, invisible, toutes choses impossibles sur cette machine. Il dépassa les habitations. Des enfants au bord de la route le montrèrent du doigt. L'avaient-ils reconnu ou était-ce la moto ? Il sortit de la ville. Il pouvait de nouveau rouler à 120. Il accéléra lentement, en hésitant, un œil sur le rétroviseur.

Rien.

Était-ce possible ?

Une voiture au bord de la route. Des Blancs sous un acacia, un Thermos de café sur une table en ciment. Ils lui firent signe. Il leva la main gauche.

Une indication pour le barrage de Vanderkloof sur la droite. Il continua tout droit.

Quelque part devant lui se trouvait l'embranchement de Luckhoff – et le pont sur l'Orange.

C'était sûrement là que les choses allaient se gâter.

À quatorze kilomètres au sud de Koffiefontein, le policier de la route de l'État libre était assis devant son radar.

– Département de psychologie, répondit la femme au bout du fil.

– Bonjour. Pourrais-je parler à M. Van Heerden ?

– Vous voulez dire le Dr Van Heerden ?

– Oh ! Zatopek Van Heerden ?

– Malheureusement, le Dr Van Heerden est absent. Puis-je prendre un message ?

– Je suis Allison Healy, du *Cape Times*. Savez-vous comment je pourrais le joindre ?

– Je ne suis pas autorisée à vous communiquer son numéro personnel.

– A-t-il un portable ?

La femme éclata de rire.

– Le Dr Van Heerden n'est pas un adepte du téléphone portable, j'en ai peur.

– Puis-je laisser mon numéro ? Me rappellera-t-il ?

– Il sera là demain matin.

D'après la carte, le pont devait se trouver à moins de deux kilomètres.

Une Volkswagen Kombi arrivait. Il observa le chauffeur, cherchant le moindre signe de barrage, de représentants de la loi ou de soldats.

Rien.

Il voyait la ligne verte de la rivière qui délimitait le passage juste devant lui, mais tout semblait parfaitement calme.

Était-il assez à l'est ? Était-ce pour ça qu'il n'y avait personne ?

La route se rétrécit et le pont apparut, avec ses deux garde-fous blancs et sa double voie, libre de tout obstacle.

Il accéléra, abandonnant derrière lui la province septentrionale. Il regarda le courant sombre et puissant, le soleil de midi qui se réverbérait en étincelant à la surface de l'onde. On avait dû ouvrir les vannes. Sans doute à cause de l'orage. Il traversa le pont, l'Orange River.

Il était dans l'État libre.

Le soulagement l'envahit. Ils s'étaient plantés.

Qu'est-ce que...

Il leva brusquement la tête en essayant d'apercevoir les hélicoptères, tendit l'oreille pour entendre leur grondement par-dessus le bruit de la moto.

Rien.

Le voyage en camion l'avait-il fait passer à travers les mailles du filet ?

Peu importe. Il avait l'initiative à présent. Il avait l'avantage et de l'avance.

Il devait en profiter.

Il utilisa le couple moteur à bon escient, sentit la puissance passer dans la roue arrière, le guidon s'alléger.

Il eut envie de rire.

Sacrée machine allemande.

À quatorze kilomètres de Koffiefontein, le policier de la route de l'État libre était en train de lire.

La voiture de patrouille blanche était dissimulée derrière les acacias qui poussaient le long de la rivière à sec et il avait installé sa chaise pliante de façon à pouvoir lire les relevés du radar tout en surveillant la route qui s'étirait vers le sud. Son livre était posé en équilibre sur ses genoux.

Journée ordinaire jusque-là. Deux taxis collectifs pour excès de vitesse, trois poids lourds du Gauteng pour des infractions mineures. Ils croyaient qu'en entrant de ce côté et en évitant les routes principales, ils pouvaient être en surcharge ou filer avec des pneus en mauvais état, mais ils se trompaient. Non qu'il fît preuve d'un zèle excessif. Il aimait son travail, en particulier lorsque cela lui permettait de s'asseoir à l'ombre d'un acacia par un jour d'été parfait et de lire Ed McBain en écoutant les oiseaux. Mais lorsqu'il s'agissait d'appliquer le règlement, il se montrait sans doute un peu plus strict avec les véhicules des autres provinces.

Il avait intercepté plusieurs fermiers dans leurs pick-up. L'un d'entre eux n'avait pas son permis sur lui, mais c'était dur de mettre un PV à ces gens-là, ils étaient influents. Il se contentait de leur donner un avertissement.

Deux touristes, des Danois, s'étaient arrêtés pour demander leur chemin.

Journée ordinaire.

Il jeta encore un coup d'œil à sa montre. À cinq heures moins le quart, il commencerait à rembobiner les câbles du radar. Pas une minute plus tard.

Il regarda la route. Pas de circulation. Ses yeux revinrent au livre. Certains de ses collègues écoutaient la radio. Lorsqu'ils se retrouvaient en faction à deux, ils passaient la journée à se raconter des âneries. Il préférait être seul.

Seul, avec Ed McBain et ses personnages, Caralla et Hawes et le grand flic noir, Brown, et Oliver Weeks et leurs petites affaires.

Journée ordinaire.

XXV

Tout arriva en même temps.

Le directeur entra dans le centre opérationnel, au grand ébahissement de tout un chacun, le téléphone portable de Janina Mentz sonna et Quinn, les écouteurs sur les oreilles, sursauta brusquement en faisant des gestes désespérés pour attirer son attention.

Elle prit l'appel car elle avait vu qui était au bout du fil sur le minuscule écran.

— C'est Tiger, dit Mazibuko. Je suis réveillé.

— Capitaine, je vous rappelle tout de suite, répondit-elle avant de couper.

— Qu'est-ce que vous avez, Rudewaan ? demanda-t-elle à Quinn.

— Le numéro de téléphone de Johnny Kleintjes. On l'a transféré ici.

— Et alors ?

— Ça sonne. Sans arrêt. Ça rappelle constamment.

— Où est Monica Kleintjes ? Amenez-la-moi.

— Dans mon bureau. Doit-elle répondre ?

Question posée avec nervosité : le directeur était dans le secteur, lui, le grand chef qu'on ne voyait pratiquement jamais. Ils ne pouvaient pas se permettre de foirer maintenant.

La voix de Mentz se fit rassurante.

— Ce n'est peut-être rien. Peut-être les journalistes. Même s'il s'agit des gens de Lusaka... à présent, ils doivent savoir qu'il se passe des trucs... avec tout ce battage médiatique.

Quinn fit signe à un de ses agents d'aller chercher Monica Kleintjes.

Mentz se tourna vers le directeur et se leva.

— Bonjour, monsieur.

— Bonjour, tout le monde, répondit le petit Zoulou en souriant comme un politicien un jour d'élection. Restez assise, Janina. Je sais que vous êtes occupée.

Il s'approcha d'elle.

— J'ai un message de la ministre. Alors je me suis dit que j'allais descendre. Pour vous montrer que je suis de tout cœur avec vous.

— Merci, monsieur. Nous vous en sommes reconnaissants.

— La ministre a demandé à la Défense de retrouver des gens qui auraient travaillé avec Mpayipheli dans le bon vieux temps et qui, dirons-nous, n'en auraient pas gardé que des souvenirs agréables.

— C'est une femme qui va de l'avant.

— Effectivement, Janina.

— Et… elle en a trouvé ?

— Oui. Un général de brigade de Pretoria. Lucas Morape. Ils ont suivi le même entraînement en Russie et il décrit notre fugitif comme un, je cite, «foureur de merde agressif, peut-être même psychopathe, qui posait constamment problème à ses camarades et au Mouvement ».

— Ce sont de bonnes nouvelles, monsieur. D'un point de vue relations publiques, bien entendu.

— C'est ça. Dans l'après-midi, le général va faire une petite déclaration aux médias.

Il se prépara à partir.

— C'est tout ce que j'ai pour le moment, Janina. Je ne vous dérange pas plus longtemps.

— J'apprécie vraiment, monsieur. Mais puis-je vous demander une autre faveur ? Pourriez-vous annoncer vous-même la nouvelle à Radebe ?

— Serait-il quelque peu sceptique, Janina ?

— On peut dire ça, monsieur.

Le directeur se dirigea vers Radebe, assis devant les écrans télé. Mentz se concentra sur son portable. On entendit Mazibuko dans les haut-parleurs.

— Vous devez savoir qu'on travaille avec une bande d'abrutis ici, lâcha Tiger Mazibuko.

— Comment ça ?

— Nom de Dieu ! laissa-t-il échapper. Des ego démesurés, des rivalités politiques à tour de bras. L'État libre veut être aux commandes et la province Nord aussi. Ils n'ont même pas assez de radios pour tous les barrages et Groblershoop n'est pas couvert parce que les camions sont tombés en panne.

— Calmez-vous, Tiger. Où êtes-vous ?

— À l'école de défense anti-aérienne. Kimberley.

— Les Rooivalk aussi ?

— Oui. Ils sont bien alignés et ils attendent, comme mes hommes.

— Tiger, d'après mes informations, le commandement de l'État libre couvre la N8 de Bloemfontein à Perdeberg, et la province Nord est responsable du reste, jusqu'à Groblershoop. Avec l'aide de la police.

— Théoriquement.

— Que voulez-vous dire par « théoriquement » ?

— Dans l'État libre, tout a l'air de fonctionner, ils ont quatorze barrages et les choses paraissent en ordre sur la carte. Mais entre ici et Groblershoop, il y a à peu près vingt routes qui coupent la N8. Le petit colonel du coin dit qu'ils n'en ont barré que seize et quatre de leurs subordonnés n'ont toujours pas donné signe de vie parce qu'ils n'ont pas encore reçu les radios ou qu'elles ne marchent pas.

— Vous incluez la police là-dedans ?

— La police a son propre réseau. La coordination est à chier.

— On pouvait s'y attendre, Tiger. Cette histoire leur est tombée dessus par surprise.

— Ils vont laisser filer ce salaud, madame.

— Capitaine…

— Désolé.

Elle vit Monica Kleintjes arriver en boitant fortement, suivie de l'assistant de Quinn.

— Je vais voir ce que je peux faire, Tiger, je vous rappelle.

Elle se leva et s'approcha de Quinn.

— Ça sonne toujours ?

— Pas pour l'instant.

— Comment vous sentez-vous, Monica ?

— J'ai peur.

— Il ne faut pas. Nos agents sont déjà à Lusaka et nous allons régler ce problème.

La jeune métisse la regarda avec des yeux pleins d'espoir.

— Si c'est les médias, répondez-leur que vous ne savez pas de quoi ils parlent. Si ce sont des gens de Lusaka, dites-leur la vérité. À une exception près, faites-leur croire que vous êtes chez vous. Ne leur dites pas que nous vous avons amenée ici. Compris ?

— Je dis que j'ai donné le disque dur à P'tit ?

— L'entière vérité. Expliquez-leur pourquoi vous le lui avez donné, à quel moment, tout. S'ils vous demandent si c'est l'homme dont les médias parlent tant, dites « oui ». Tenez-vous-en à la vérité. S'ils demandent si nous vous avons contactée, dites « oui », dites qu'un homme est venu vous poser des questions. Avouez que vous lui avez tout raconté. S'ils vous demandent comment nous avons été mis au courant, dites-leur que vous suspectez votre ligne téléphonique d'être sur écoute. Tenez-vous-en à la vérité. Simplement, ne leur dites pas où vous êtes.

— Mais mon père…

— Ils veulent les informations, Monica. N'oubliez jamais ça. Tant que c'est le cas, votre père ne risque rien. En plus, nos équipes sont à Lusaka. Nous avons les choses en main.

Monica écarquilla les yeux, mais acquiesça.

Quelle différence avec son père, pensa Janina. Elle n'a rien hérité de la force tranquille de Johnny Kleintjes. Peut-être cela jouera-t-il en notre faveur.

— Madame, dit Rahjev Rajkumar. Quelque chose se prépare.

Elle vit l'Indien taper d'un doigt boudiné sur l'écran d'un de ses assistants.

— J'arrive, dit-elle. Quinn, laissez Monica répondre s'ils rappellent.

— Très bien, madame.

Elle se dirigea vers Rajkumar et vit le directeur et Radebe en grande conversation devant la console radio. Ce dernier agitait fiévreusement les mains en s'adressant au directeur, petit et sans défense devant un tel assaut, mais elle n'entendait pas un traître mot de ce qui se disait. Qu'il se rende compte par lui-même à qui elle avait affaire. Qu'il comprenne combien on lui sapait le travail. Ainsi, il n'y aurait pas de vagues lorsqu'elle transférerait Vincent Radebe à un poste moins important.

L'Indien déplaça sa masse imposante pour lui faire de la place. Le site des motards BMW emplissait l'écran.

— Regardez ça, lança-t-il. On ne les a pas lâchés de tout l'après-midi.

Elle lut. Des messages, sans discontinuer.

Ça va être vachement mieux que le rassemblement annuel. On est quatre, on part à treize heures. Rendez-vous à Kimberley.

John S, Johannesburg.

Je pars maintenant, je prends la N3 jusqu'à Bethlehem et, après, direction Bloemfontein et Kimberley. J'ai une K 1200 RS rouge. Si quelqu'un a envie de m'accompagner, y'a qu'à suivre. À condition de pouvoir, bien entendu.

Peter Strauss, Durban.

On se voit à Pietermaritzburg, Peter. On a deux R 1150, une F 650 et une RT toute neuve.

Dasher, PM.

On est trois avec des 1150 GS, comme le méchant malabar. Rendez-vous au Big Hole, on vous garde les bières au frais, c'est pas loin pour nous.

Johan Wasserman, Klerksdorp.

— Combien ? demanda Janina.

— Vingt-deux messages, répondit l'assistant de Rajkumar. Plus de soixante-dix motards qui sont en route.

— Ça ne m'inquiète pas.

Rajkumar et son assistant la regardèrent d'un air interrogateur.

— Ce sont juste des types qui cherchent un prétexte pour boire un coup, ajouta-t-elle. Soixante-dix ? Que peuvent-ils faire ? Renverser le commandement de la province Nord avec leurs scooters ?

— Département de psychologie.

— C'est encore Allison Healy, du *Cape Times*. Je me demandais...

— Je vous ai dit que le Dr Van Heerden serait là demain.

— C'est exact. Mais je me demandais si vous pourriez l'appeler chez lui pour lui expliquer que ça concerne Thobela Mpayipheli.

— Qui ?

— Thobela Mpayipheli. Le Dr Van Heerden le connaît bien. Cet homme a des ennuis et si vous vouliez bien l'appeler pour le prévenir, je peux vous laisser mon numéro.

— Le Dr Van Heerden n'aime pas être dérangé chez lui.

— Je vous en prie.

Silence. Puis un énorme soupir.

— Quel est votre numéro ?

Elle le donna.

— Et votre nom, déjà ?

Les membres de l'Unité de réaction étaient assis de-ci, de-là entre les véhicules et les caisses, au gré des acacias ombragés qui bordaient le terrain de manœuvres rouge et blanc de l'école de défense anti-aérienne grillé par le soleil. Les arbres leur procuraient une protection tournante contre l'astre impitoyable et les 34 degrés de chaleur qui les écrasaient. On avait monté deux tentes, juste les toits, comme deux énormes parasols. Les hommes

avaient tombé la chemise, les torses ruisselaient de sueur, on net-
toyait les armes, quelques membres de l'équipe Alpha s'étaient
assoupis, d'autres discutaient, des rires étouffés montaient ici ou là
sur fond de radio.

Ils se turent pour écouter les informations, juste au moment
où le capitaine Tiger Mazibuko arrivait. Il regarda sa montre. La
journée était fichue.

*Il est quatre heures sur Diamond City Radio. Les informations,
présentées par René Grobbelaar. Les recherches entreprises à travers
le pays pour retrouver le vétéran du MK, Thobela Mpayipheli, qui
a échappé à la police hier soir au Cap sur une moto volée, semblent
converger vers Kimberley. D'après l'inspecteur Tappe Terblanche,
officier de liaison auprès de la police locale, l'armée et la SAPS tra-
vaillent de concert afin d'intercepter le fugitif. Il se trouve probablement quelque part dans la province septentrionale du Cap. Une
opération similaire est en cours dans l'État libre.*

*Lors d'une conférence de presse plus tôt dans l'après-midi, la
ministre des Renseignements a révélé que Mpayipheli, qui est armé
et considéré comme dangereux, serait en possession d'informations
secrètes de la plus haute importance, informations qu'il aurait obte-
nues illégalement. En réponse à une question sur la nature desdites
informations, la ministre a fait savoir qu'il n'était pas dans l'intérêt
national d'en révéler les détails.*

*Les personnes qui seraient en contact avec Mpayipheli, ou qui
auraient des renseignements pouvant concourir à son arrestation,
sont priées de téléphoner au numéro vert suivant...*

Avec mon bol, se dit Tiger Mazibuko, n'importe quel abruti
va coincer Mpayipheli sur le bas-côté avec son Opel trafiquée
pour obtenir la récompense.

Il s'assit à côté du lieutenant Penrose.

— L'équipe Bravo est prête ?

— Dès qu'on a le signal, on s'amène dans les cinq minutes,
capitaine.

— Si on a le signal.

Il se dirigea vers le bâtiment derrière lui, d'où on coordonnait toute l'opération.

– Ces macaques ne seraient même pas foutus de retrouver une merde dans les chiottes.

Le lieutenant éclata de rire.

– On va le coincer, capitaine. Vous verrez.

À quatorze kilomètres au sud de Koffiefontein, le radar laissa échapper un léger couinement électronique. L'officier referma son livre en un mouvement fluide, vérifia la vitesse sur le cadran et s'avança au milieu de la route. C'était une Mercedes Benz blanche, vieille de cinq ou six ans. Il leva la main. La voiture freina immédiatement et s'arrêta juste à côté de lui. Il en fit le tour.

– Bonjour, monsieur Franzen, lança-t-il.

– Vous m'avez encore eu, lui renvoya le fermier.

– Cent trente-deux, monsieur Franzen.

– J'étais un peu à la bourre. Les gamins ont oublié la moitié de leurs affaires à la ferme et, demain, ils ont entraînement de rugby. Vous savez ce que c'est.

– La vitesse tue, monsieur Franzen.

– Je sais, je sais, c'est terrible.

– Passons pour cette fois, mais s'il vous plaît, veuillez respecter les limitations de vitesse, monsieur Franzen.

– Je vous promets que ça ne se reproduira plus.

– Allez-y.

– Merci. Au revoir, *boet*[1].

Il ne sait même pas mon nom, se dit l'officier. Jusqu'à ce que je lui colle un PV.

Quinn fit signe à tout le monde de se taire avant d'autoriser Monica Kleintjes à répondre. Elle avait un casque sur les oreilles, écouteurs et micro, il appuya sur un bouton en hochant la tête.

---

1. « Frère ». Chez les Afrikaners de la campagne, on s'appelait souvent frère, cousin, etc. *(NdT.)*

— Monica Kleintjes, dit-elle d'une voix tremblante.

— Vous avez beaucoup de choses à nous expliquer, jeune dame. Lusaka. Même voix atone que la première fois.

— Je vous en prie…

— Vous avez donné le disque au type à moto ?

— Oui, je…

— C'était très stupide de votre part, Monica.

— Je n'avais pas le choix. Je… Je n'aurais pas pu y arriver toute seule.

— Oh, non, Monica. Vous avez été stupide, c'est tout. Et maintenant, on a un vrai problème.

— Je suis désolée. Je vous en prie…

— Comment les Renseignements vous ont-ils trouvée, Monica ?

— Ils… le téléphone. Ils l'ont mis sur écoute.

— C'est bien ce qu'on pensait. Et en ce moment, ils suivent la conversation.

— Non.

— Bien sûr que si. Même qu'ils sont sûrement juste à côté de vous.

— Qu'est-ce que vous allez faire ?

La voix était toujours aussi calme.

— Contrairement à vous, ma chère, nous nous en tenons à l'arrangement initial. Avec peut-être quelques codicilles. Il vous reste quarante-huit heures. Si le disque n'est pas arrivé d'ici là, nous tuerons votre père. Si nous voyons quoi que ce soit qui ressemble à un type des Renseignements à Lusaka, nous tuerons votre père. Si le disque arrive et que tout est bidon, nous tuerons votre père.

Elle tressaillit légèrement.

— Je vous en prie, dit-elle, désespérée.

— Vous devriez savoir, Monica, que votre papa n'est pas quelqu'un de très recommandable. Il nous a parlé… avec un peu d'aide, évidemment. Nous savons qu'il est de mèche avec les Renseignements. Nous savons qu'il a essayé de nous refiler des infos bidons. C'est pourquoi nous vous avons réclamé les vraies. Bref, voici le marché que nous vous mettons en main, vous et vos amis de l'ARP : si l'homme à la moto échoue, nous descendons

Kleintjes. Et nous envoyons le faux disque à la presse, en expliquant comment l'État a profité d'un retraité. Vous imaginez les gros titres, Monica ? Vous voyez un peu ?

Elle était en pleurs, les épaules secouées de sanglots, elle formait des mots que ses lèvres retenaient prisonniers.

C'est alors qu'ils comprirent que la communication était interrompue. Le directeur dévisagea Janina Mentz d'un air étrange.

XXVI

Il roulait à presque 180 lorsqu'il aperçut les deux câbles du radar sur la route. Il cramponna le frein à pleine main et serra de toutes ses forces, par pur réflexe. L'ABS se déclencha, gémit, il gardait un œil sur le tableau de bord, l'autre sur les câbles, encore trop vite, 140 environ, puis il vit l'homme se précipiter sur la route, bras levé. Il continua à freiner pour l'éviter et comprit qu'il s'agissait de la police de la route, un homme, un seul homme et un radar. Que faire ? Fuir ou s'arrêter ? Il n'avait pas le temps de décider, la causalité était trop importante. Il choisit la fuite, remit les gaz, dépassa l'officier et la voiture garée à droite sous un arbre, une seule voiture, prit sa décision, le cœur au bord des lèvres et freina à nouveau. La moto s'immobilisa sur le gravillon du bas-côté. Ça n'avait aucun sens, un flic solitaire et une seule et unique voiture. Il se retourna. L'homme trottinait vers lui en ayant l'air de s'excuser à moitié et lui dit :

– Monsieur, j'ai bien cru un instant que vous alliez vous enfuir.

Pour la première fois, elle avait peur en accompagnant le directeur jusqu'à son bureau.

Lorsqu'il l'avait regardée au centre opérationnel, quelque chose avait basculé entre eux, un équilibre s'était brisé. D'un léger signe de tête, il lui avait ordonné de le suivre, ce qu'elle avait fait sous les yeux de son équipe silencieuse et inconsciente de ce qui se jouait.

Ce n'était pas cette altération du pouvoir entre eux deux qui lui oppressait la poitrine, c'était le fait que la situation lui échappait, que sa perception des choses et la réalité s'étaient éloignées comme des cibles mouvantes.

Il attendit qu'elle soit entrée, referma la porte et demeura immobile. Et la regardait sans ciller.

— Ce n'est pas la CIA, Janina, dit-il enfin.

— Je sais.

— Qui est-ce ?

Elle prit un siège sans y être invitée.

— Je ne sais pas.

— Et le disque en possession de Mpayipheli ?

Elle hocha la tête.

Il traversa lentement la pièce et fit le tour du bureau. Elle remarqua son calme. Il resta debout derrière son fauteuil et la toisa.

— M'avez-vous tout dit, Janina ?

Un seul homme, la situation était surréaliste. Il descendit de moto comme en rêve, retira son casque et ses gants.

— Belle machine, dit l'officier.

Il considéra un instant l'ironie de la chose : le policier devait interpréter son geste comme un acte de soumission alors qu'il savait ne l'accomplir que pour être plus à l'aise au cas où il lui faudrait réagir. Il abandonna toute idée de violence et se força au pacifisme. Il vit l'arme du policier dans le holster de cuir rutilant qu'il portait à la hanche.

— On n'en voit pas beaucoup des comme ça par ici.

Le sang battait dans ses veines, il se tenait sur le qui-vive. Tant qu'il en avait conscience, il pouvait se dominer. Il nageait encore en pleine irréalité, la conversation était d'une banalité invraisemblable.

— C'est la moto de plus de 750 cm^3 la plus vendue du pays, répondit-il en contrôlant difficilement sa voix.

— Sans blague ?

Il ne sut que répondre. La moto se trouvait entre eux, il aurait voulu combler le vide tout en le maintenant.

– Vous rouliez plutôt vite.

– Effectivement.

Allait-il avoir une amende ? Serait-ce aussi ridicule que ça ?

– Je peux voir votre permis ?

Suspicieux. Il devait savoir quelque chose, il ne pouvait pas être seul.

– Bien sûr.

Il retira la clé de contact, ouvrit la sacoche, essaya discrètement de passer en revue l'alignement d'épineux et de broussailles. Où se trouvaient les autres ?

– Ça fait un sacré rangement, hein ?

L'homme dégageait une sorte d'ingénuité et sa question libéra quelque chose dans son estomac, une sensation étrange.

Il ouvrit la fermeture Éclair du sac de sport bleu, trouva son portefeuille et tendit son permis à l'officier, tout en gardant un œil attentif sur le visage de ce dernier, y cherchant fourberie ou imposture.

– Mpay…

– Mpayipheli, dit-il en l'aidant à prononcer son nom.

– C'est votre moto, monsieur Mpayipheli ?

C'est alors qu'il comprit ce qui se passait, un fou rire irrépressible montant en lui, le prenant par surprise lorsqu'il entrevit enfin la possibilité que ce représentant de la loi typiquement provincial ne soit au courant de rien. Impossible de résister. Il laissa le rire enfler doucement, en faisant attention à ne pas le laisser déborder, mais se détendit soudain et rit de bon cœur.

– Je ne pourrais jamais m'en payer une comme ça.

L'officier rit de concert, soudain plus proche, deux hommes de la classe moyenne en train d'admirer les joujoux des riches.

– Combien ça coûte, ces trucs-là ?

– Un peu plus de quatre-vingt-dix mille.

L'homme siffla entre ses dents.

– Elle appartient à qui ?

– À mon patron. Il a une succursale BMW au Cap.

Et le fou rire le reprit, d'un moment à l'autre il allait se réveiller sous la bâche du El Camino, ça ne pouvait pas être vrai.

L'officier de la route lui rendit son permis.

— Je conduisais une Kawasaki quand je faisais la circulation à Bloemfontein. Une 750. Énorme. Ça m'étonnerait que ça m'arrive à nouveau.

Il essayait de resserrer les liens.

— J'ai une Honda Benly à la maison.

— C'est increvable, ces engins-là.

Ils savaient tous deux que le moment de vérité approchait, un élément déterminant dans leur relation naissante. Le silence s'installa. L'officier haussa les épaules d'un air piteux.

— Je devrais vraiment vous verbaliser.

Et merde. Impossible de se retenir. Le rire le submergeait avec l'urgence d'un besoin naturel.

— Je sais, fut tout ce qu'il parvint à articuler.

— Vous feriez mieux de partir avant que je change d'avis.

Il lui décocha un sourire peut-être un peu trop large et lui tendit la main.

— Merci.

Il se détourna rapidement, remit le permis dans le portefeuille, le portefeuille dans le sac, le sac dans la moto.

— Et faites gaffe, entendit-il par-dessus son épaule. La vitesse tue.

Il hocha la tête, enfila son casque et ses gants.

— Vous en savez autant que moi, répondit Janina Mentz en mentant. J'ai planifié toute l'opération d'après le témoignage d'Ismail Mohammed. C'est moi qui ai recruté Johnny Kleintjes, moi seule. Personne d'autre n'était au courant. Nous avons compilé les informations ensemble. Elles sont fausses, mais crédibles, j'en suis certaine. Il a contacté les Américains. Ils ont paru intéressés. Ils lui ont proposé de venir à Lusaka. Il y est allé et c'est là qu'ils ont appelé chez lui.

— Et qu'elle est allée chercher Mpayipheli.

— On ne pouvait pas prévoir.

— Pas prévoir, Janina ? D'après la transcription de l'entretien avec Monica, Johnny est venu la voir à son travail quinze jours avant de partir pour Lusaka et lui a dit que si quelque chose arrivait, elle devait faire appel à Mpayipheli. En plus, il avait laissé un mot avec le numéro de ce dernier sur le disque dur dans le coffre.

C'est alors qu'elle comprit ce que le directeur savait déjà et le poing qui lui oppressait la poitrine se resserra.

— Il était au courant.

Le directeur acquiesça.

Elle prit un peu de recul.

— Johnny Kleintjes nous a trahis.

— Nous et les Américains, Janina.

— Mais pourquoi, monsieur ?

— Que savez-vous de Johnny Kleintjes ?

Elle leva les mains au ciel.

— J'ai étudié son dossier. Activiste, exilé, membre de l'ANC, les ordinateurs...

— Johnny est communiste, Janina.

Elle sauta sur ses pieds, aiguillonnée par la peur et la frustration.

— Monsieur le directeur, sauf votre respect, qu'est-ce que ça signifie ? Nous étions tous communistes quand ça nous arrangeait d'avoir le soutien du bloc de l'Est. Que sont devenus les communistes à présent ? Des rêveurs marginalisés qui n'ont plus la moindre influence dans le gouvernement.

Elle avait posé les mains sur le bureau et prit peu à peu conscience de l'aversion qu'exprimait l'attitude du Zoulou. Lorsqu'il finit par lui répondre, ce fut d'une voix douce.

— Johnny Kleintjes est peut-être un rêveur, mais c'est vous qui l'avez marginalisé.

— Je ne comprends pas, dit-elle en s'écartant du bureau.

— Qu'est-ce que vous ne comprenez pas, Janina ?

— Monsieur, commença-t-elle en se laissant lentement glisser dans le fauteuil, vers qui pouvait-il aller ? Pour qui nous a-t-il trahis ?

— C'est ce qu'il faut découvrir.

– Mais ça n'a aucun sens. Le communisme... Il n'en reste plus rien. Ça n'intéresse plus personne.

– Vous prenez les choses trop au pied de la lettre, Janina. À mon avis, c'est plutôt du style « l'ennemi de mon ennemi ».

– Vous pourriez m'expliquer ?

– Johnny a toujours eu une haine particulière des Américains. L'idée fit peu à peu son chemin dans sa tête.

– Vous voulez dire...

– Quelle est la menace numéro un aux yeux de la CIA en ce moment ?

– Oh, mon Dieu ! s'écria Janina.

Un soldat noir à lunettes et épaulettes de l'école de défense anti-aérienne vint prévenir le capitaine Tiger Mazibuko sous son arbre.

– Le colonel demande au capitaine de venir immédiatement.

Mazibuko se redressa d'un bond.

– Ils l'ont eu ?

Il courut devant, conscient de l'impatience de l'UR dans son dos.

– Je ne crois pas, capitaine.

– Vous ne croyez pas ?

– Le colonel vous le dira, capitaine.

Il entra dans le bâtiment au trot. Le colonel était devant la radio, micro à la main.

– Nous avons un problème.

– Quoi ?

– On a trente-neuf Hell's Angels à moto au barrage de Windsorton. Ils veulent passer à tout prix.

– Où se trouve Windsorton, nom de Dieu ?

– À quarante-cinq kilomètres au nord, sur la N12.

– Sur la route de Johannesburg ?

Le colonel acquiesça.

– Qu'ils aillent se faire foutre ! Renvoyez-les chez eux !

– C'est pas aussi simple.

– Pourquoi ?

– Ils disent qu'ils en attendent cinquante autres et que, quand ils seront là, ils forceront le barrage et que si on veut les arrêter, il faudra leur tirer dessus.

Tiger réfléchit.

– Laissez-les passer.

– Vous êtes sûr ?

Mazibuko sourit.

– Parfaitement.

Le colonel hésita un instant, puis enfonça la touche du micro.

– Sergent, laissez-les passer quand ils veulent.

– Bien reçu.

– Quel est votre plan, capitaine ? lança le colonel avant que Mazibuko ne sorte d'une démarche pleine d'entrain.

Ce dernier continua à marcher sans lever les yeux.

– Faire diversion, colonel. Un peu de diversion ne peut pas faire de mal à une bande de soldats frustrés.

Le policier de la route rembobinait soigneusement les câbles du radar. C'était plutôt barbant tout seul, mais il le faisait mécaniquement, sans amertume, la routine quotidienne. Il pensait au motocycliste noir.

Bizarre, cette histoire. Une première. Un Noir sur une grosse cylindrée. On n'en voit pas beaucoup des comme ça.

Mais ce n'était pas tout.

Quand il avait démarré, le moteur à deux cylindres plats de la BMW avait ronronné doucement. Il aurait juré entendre rire le bonhomme, d'un rire profond, énorme, paralysant et contagieux.

Son imagination, sans doute.

– Qui ? demanda Janina Mentz. Al Qaida ? Comment, monsieur ? Comment ?

– Je penche plutôt pour Téhéran. Je suspecte Johnny d'avoir pris certains contacts, d'une façon ou d'une autre. Peut-être grâce aux extrémistes locaux. Mais, à mon avis, ce n'est pas ça le plus urgent pour l'instant.

Elle inspira profondément pour atténuer son malaise grandissant. Elle se méfiait de ce qui allait suivre.

– La question qu'on doit se poser à présent est la suivante : qu'y a-t-il sur le disque dur ?

Elle comprit pourquoi l'équilibre s'était modifié. Il n'était ni l'informateur zoulou, ni Inkululeko. Il était libre. De tout soupçon, de tout malentendu, de toutes preuves indirectes. Il était irréprochable.

Le directeur se pencha vers elle et lui dit avec beaucoup de tendresse :

– J'espérais que vous auriez une idée.

Le lieutenant du 1er bataillon d'infanterie avait longuement réfléchi au barrage de Petrusburg. Son problème, c'est que les routes foisonnaient telles des artères dans toutes les directions depuis le cœur de la ville – trois pistes vers le nord, la N8 qui s'étirait d'est en ouest jusqu'à Kimberley et Bloemfontein, la R48 vers Koffiefontein, une autre piste vers le sud, et pour finir, la route goudronnée qui menait au *township* de Bolokaneng.

Où installer le barrage ?

Finalement, il avait pris sa décision en fonction des informations disponibles : le fugitif faisant route vers Kimberley, il avait établi le barrage à quatre cents mètres à peine de la sortie de la ville, côté Kimberley, sur la N8. Pour plus de sûreté, la SAPS, qui leur avait fourni comme convenu deux fourgons et quatre policiers, était postée sur la piste gravillonnée qui courait parallèlement d'est en ouest et rejoignait la N8 un peu plus loin en direction de la cité du diamant.

Mais maintenant, le lieutenant avait une décision encore plus difficile à prendre. Une chose est sûre : quand on fait partie des forces armées et qu'on se trouve confronté à un choix délicat, mieux vaut en référer d'abord aux autorités supérieures. C'est la meilleure façon de se couvrir.

Il n'hésita pas à se servir de la radio.

– Oscar Hotel, lança-t-il au commandant des opérations de l'école de défense anti-aérienne. J'ai intercepté dix-neuf motards sur des BMW ici. Y'en a un qui prétend être juriste. Il dit qu'il va lancer une demande de référé contre nous. Terminé.

Il aurait juré entendre le colonel lâcher un « merde », mais peut-être la réception était-elle mauvaise.

— Restez en état d'alerte, Papa Bravo.

Papa Bravo. Le code militaire de Petrusburg. Il fut un temps où il s'était senti idiot en utilisant ces abréviations, mais ça lui avait passé. Il attendit en jetant un coup d'œil à l'extérieur de la tente montée sur le bas-côté de la route. Les BMW étaient alignées par deux, phares et moteurs allumés. Putain, mais où allaient-ils tous ? Ses hommes les observaient avec curiosité, fusils d'assaut à l'épaule. C'est quelque chose, un groupe de motards. Comme une horde de Mongols à la Gengis Khan, prêts à semer la dévastation...

— Papa Bravo, ici Oscar Hotel, nous vous écoutons, à vous.

— Papa Bravo en ligne, à vous.

— Êtes-vous sûrs qu'il n'y a pas de Noir sur ces BMW ? À vous.

— Affirmatif, Oscar Hotel, à vous.

— Laissez-les passer, Papa Bravo. Laissez-les passer, à vous.

— Bien reçu, Papa Bravo, terminé.

XXVII

Dans le bureau de la rédaction du *Cape Times*, Allison Healy parcourait l'article qui leur était parvenu du *Star* de Johannesburg.

« Un homme violent, un fouteur de merde, sans doute un psychopathe. » Voici comment un ancien compagnon d'armes du fugitif Thobela Mpayipheli décrit l'homme actuellement recherché dans trois provinces par les services de renseignements, l'armée sud-africaine et la SAPS.

D'après le brigadier Lucas Morape, haut placé dans les services de ravitaillement du quartier général de l'armée à Pretoria, il aurait servi avec Mpayipheli en Tanzanie et dans une base militaire du Kazakhstan, ex-URSS, où les soldats de l'Umkhonto we Sizwe étaient entraînés au titre du soutien apporté à la Lutte par le bloc de l'Est dans les années quatre-vingt.

« Une fois, au mess, pendant une bagarre à mains nues, il a pratiquement battu à mort un soldat russe. Le commandement a mis des semaines à rattraper les dommages diplomatiques causés par cet acte de brutalité insensé. »

Mpayipheli aurait reçu des renseignements de la plus haute importance des mains de son employeur du Cap et se dirigerait vers le nord. Il a réussi à se faufiler à travers un cordon de l'armée tôt ce matin à Three Sisters, en profitant d'un gros orage. On ignore où il se trouve actuellement.

Lors d'une mise au point qui a été publiée, le brigadier Morape ajoute au sujet de Mpayipheli : « C'était un bagarreur invétéré qui embarrassait tellement l'ANC qu'on l'a exclu du programme d'entraînement. Je ne suis pas surpris qu'on raconte qu'il ait travaillé pour un trafiquant de drogue du Cap. Ça correspond parfaitement à son profil de psychopathe. »

— Profil de psychopathe, répéta-t-elle à voix basse en hochant la tête.

Brusquement, tout le monde était devenu psychiatre.

L'opinion du brigadier s'harmonisait vraiment bien avec les efforts de la ministre !

Les rouages tournaient, la grande machine d'État était lancée. Mpayipheli n'avait aucune chance.

C'est alors que son téléphone sonna.

— Allison Healy.

— Zatopek Van Heerden à l'appareil. Vous me cherchiez.

Ton belliqueux.

— Merci de me rappeler, docteur, dit-elle en gardant une voix enjouée. Je voulais vous parler de M. Thobela Mpayipheli. J'aimerais vous poser quelques...

— Non.

Cassant et irascible.

— Docteur, s'il vous plaît...

— Pas de « docteur » avec moi.

— Je vous en prie, aidez-moi, je...

— Comment avez-vous su que je le connaissais ?

— C'est Orlando Arendse qui me l'a dit.

Il resta silencieux si longtemps qu'elle cru qu'il avait raccroché. Elle se demandait comment s'adresser à lui, docteur ou autre, lorsqu'il reprit la parole :

— Vous avez dit Orlando Arendse ?

— C'est exact, le, euh...

— Le trafiquant de drogue.

— Oui...

— Orlando vous a parlé ?

— Oui...

— Vous avez du cran, mademoiselle Healy.

— Euh...

— Où voulez-vous qu'on se rencontre ?

À trente minutes au sud de Petrusburg, de l'autre côté de la Riet River, la route serpente paresseusement entre les *koppies*[1] de l'État libre, quelques larges virages incurvés avant de redevenir toute droite. Assez pour ramener son attention à la moto. Le moteur tournait parfaitement dans la chaleur, avec une régularité rassurante, pulsation bien tangible sous lui. Cette extension de son corps le sécurisait. À cet instant précis, il sentit qu'il pourrait continuer ainsi, par-delà Lusaka, continuer vers le nord, jour après jour, lui, la machine et la route jusqu'à l'horizon. À cet instant précis, il comprit la dépendance dont lui avaient parlé les clients blancs.

C'était l'heure bien particulière de la journée où…

Le soleil brillait faiblement d'un orange délicat, comme s'il savait que sa tâche journalière touchait à sa fin.

C'est à Paris qu'il avait découvert la magie des après-midi finissants, durant les deux années désolées où il y avait vécu après la chute du Mur. Il avait chuté de concert, son sort inextricablement mêlé à celui de la frontière berlinoise. De tueur à gages encensé, chouchou de la Stasi et du KGB, il était devenu chômeur sans instruction. Après avoir couru le monde et connu la fortune, il avait découvert avec désenchantement que les trente dollars sur son compte étaient les derniers et que l'argent ne rentrerait plus. Il était passé de l'arrogance à la dépression avant d'accepter avec colère et regret cette nouvelle réalité. Jusqu'à ce qu'il cesse de s'apitoyer sur lui-même et se mette à faire du porte-à-porte pour trouver un emploi comme n'importe quel autre manœuvre. M. Merceron avait voulu voir ses mains, « ces mains-là n'ont jamais bossé, mais elles sont faites pour le travail » et il avait obtenu la place, à l'ouest de la gare du Nord, à Montmartre, homme à tout faire à la boulangerie. Il balayait les sols enfarinés, transportait sacs et caisses, décrassait les grands pétrins mécaniques, livrait les baguettes

---

1. Formations géologiques spécifiques à l'Afrique australe, qui prennent en général la forme de petites collines arrondies. *(NdT.)*

chaque matin à l'aube, les bras chargés de miches. L'hiver, la vapeur qui montait du pain chaud et lui emplissait les narines était devenue la fragrance de Paris, fraîche, exotique, merveilleuse. Et en fin d'après-midi, quand le soleil déclinait et que la ville tout entière transhumait du travail à la maison, il regagnait son appartement au premier étage, près du musée Dali. Il empruntait tous les jours le trajet le plus long, grimpait d'abord les marches menant au Sacré-Cœur pour aller s'asseoir tout en haut et, le corps délicieusement fatigué, il regardait le crépuscule s'emparer de la ville tel un amant jaloux. Les bruits montaient jusqu'à lui, les ombres viraient lentement au gris, Notre-Dame, ramassée sur elle-même, la Seine qui serpentait, le dôme des Invalides jetant des étincelles dorées sous la morsure du soleil, la tour Eiffel digne et solitaire et, à l'ouest, l'Arc de triomphe. Il restait assis jusqu'à ce que tous ces repères aient disparu dans l'obscurité et que les lumières des lampadaires tremblotent telles des étoiles au firmament de la cité, transformant le décor en un monde merveilleux et sans limites.

Alors il se levait, entrait dans l'église et s'imprégnait de la sérénité du lieu avant d'allumer un cierge pour chacune de ses victimes.

Il fut soudain pris d'une profonde nostalgie pour la simplicité de ces années-là et se dit qu'avec l'argent dans le sac de sport, il pourrait y être en un mois s'il gardait le cap au nord.

Il ébaucha un sourire railleur dans le casque. Quelle ironie de vouloir être là-bas maintenant ! Alors que sa seule envie, son unique manque, son désir le plus cher lorsqu'il habitait Paris avait été le paysage même qui défilait en ce moment devant lui. Que de fois il aurait aimé apercevoir l'ombrelle d'un acacia se découpant sur le gris du veld, comme il s'était langui du roulement stupéfiant des nuages sombres et ramassés annonçant l'orage, de leur silhouette massive, des éclairs sur l'immensité des plaines d'Afrique.

Vincent Radebe l'attendait à la porte du centre opérationnel et lui dit :

— Madame, je vais faire apporter un lit de camp pour Mme Nzululwazi, je comprends que nous ne puissions pas la laisser partir.

Janina posa une main sur son épaule.

— Vincent, je sais que c'était une décision difficile à prendre. C'est ça le problème dans notre métier : les décisions ne sont jamais simples.

Elle s'avança au centre de la pièce et annonça qu'il revenait à chaque équipe de décider qui serait de garde pour la nuit et qui irait se reposer, de façon à ce que la relève soit en forme pour attaquer la journée du lendemain. Elle rentrait chez elle une heure ou deux, ajouta-t-elle, pour voir ses enfants. S'il arrivait quelque chose, ils avaient son numéro de portable.

Radebe attendit qu'elle soit sortie avant de se diriger à contrecœur vers la salle d'interrogatoire. Il savait ce qu'il devait dire à la femme, mais il lui fallait trouver les mots justes.

Elle bondit sur ses pieds sans attendre lorsqu'il déverrouilla la porte.

— Il faut que je parte, dit-elle.

— Madame...

— Mon enfant ! Il faut que j'aille chercher mon fils.

— Madame, il est plus sûr de rester ici. Juste pour cette nuit...

Il lut la terreur sur son visage, la panique dans ses yeux.

— Non, dit-elle. Mon enfant...

— Calmez-vous, madame. Où est-il ?

— À la garderie. Il m'attend. Je suis déjà en retard, je vous en prie, je vous en supplie, vous ne pouvez pas lui faire ça.

— Nous allons nous en occuper, madame.

Elle pleurait et tomba à genoux, lui cramponnant la jambe. Sa voix était devenue terriblement suraiguë.

— S'il vous plaît, mon frère, s'il vous plaît...

— Juste une nuit, madame, ils vont s'occuper de lui, j'y veillerai, c'est plus sûr comme ça.

— Je vous en prie, je vous en prie.

Thobela vit le panneau indiquant les dix kilomètres restants jusqu'à Petrusburg. Il inspira profondément, s'arma de courage pour ce qui l'attendait, le prochain obstacle sur son chemin. Il devait couper une route principale et contourner un autre barrage avant de pouvoir replonger dans la campagne avec ses pistes et ses fermes immenses. La dernière haie à franchir. Ensuite, la voie serait libre jusqu'à la frontière du Botswana.

Et il avait besoin d'essence.

Le policier de la route de la province de l'État libre fit une halte au bureau de Koffiefontein. Il ouvrit le coffre de la voiture, en sortit le radar et le porta péniblement à l'intérieur, où il le déposa. Après quoi il ferma la porte.

Ses deux collègues de bureau étaient sur le départ.

— T'es en retard, dit l'un d'eux, une Blanche d'une cinquantaine d'années.

— T'aurais pas attrapé le motard, des fois ? renchérit l'autre, un jeune Sotho à lunettes et coiffé à la mode.

— Quel motard ? demanda-t-il.

Allison Healy eut du mal à trouver le lotissement de Morning Star. Elle ne connaissait pas cette partie du Cap ; personne ne connaissait cette partie du Cap. « Quand vous aurez passé la barrière, le chemin se sépare en deux. Prenez à gauche, c'est la petite maison blanche », avait dit le Dr Zatopek Van Heerden.

Elle avait fini par la découvrir, avec Table Mountain en toile de fond et, au large, un mur de nuages flottant jusqu'à l'horizon telle une longue bannière grise devant le soleil couchant.

Lisette se précipita hors de la maison avant même l'arrêt de la voiture et lorsqu'elle ouvrit la portière, sa fille l'entoura de ses bras en un geste théâtral.

– Maman !

Cri spectaculaire pour accompagner l'étreinte. Elle faillit se moquer de son rejeton en pleine crise d'adolescence. Elle sentait la chaleur de son corps, ses bras autour de son cou, reniflait l'odeur de ses cheveux.

– Bonsoir, ma puce.

– Tu m'as manqué !

Exclamation exagérée.

– Toi aussi, tu m'as manqué. (Sachant qu'elle l'enlacerait trop longtemps, qu'il ne pouvait en aller autrement, qu'il lui faudrait dire « Attends, laisse-moi sortir », que Lisette demanderait « Tu ne ranges pas la voiture ? » et qu'il lui faudrait répondre « Non, je dois y retourner bientôt ».)

Elle leva les yeux et vit Lien sur les marches de la véranda, digne et calme, juste pour montrer qu'elle savait se contrôler, elle, qu'elle était la plus âgée, la plus forte et Janina en eut le cœur gros.

– Maman, cria Lien de la véranda, tu as encore oublié d'arrêter le clignotant.

Vincent Radebe referma précautionneusement la porte de la salle d'interrogatoire derrière lui. Il ne pouvait plus supporter ces sanglots.

Il avait fait le mauvais choix, il le savait. Il en avait pris conscience dans cette pièce, quand elle avait pressé son visage contre ses genoux. Elle n'était qu'une mère, elle ne jouait aucun rôle dans cette affaire, elle ne désirait qu'une chose, retrouver son enfant.

Il resta immobile un instant pour analyser ses sentiments, parce qu'ils lui étaient nouveaux et peu familiers et comprit alors ce qui se passait. La boucle était bouclée – il avait fini par devenir ce qu'il refusait d'être et venait juste de se rendre compte qu'il devait sortir de là, quitter ce travail – ce n'était plus ce qu'il voulait faire. Peut-être n'était-il pas fait pour ça. Il rêvait de servir son pays, cette fragile démocratie naissante, d'élever et de construire, non de détruire, et regardez-le à présent. Il décida d'écrire sa lettre de démission sur-le-champ, de la remettre à Janina Mentz en main propre, d'empaqueter ses affaires et de s'en aller. Il s'attendait à en éprouver du soulagement, mais ce ne fut pas le cas. Il grimpa les marches, l'esprit toujours dans les ténèbres.

Plus tard, il devait se demander si c'était son subconscient qui lui avait fait laisser la porte ouverte.

Plus tard, il ne devait plus cesser de ressasser le moment où il était sorti de la pièce et, chaque fois, il tournait la clé dans la serrure.

Plus tard, mais ce serait trop tard.

Le capitaine Tiger Mazibuko rangea les chiffons et la graisse dans le sac de toile kaki et se dirigea d'un pas décidé vers le coin où Little Joe était assis avec Zongu et Da Costa. Il se sentait toujours coupable d'avoir engueulé Moroka.

– Un peu de distraction, ça vous dirait ? demanda-t-il.

Ils levèrent les yeux et acquiescèrent, attendant la suite.

– Combien d'entre nous pour venir à bout de quarante Hell's Angels ?

Da Costa comprit tout de suite et se mit à rire.

Juste un ou deux, répondit Little Joe en quêtant son approbation.

– Prenez toute l'équipe Alpha, capitaine, renchérit Zongu. On l'a bien mérité.

– Exact, dit Mazibuko. Pas la peine d'en faire tout un plat. Vous me réunissez les gars tranquillement.

C'est alors qu'ils entendirent les pas qui se rapprochaient en courant et ils se retournèrent. C'était le soldat à lunettes, l'envoyé du colonel.

– Capitaine, le colonel… lança-t-il à bout de souffle.

– Quoi encore ? Des types sur des Honda ?

– Non, non, capitaine, c'est Mpayipheli.

Mazibuko sentit comme une décharge électrique en lui.

– Quoi ?

Trop nerveux pour espérer.

– Le colonel va vous expliquer…

Il attrapa le soldat par la chemise.

– Tu m'expliques maintenant.

Les yeux affolés derrière ses lunettes, la voix tremblotante, le soldat lâcha :

– Ils savent où il est.

XXVIII

Il reconnut les symptômes, le rythme cardiaque qui augmente peu à peu, la sensation de chaleur diffuse, la légère transpiration des paumes et le vague vertige dû à la trop grande oxygénation du cerveau. Il réagit par habitude, inspira profondément et contrôla ses émotions. Il s'engagea dans la première station-service de la rue principale de Petrusburg et regarda s'éloigner deux motards sur des F 650 GS. Il venait de s'arrêter aux pompes, moteur encore allumé, lorsque le pompiste lui lança :

— J'y crois pas, Noir comme moi.

Il resta sans réaction.

— Vous savez ce que ça veut dire, BMW ? demanda l'employé, un jeune Noir de dix-huit ou dix-neuf ans.

— Quoi ?

— *Bankrot maar windgat,* c'est ce que racontent les Boers. Fauché mais fier de l'être.

Il essaya de rire et coupa le contact.

— Le plein ?

— S'il vous plaît.

Il déverrouilla le bouchon.

— Qu'est-ce que vous allez faire quand vous aurez trouvé le Xhosa à moto ? reprit le pompiste en tswana, tout en remettant le compteur de la pompe à zéro.

— Pardon ?

— Les gars… vous allez vous mettre en travers de son chemin. Ce type a besoin qu'on lui dégage la route.

– Le Xhosa à moto, répéta-t-il avant de comprendre lentement.

Il regarda les chiffres défiler sur le cadran. Pour finir, l'employé lui demanda d'où il venait.

La pompe affichait dix-neuf litres et l'essence coulait toujours.

– Du Cap.

– Du Cap ?

– Je suis le Xhosa à moto, lâcha-t-il sous le coup d'une inspiration.

– Tu peux toujours rêver, mon frère.

Vingt et un litres. Le réservoir était plein.

– Le vrai est à Kimberley et ils le coinceront jamais. Et tu sais quoi ? Je lui souhaite bonne chance parce qu'il est grand temps que quelqu'un déloge tous les planqués qui se servent au passage.

– Ah bon ?

– Pas besoin d'être un génie pour savoir ce qu'il trimballe avec lui. Les numéros des comptes bancaires du gouvernement en Suisse. Il va peut-être retirer le fric et le filer aux gens. Une vraie redistribution des richesses, pour une fois. 74,65 rands.

Thobela Mpayipheli lui tendit l'argent.

– Où est le barrage ?

– Il y en a deux, mais les BMW peuvent passer. Vous devriez pas, les gars, vous allez vous mettre en travers de son chemin.

Il rangea le portefeuille et referma la sacoche.

– Où ça ?

Le ton était sérieux.

Le pompiste plissa les paupières.

– Du côté de Kimberley. Tu tournes à gauche au carrefour.

Il lui indiqua la rue.

– Et l'autre ?

– Sur la piste gravillonnée de Paardeberg. C'est plus loin, de l'autre côté de la coopérative et après, à gauche.

– Et si je veux aller à Boshof ?

– C'est quoi, ton nom ? demanda l'homme en xhosa.

– Nelson Mandela.

Le pompiste le dévisagea et un large sourire envahit son visage.

— Je sais ce que t'as en tête.

— Quoi ?

— Tu veux l'attendre à la sortie de Kimberley.

— Tu es trop malin pour moi.

— Boshof se trouve droit devant, à environ vingt kilomètres en passant par Poplar Grove. Ensuite, tu tournes à gauche de l'autre côté de la Modder et à nouveau à droite au pont suivant.

— La Modder ?

— La puissante Modder, Capie[1], la rivière Modder.

— Merci.

Il avait remis le casque et finit d'enfiler ses gants.

— Si tu le vois, dis-lui que c'est cool. *Sharpzinto, muhle, stereke*[2]. Il démarra.

— Tu connais la chanson, mon frère, tu connais la chanson, entendit-il le pompiste crier dans son dos.

Miriam Nzululwazi était agenouillée près du fauteuil dans la salle d'interrogatoire et pleurait. C'était d'abord la peur insurmontable qui avait fait venir les larmes, les murs si oppressants qu'elle s'était laissée glisser jusqu'au sol en fermant les yeux pour ne plus les voir se resserrer sur elle, le souvenir des cellules de Caledon Square qui résonnait dans son crâne. La terreur la submergeait et savoir que Pakamile allait attendre, attendre et attendre encore que sa mère vienne le chercher, pour la première fois, il allait l'attendre en vain parce qu'elle n'était jamais en retard, en six ans, elle avait toujours été là pour le prendre. Mais aujourd'hui, il ne saurait pas ce qui se passait, les autres enfants seraient tous partis, l'un après l'autre, sauf lui, mon Dieu, elle l'imaginait, elle ressentait son angoisse et en avait le cœur brisé. Peu à peu, la conscience que la vie avec Thobela s'était enfuie à jamais, la perfection perdue, l'amour, la sécurité quotidienne, l'assurance d'un homme qui rentrait à la maison soir après soir et la serrait fort contre lui en lui murmurant son

1. Métis du Cap. *(NdT.)*
2. « Vas-y mec, mets la gomme ». *(NdT.)*

amour redoubla ses pleurs. Elle le revoyait dans le potager der-rière la maison, accroupi de toute sa stature près de la minus-cule silhouette de l'enfant, tout près de lui, livré à l'adulation sans fard de son Pakamile. Elle pleurait la perte de ces soirées où ils s'asseyaient dans la cuisine, parmi les livres qu'il venait de lire et d'étudier avec une soif d'apprendre et une ferveur effrayantes. Elle prenait une chaise et le regardait, son bel homme costaud qui levait les yeux de temps en temps, le regard illuminé par son savoir tout neuf et lui lançait : « Tu savais que... », en expri-mant son émerveillement devant le monde inédit qu'il était en train de découvrir. Elle avait alors envie de se lever et de se jeter à ses pieds en lui disant : « Tu ne peux pas être réel. » Lorsqu'ils étaient au lit et qu'il se collait contre elle, l'attirant à lui d'un geste possessif, sa voix l'entraînait sur des chemins infinis. Il lui ouvrait son cœur, lui dévoilait tout ce qu'il contenait, leur ave-nir à tous les trois, un nouveau départ dans une ferme qui les attendait, verdoyante, brumeuse, magnifique. Il lui parlait du pays, des gens et de la politique, des choses souvent bizarres qu'il remarquait au travail, de la pauvreté et de la violence des *townships* qui l'inquiétaient, de la culture xhosa qui se désagré-geait peu à peu dans les sables désertiques de l'américanisation à outrance. Et parfois, juste avant qu'ils s'endorment, il lui parlait de son père et de sa mère. Lui disait combien il souhaitait faire la paix avec eux, faire pénitence et, à présent, elle pleurait parce que tout ça avait disparu, tout ça s'était envolé, rien ne serait plus jamais comme avant. Elle était secouée de sanglots, ses larmes détrempaient le fauteuil. Elle finit par se calmer, n'en pouvant plus de pleurer, mais une chose demeurait : le besoin impulsif de sortir de là.

Pourquoi s'était-elle levée et avait-elle essayé d'ouvrir la porte ? Peut-être son subconscient n'avait-il enregistré aucun bruit de clé dans la serrure quand l'homme était sorti, peut-être était-elle sim-plement désespérée...

Mais lorsqu'elle tourna la poignée et que la porte céda sous ses doigts, elle en fut si étonnée qu'elle la referma. Elle rentra et s'assit au bord du fauteuil, ne quittant pas la porte des yeux, le cœur battant à tout rompre devant les possibilités qui s'offraient à elle.

Allison était assise dans la véranda de la petite maison blanche au toit vert. Elle avait pris place sur une chaise de jardin en plastique en face du Dr Zatopek Van Heerden, captivée par son corps mince, son regard perçant et l'énergie qu'on sentait sous pression en lui, comme un ressort prêt à se détendre, plus autre chose d'indéfinissable, de difficilement analysable quoique familier.

Il faisait chaud et la lumière de fin d'après-midi était douce. Il avait pris une bière et elle buvait un verre d'eau en faisant tinter les glaçons. Il l'avait minutieusement questionnée sur ce qu'elle savait, planant tel un oiseau de proie au-dessus de ses moindres paroles, prêt à fondre sur la première ineptie, et après avoir entendu son histoire du début à la fin, il lança :

— Et après ? Qu'est-ce que vous voulez ?

L'intensité de son regard la désarçonna, il regardait droit en elle, avec ses yeux sans cesse en mouvement qui se posaient au-dessus d'elle et sur elle, sondant, mesurant, évaluant.

Était-il capable, avec ses compétences en psychologie, de faire un tout du kaléidoscope de ses paroles et de son langage corporel et de la percer à jour ? Bizarrement, il se dégageait de lui une sexualité qui déclenchait en elle une réponse involontaire du plus profond de son être.

— La vérité, répondit-elle.

— La vérité. (Cynique.) Parce que vous croyez que ça existe ?

Il ne regardait pas ailleurs comme font les autres quand ils parlent. Ses yeux ne quittaient pas son visage. C'était quoi, cette chose qu'elle ressentait ?

— La vérité est une cible mouvante, reconnut-elle.

— Mon dilemme, c'est la loyauté. Thobela Mpayipheli est mon ami.

Quatre hélicoptères d'attaque Rooivalk survolèrent la plaine à basse altitude et franchirent la frontière qui séparait la province nord du Cap de celle de l'État libre. Deux Oryx suivaient derrière, poussifs et encombrants en comparaison, avec chacun quatre membres de l'équipe Alpha dans leurs habitacles étroits. Les hommes étaient parés de pied en cap pour la mission, gilets pare-balles, casques en acier avec lunettes à infrarouge, armes bien calées à deux mains entre les genoux. Dans l'Oryx de tête, Tiger Mazibuko essayait de tenir une conversation sur son portable par-dessus le grondement des moteurs.

Janina Mentz était dans sa salle à manger, occupée avec les devoirs de ses filles. Elle distinguait à peine les mots de Mazibuko.

— Où, Tiger, où ?

— Quelque part près de Pe…

— Je ne vous entends pas.

Elle hurlait presque.

— Petrusburg.

— Petrusburg ? (Elle ne savait absolument pas où ça se trouvait.) Je retourne au centre opérationnel, Tiger. On va essayer la radio.

— … va l'avoir…

— Quoi ?

Plus de signal.

— C'est quoi, cette histoire de Petrusburg, maman ? demanda Lien.

— C'est le boulot, chérie, il faut que j'y aille.

La tension qu'il avait ressentie en entrant dans la station-service avait réveillé un souvenir, l'avait fait ressurgir du passé, même tremblement dans les mains et la transpiration sur la figure cette toute première fois, son premier assassinat. Il était à Munich et tenait le SVD à la main, l'arme effilée du tireur d'élite, le dernier modèle à crosse synthétique fixe, une arme capable d'atteindre sa cible à trois mille huit cents mètres. Il attendait que Klemperer, l'agent double qui devait franchir une porte à un kilomètre de là, se présente dans sa ligne de mire.

Il avait l'impression qu'Evgeniy Fedorovich Dragunov, le légendaire et modeste concepteur d'armes russe, était allongé à ses côtés. Il l'avait brièvement rencontré en Allemagne de l'Est, avec d'autres élèves de l'école de tireurs d'élite de la Stasi, lorsqu'ils avaient aidé à tester un prototype de SVD. Le camarade Evgeniy Fedorovich avait été fasciné par l'étudiant noir aux tirs groupés impossibles. À deux mille mètres, avec un vent de travers de 17 km/h et la faible luminosité d'une terne journée d'hiver, Thobela Mpayipheli avait réussi à atteindre une variable R100 de moins de 400 mm. Le russe vieillissant et râblé avait dit quelque chose dans sa langue maternelle en repoussant ses lunettes cerclées de noir sur son front avant de tendre la main pour empoigner le Xhosa par l'épaule, peut-être pour vérifier qu'il était bien réel.

Il aurait voulu dédier cette première exécution à Dragunov, mais, doux Jésus, son cœur cognait fort contre ses côtes et il avait les doigts et les paumes trempés de sueur. Sur le stand de tir, c'était la testostérone de la compétition, mais là, c'était vrai, un homme de chair et de sang, un Allemand de l'Est dégarni et entre deux âges, qui mangeait à tous les râteliers de chaque côté de la frontière. Le KGB avait décidé de l'éliminer et le moment était venu pour l'étudiant échangé par l'ANC de gagner sa vie. La lentille du télescope était couverte de buée, il n'osait pas quitter la porte des yeux. Enfin elle s'était ouverte.

Miriam, assise sur le fauteuil, continuait à fixer la porte, essayant de se remémorer le chemin qu'ils avaient suivi pour y arriver. Y avait-il une autre sortie ? Le bâtiment était calme, on entendait juste le ronronnement de la climatisation et, de temps à autre, le craquement du métal qui gonflait ou se contractait. Elle devait se décider vite.

— Ça doit rester entre nous, dit le Dr Zatopek Van Heerden. C'est la condition.
— Je vous montrerai d'abord mon article.

Elle espérait trouver un compromis, mais il hocha la tête.

– Je ne suis pas contre les médias, reprit-il. Je pense qu'on a les médias qu'on mérite. Mais Thobela est mon ami.

Il fallait trancher, elle finit par dire :

– Marché conclu.

Van Heerden se mit alors à parler, sans jamais quitter son visage des yeux.

Tiger dirigea le faisceau de la petite lampe torche sur la carte devant lui. Le problème, c'était que la R48 se scindait en deux au-delà de Koffiefontein, la R705 continuant sur Jacobsdal et la R48 sur Petrusburg. Il avait donné l'ordre à quatre Rooivalk de prendre position au sud de Jacobsdal et aux quatre autres, accompagnés des deux Oryx, de se diriger vers l'est, qui lui semblait plus vraisemblable, mais l'ennui, c'était que le policier de la route, ce crétin, les avait alertés trop tard. D'après les estimations de Mazibuko, le fugitif avait sûrement dépassé Petrusburg, mais où était-il, bordel de merde, où ? Car les barrages, les deux foutus barrages, avaient signalé qu'une horde de BMW était passée, mais personne n'avait vu le moindre Noir et les possibilités étaient innombrables. Où tu vas, espèce de salaud ? Dealesville ou Boshof, il suivit le trajet du doigt jusqu'au bout en spéculant sur Mafikeng et la frontière avec le Botswana. Boshof, dans ce cas-là. Mais avait-il déjà traversé la Modder ? Les Rooivalk allaient devoir suivre chacun une piste, les alternatives étaient trop nombreuses.

– Ce n'est pas un homme compliqué, mais c'est précisément là qu'on peut se tromper sur son compte, disait Van Heerden. Trop de gens assimilent peu compliqué à simpliste ou idiot. Le manque de complexité de Thobela réside dans son aptitude à prendre des décisions, c'est un homme d'action, il examine les faits, les accepte ou les rejette, ne s'en inquiète pas outre mesure et n'en fait pas une maladie. Si Miriam vous a dit qu'il dépannait un ami en emportant quelque chose à Lusaka, ça veut dire qu'il a décidé de le faire par loyauté envers son ami, quelles qu'en soient les conséquences, un point, c'est tout. Ils vont avoir du mal à l'arrêter. Il va leur donner du fil à retordre.

Seule, une partie de son attention était focalisée sur le long chemin de lumière ouvert dans l'obscurité grandissante par les doubles phares de la GS. La piste au revêtement rouge brun compact était en bon état. Il ne dépassait pas les 60, 70 km/h. La chute pendant l'orage dans le Karoo le tracassait encore. Le reste de son esprit était à Munich, lieu de sa première exécution. Ces dernières vingt-quatre heures, il s'en rendait vaguement compte, il n'avait cessé de revivre le passé, comme si Dieu sait comment on l'avait réactivé et il laissait faire, le laissait remonter à la surface, peut-être cela faisait-il partie du processus de guérison, de transformation, comme une sorte de conclusion pour lui permettre de s'en libérer, un point final au paragraphe de sa métamorphose.

La porte s'était ouverte et son doigt s'étant refermé sur la détente, le SVD était devenu un prolongement de lui-même. Il imaginait la balle, le métal qui vient frapper le percuteur, les 9,8 g d'acier de la balle de 7,62 mm qui attendent de prendre de l'effet dans le sillon rainuré du canon de 24 cm, puis franchissent le silencieux et poursuivent irrévocablement leur trajectoire incurvée. Il avait accentué la pression sur la détente, une femme et un enfant étaient apparus dans l'objectif, lui glaçant le sang, la croix s'était arrêtée sur le front de la femme, juste sous le ruban de la casquette en laine bleue, il avait vu la douceur du visage, la peau saine et éclatante, les lignes de rire au coin des yeux, avait soufflé un grand coup et son rythme cardiaque s'était accéléré.

Tiger Mazibuko beugla des ordres dans le micro. Il y avait trois routes possibles pour se rendre à Boshof depuis Paardeberg, Poplar Grove et Wolwespruit. Deux Rooivalk sur la première comme il en avait décidé tout d'abord, un de chaque sur les deux autres, vers le nord, il voulait qu'ils commencent les recherches à Seretse.

– Je mets le TDATS sur infrarouge, annonça le pilote à la radio. (Mazibuko n'avait aucune idée de ce que ça signifiait.) Ça veut dire qu'on le verra même avec les phares éteints.

XXIX

Miriam Nzululwazi se leva brusquement et sortit en refermant doucement la porte derrière elle.

Le corridor était vide. Un sol carrelé d'un gris froid s'étirait à droite et à gauche. Elle était arrivée de la gauche, là où se trouvaient les bureaux et les employés. Elle tourna à droite en faisant claquer ses talons plats, tip-tap, tip-tap. Elle avançait d'un pas décidé et aperçut une deuxième porte à l'extrémité du couloir.

Peinture rouge écaillée et délavée, elle parvint tout juste à lire les lettres.

ESCALIER DE SECOURS.

— Était-il un soldat émérite ? demanda Allison.

— Soldat ? Il n'a jamais été soldat.

— Mais il était dans l'Umkhonto.

Il la regarda d'un air surpris.

— Vous ne savez pas ?

— Je ne sais pas quoi ?

— Qu'il était tueur à gages pour le KGB.

Il lisait le désarroi et la consternation sur son visage, elle le sentit.

— Et maintenant, vous allez le juger. Vous croyez que ça change tout ?

— C'est juste...

— Moins honorable ?

Elle cherchait les mots justes.

— Non, non, je...

Mais il ne lui laissa pas le temps de finir.

— Vous vous étiez imaginée un fantassin au service de la Lutte, un homme relativement simple, peut-être un peu rebelle, quelqu'un qui faisait un éclat de temps à autre mais rien de plus. Juste un soldat ordinaire.

— Eh bien, oui. Enfin... non. Je n'ai jamais pensé qu'il était ordinaire...

— Je ne connais pas toute l'histoire. Ce sont les Russes qui l'ont découvert. Pendant une compétition de tir au Kazakhstan, dans une base de montagne où s'entraînaient les hommes de l'ANC. Il a dû battre les rouges à plates coutures et ils ont compris qu'ils pouvaient en tirer parti. Il a passé deux ans en Allemagne de l'Est, dans une école réservée à l'espionnage.

— Combien de personnes a-t-il...

— Je ne me souviens pas exactement. Dix, quinze...

— Mon Dieu ! (Elle poussa un soupir.) C'est toujours entre nous ?

— Oui, Allison Healy, c'est toujours entre nous.

— Mon Dieu.

Dire qu'elle ne pourrait rien écrire...

Il avait vite essuyé son objectif avec un chiffon doux et y avait de nouveau collé son œil. Pas trop près, juste la bonne distance pour la mise au point. Il avait vérifié ses réglages une fois encore et attendu que la porte s'ouvre. Des gouttes de sueur lui coulaient sur le front, il lui faudrait se procurer un bandeau, ça allait lui piquer les yeux. La porte de bois sombre s'était refermée, ses paumes étaient trempées et il étouffait de plus en plus dans ses vêtements chauds. Il avait pris conscience du dégoût que lui inspirait ce qu'il était en train de faire. Ce n'était pas comme ça qu'on luttait, ce n'était pas juste, son peuple ne se battait pas de cette manière.

Il y avait une barre sur la porte, sur laquelle on pouvait lire en lettres blanches sur fond vert POUSSER/DRUK. Miriam obéit. La serrure s'ouvrit avec un bruit sec, les gonds inutilisés grincèrent et gémirent en signe de protestation, elle vit qu'elle était dehors, là, le ciel nocturne, entendit les bruits de la ville, fit un pas en avant et referma la porte derrière elle. Elle baissa la tête et aperçut une ruelle tout en bas, mais devant elle ne se trouvaient qu'une rambarde en acier et les plaies rouillées d'un escalier métallique qui avait été scié. Elle comprit qu'elle était coincée. La porte avait claqué dans son dos et il n'y avait pas de poignée extérieure.

La lumière clignota sur l'écran de contrôle des accès. Le fonctionnaire de faction décrocha le téléphone interne et appela le centre opérationnel.

Ce fut Quinn qui répondit.

— Porte coupe-feu au septième étage. L'alarme s'est déclenchée, dit l'homme.

Quinn éleva la voix.

— Qui se trouve au septième étage ? La porte coupe-feu a été activée.

À six mètres de là, Vincent Radebe qui écoutait les crachotements de la radio des Rooivalk à plus de mille kilomètres au nord n'enregistra qu'à moitié ce que Quinn venait de dire, mais ses cheveux se dressèrent sur sa nuque.

— Quoi ? demanda-t-il.

— Quelqu'un a ouvert la porte coupe-feu du septième.

Quinn et Radebe échangèrent un regard et comprirent. Ce dernier sentit une main glacée lui nouer les entrailles.

— Vous êtes journaliste. Vous devriez savoir que les notions de bien et de mal sont relatives, dit Zatopek Van Heerden. (Il était debout, il s'approcha des vitres pour contempler le ciel nocturne.) Non, pas relatives. Mal définies. Insuffisantes. Vous voulez prendre parti. Vous voulez être pour ou contre lui. Vous avez besoin que quelqu'un soit dans le vrai, du côté de la justice.

— Vous parlez comme Orlando Arendse, lui dit-elle.

— Orlando est loin d'être idiot.

— Combien de gens a-t-il assassiné ?

— Écoutez-vous ! « Assassiner ». Il n'a assassiné personne. Il a livré bataille. Et je ne sais pas combien d'ennemis sont morts entre ses mains, mais ça doit faire un paquet, parce qu'il était bon. Il ne me l'a jamais dit, mais je l'ai vu à l'œuvre et son talent était impressionnant.

— Et ensuite, il est devenu homme à tout faire chez un concessionnaire moto ?

Van Heerden se rapprocha d'elle et Allison se sentit à la fois exaltée et en danger. Il la frôla et s'appuya sur la table de jardin en plastique blanc avant de s'asseoir dessus. Elle sentait son odeur, elle l'aurait juré.

— Je me demandais quand vous en viendriez au cœur du problème.

— Que voulez-vous dire ?

— La question que vous devez vous poser, les Renseignements et vous, c'est pourquoi Thobela a quitté Orlando. Qu'est-ce qui a changé ? Que s'est-il passé ?

— Et la réponse serait... ?

— C'est son talon d'Achille. Vous voyez, sa loyauté a toujours été totale. Envers le boulot, d'abord. L'ANC. La Lutte. Et quand tout a été fini et qu'ils l'ont laissé en plan, il a trouvé quelqu'un d'autre pour utiliser ses talents. Il a servi Orlando avec une éthique irréprochable. Et puis quelque chose s'est produit en lui. Je ne sais pas quoi, j'ai ma petite idée, mais je ne sais pas exactement. On était à l'hôpital, lui et moi, lessivés, sur les rotules, et un matin, juste avant six heures, il s'est approché de mon lit et m'a dit qu'il en avait fini avec la violence et les bagarres. J'ai voulu bavarder, le faire marcher comme d'habitude, mais il était sérieux, ému, et j'ai compris que c'était important pour lui. Que ça comptait énormément.

— Et c'est ça, son talon d'Achille ?

Van Heerden se penchant en avant, elle faillit reculer.

— Il croit pouvoir changer. Il croit l'avoir fait.

Elle l'entendait parler, elle enregistrait ses paroles, une conscience aiguë du sens sous-jacent des mots la submergeait et elle comprit alors l'attirance qu'elle éprouvait, le lien invisible ; il était comme elle, quelque chose manquait à l'intérieur, quelque chose hors de propos, pas tout à fait à sa place dans ce monde-ci, tout comme elle, comme s'ils étaient étrangers à cet univers.

Puis la porte se rouvrit et l'homme chauve apparut, clignant des yeux dans la lumière aveuglante de la rue. Son doigt effleura la détente, la longue arme noire tressauta entre ses mains, toussa à ses oreilles et un battement de cœur plus tard, le sang dessinait un joli motif sur le bois. Durant les quarante-sept secondes qu'il lui fallut pour démonter son arme et la ranger dans le sac, il comprit qu'il ne pourrait pas faire la guerre de cette manière. C'était déshonorant.

L'ennemi devait le voir. L'ennemi devait pouvoir se défendre.

Il n'y avait qu'une manière de sortir de là, Miriam Nzululwazi le savait. Elle devait grimper sur la rambarde, l'enjamber, se suspendre au barreau le plus bas et se laisser tomber d'un mètre sur la plate-forme de secours inférieure et ainsi de suite jusqu'à ce qu'elle ait atteint l'endroit où les escaliers tronçonnés couraient à nouveau jusqu'au sol en zigzaguant.

Elle se hissa sur la rambarde, évita de regarder en bas et passa la jambe puis le corps tout entier par-dessus, là, sept étages au-dessus de la ruelle puante et crasseuse.

— Maman, tu n'es plus jamais à la maison, lui dit Lien à l'extérieur de la voiture.

— Aïe aïe aïe, ma fille, c'est pas parce que je meure d'envie d'y aller. Mais tu sais que je dois parfois faire des heures supplémentaires.

— Dis, m'man, c'est l'homme à la moto ? demanda Lisette.

— Tu regardes trop la télé.

Sévère.

— Mais c'est lui, non ?

Elle démarra et répondit doucement :

— Tu sais que je n'ai pas le droit d'en parler.

— Y'a des gens qui disent que c'est un héros, maman.

— Suthu m'a dit que tu te faisais prier pour aller au lit. Tu dois lui obéir. Tu m'entends ?

— Quand est-ce que tu vas revenir, maman ?

— Demain, je te le promets. (Elle enclencha la marche arrière et débraya.) Dormez bien.

— C'en est un, maman ? C'est un héros ?

Elle recula vite et sans répondre.

Quinn et Radebe grimpèrent les escaliers quatre à quatre, le Noir en tête, leurs pas retentissant dans le corridor tranquille. Comment était-ce possible, comment avait-elle pu s'échapper, ça ne pouvait pas être elle. Ils dépassèrent en courant la salle d'interrogatoire, Radebe vit la porte fermée et reprit courage, elle était sûrement dedans mais sa priorité était l'escalier de secours. Il l'ouvrit à la volée et commença par ne rien voir. Le soulagement l'envahit. Il sentait le souffle de Quinn dans son dos. Ils sautèrent tous les deux sur la petite plate-forme d'acier.

— Dieu merci ! dit Quinn derrière lui.

— Tant qu'il y croit, continuait Zatopek Van Heerden, la situation ne devrait pas leur échapper. Ils ont même une chance de le persuader de faire demi-tour. S'ils s'y prennent bien.

— Vous avez l'air sceptique, dit-elle.

— Vous avez entendu parler de la théorie du chaos ?

Elle fit signe que non. La lune était à l'est, gros globe lumineux dardant ses rayons sur eux. Elle vit sa main quitter la table et rester en suspens, crut un instant qu'il allait la toucher, elle le voulait, mais la main resta où elle était, comme un support à l'explication à venir.

– En gros, ça dit qu'un minuscule changement dans un quelconque microcosme peut s'étendre au point de déséquilibrer un système plus vaste, très éloigné de lui. C'est un modèle mathématique qu'on peut reproduire à l'ordinateur.

– Je ne vous suis pas.

La main retomba et il s'appuya de nouveau sur la table.

– C'est compliqué. D'abord, il faut comprendre qui il est. Sa nature. Les gens, la plupart des gens en fait, ne sont que de passifs roseaux qui plient au gré des vents de la vie. Ils acceptent avec résignation les modifications de leur environnement. Oh, bien sûr, ils râlent, se plaignent et menacent, mais, en fin de compte, ils s'adaptent et finissent par être entraînés par le courant. Thobela appartient à l'autre groupe, la minorité, ceux qui agissent, les activateurs et les catalyseurs. Lorsque l'apartheid a menacé son indicateur d'adéquation génétique, il a résolu de rectifier cet environnement. L'apparente impossibilité du défi n'avait pas lieu d'être. Vous me suivez ?

– Je crois.

– Et donc, en ce moment, il est en train de lutter contre sa tendance naturelle. Il pense pouvoir devenir un roseau flexible. Et tant que l'équilibre de son propre système ne sera pas perturbé, il a des chances d'y arriver. Jusque-là, c'était facile. Il n'y avait que son travail, Miriam et Pakamile. Univers protégé et sûr. Il veut le garder tel quel. Le problème, c'est que la vie n'est jamais comme ça. Le monde réel n'est pas équilibré. La théorie du chaos dit que quelque chose survient toujours quelque part qui finit par transformer cet environnement.

Vincent Radebe baissa les yeux juste au moment où il allait repasser la porte coupe-feu et c'est alors qu'il la vit. Suspendue entre ciel et terre au-dessous de lui. Il croisa son regard empli de terreur. Ses jambes pendaient entre le vide et la plate-forme inférieure.

– Miriam ! hurla-t-il avec un désespoir absolu avant de se pencher pour l'attraper par les bras, pour la sauver.

– Et alors ? demanda Allison. Si cette théorie se réalise et qu'il redevient l'homme qu'il était ?

– Alors, ce sera une véritable pagaille, répondit le Dr Zatopek Van Heerden d'un air pensif.

Sa réaction fut de lâcher, de détacher ses doigts crispés des barreaux.

Le balancier de son corps l'entraîna au-delà de la plate-forme du sixième étage. Elle tomba. Sans un bruit.

Vincent Radebe vit tout, son corps tordu qui tourbillonnait lentement jusque par terre. Il crut entendre le bruit amorti de l'impact lorsqu'elle heurta le pavé crasseux de l'allée tout en bas.

Il cria une fois dans sa langue maternelle, hurla son désespoir aux cieux.

Thobela Mpayipheli s'imprégnait du monde qui l'entourait, la lune pleine et magnifique dans le ciel d'encre, les plaines de l'État libre, les prairies herbeuses qui s'étendaient à perte de vue dans la lumière splendide, ici et là les taches plus sombres des acacias, le chemin que les phares faisaient surgir devant lui. Il percevait la machine et son propre corps, se sentait à sa place sur ce continent, il se voyait et sentait la vie qui le traversait comme un fleuve en crue, débordant et l'emportant, il comprit qu'il devait chérir ce moment, le garder à l'abri quelque part parce qu'une unité aussi intense et parfaite avec l'univers était rare et fugace.

XXX

Le téléphone portable de Janina Mentz sonna deux fois sur le chemin de Wale Street Chambers. Le premier appel émanait du directeur.

– Je sais que vous prenez un repos bien mérité, Janina, mais j'ai des choses intéressantes à vous dire. Mais pas au téléphone.

– Je suis en route, monsieur. (Ils avaient tous deux conscience du danger du réseau cellulaire.) Moi aussi, j'ai du nouveau.

– Ah bon ?

– Je vous tiens au courant.

– Très bien, Janina.

– Je suis là dans dix minutes.

À peine trois minutes plus tard, c'était au tour de Quinn.

– Madame, on a besoin de vous.

Elle ne saisit pas tout de suite son abattement.

– Je sais, Rudewaan, je suis en route.

– Non. C'est autre chose, dit-il, et elle prit alors conscience du ton de sa voix.

L'inquiétude et la frustration se firent sentir dans sa réponse.

– J'arrive. Le directeur aussi veut me voir.

– Merci, madame.

Elle coupa la communication.

Les enfants, le boulot. Sans arrêt sous pression. Ils voulaient tous quelque chose d'elle et elle devait donner. Ç'avait toujours été comme ça. D'aussi loin qu'elle se souvienne. Les exigences. Son père et sa mère. Son mari. Ensuite, elle s'était retrouvée seule, encore plus de pression, plus de gens, qui tous disaient « Donne… encore », parfois elle avait envie de se lever et de crier « Allez vous faire voir », de boucler ses bagages et de partir, parce que ça servait à quoi ? Ils en voulaient toujours plus. Ses parents, son ex-mari, le directeur, ses collègues. Ils exigeaient, se servaient et elle devait continuer à donner et les émotions s'accumulaient en elle, colère, apitoiement sur soi, alors elle cherchait du réconfort là où elle en avait toujours trouvé, dans le monde secret, le refuge clandestin où elle était seule à aller.

Il vit l'hélicoptère se découper sur la lune un bref instant, pur hasard, si furtif qu'il crut avoir rêvé, puis son doigt trouva fiévreusement le bouton des phares et les éteignit.

Il s'arrêta au beau milieu de la piste et coupa le moteur, retira d'abord les gants, puis batailla avec la boucle du casque et finit par l'enlever. Prêta l'oreille.

Rien.

Ils avaient des projecteurs sur ces trucs-là. Peut-être même un système de vision nocturne. Ils allaient suivre les routes.

Il entendait le grondement sourd, quelque part devant lui. Ils l'avaient retrouvé, il se sentit nu et vulnérable, il fallait trouver un endroit où se planquer. Que s'était-il passé pour qu'ils le cherchent ici, qu'est-ce qui les avait mis sur la voie ? Le pompiste ? Le policier de la route ? Quelque chose d'autre ?

Comment échapper à un hélicoptère en pleine nuit ? En plein milieu des plaines de l'État libre ?

Il balaya l'obscurité du regard, espérant y découvrir les lumières d'une ferme, un hangar ou une remise, mais ne vit rien. L'urgence se faisait impérieuse, il ne pouvait pas rester là, il fallait faire quelque chose, tout à coup, il pensa à la rivière et au pont, la puissante Modder, elle devait se trouver droit devant.

Il pourrait s'abriter sous le pont, s'y cacher.

Il devait y arriver avant eux.

Quinn et Radebe l'attendaient devant l'ascenseur.

— Pouvons-nous vous parler dans votre bureau, madame ? lui demanda Quinn.

Elle comprit que quelque chose avait foiré : ils avaient l'air sinistre, en particulier Radebe, qui semblait anéanti. Elle les précéda, ouvrit la porte du bureau, entra et attendit qu'ils aient refermé derrière eux.

Ils restèrent debout, les conventions n'avaient plus cours à présent. Ils se mirent à parler en même temps, s'arrêtèrent, se regardèrent. Radebe leva la main.

— J'en prends la responsabilité, dit-il à Quinn. (Il regarda Janina d'un air douloureux, la voix monocorde, les yeux éteints, comme vidé de toute substance.) Madame, à cause de ma négligence, Miriam Nzululwazi s'est échappée de la salle d'interrogatoire.

Le sang de Janina se glaça.

— Elle a atteint l'escalier de secours et a tenté de descendre. Elle est tombée. De cinq étages. C'est ma faute, j'en accepte la pleine responsabilité.

Elle reprit son souffle pour le questionner, mais Radebe la devança.

— J'offre ma démission. Je ne veux plus être une honte pour ce service.

Il était à bout et le peu de dignité qui lui restait le quitta avec ces mots.

Janina reprit la parole.

— Elle est morte ?

Quinn acquiesça.

— On l'a emportée dans la salle d'interrogatoire.

— Comment a-t-elle pu sortir ?

Radebe fixait la moquette sans la voir. Ce fut Quinn qui répondit :

— Vincent pense qu'il n'a pas refermé la porte à clé derrière lui.

La rage monta en elle, et la suspicion.

— Vous pensez ? Vous pensez que vous n'avez pas refermé ?

Il ne réagit pas et cela ne fit qu'accentuer sa colère. Elle était pleine de hargne, elle avait envie de le punir, c'était trop facile de rester comme ça sans bouger et de dire qu'il pensait avoir oublié de refermer la porte. C'était elle qui allait en supporter les conséquences. Elle ravala un flot de paroles amères.

— Vous pouvez partir, Vincent. J'accepte votre démission.

Il se détourna lentement, mais elle n'en avait pas terminé.

— Il va y avoir une enquête. Une commission disciplinaire.

Il acquiesça.

— Veillez à ce que nous sachions où vous trouver.

Il se retourna et la regarda, elle comprit qu'il avait tout perdu, qu'il n'avait nulle part où aller.

Le Dr Zatopek Van Heerden la raccompagna à sa voiture.

Elle rechignait à s'en aller, le bouclage imminent la réclamait, mais elle n'avait pas envie d'en rester là.

— Je ne suis pas entièrement d'accord, dit-elle comme ils arrivaient au véhicule.

— À quel propos ?

— Le bien et le mal. Ce sont très souvent des notions absolues.

Elle le regardait au clair de lune. Les pensées bouillonnaient en lui, peut-être en savait-il trop, comme si les idées et le savoir faisaient pression derrière ses lèvres, trop encombrants pour pouvoir s'évacuer. Son visage était ainsi parcouru d'étranges expressions qui trouvaient à se libérer dans les mouvements de son corps. Comme s'il luttait pour tout garder sous contrôle.

Pourquoi l'excitait-il ?

Dix contre un que c'était un salaud – ce qu'il pouvait être sûr de lui !

Ou alors… non ?

Elle avait toujours été sensuelle, au fond d'elle-même. Elle se voyait comme ça. Mais avec les ans une femme découvre que ce n'est qu'une partie de la vérité. Le reste est extérieur, dans le regard que les hommes portent sur vous. Et celui des femmes qui mesurent et comparent et se chargent de vous remettre à votre juste place dans la longue chaîne alimentaire des jeux de l'amour. On apprend à vivre avec, on réévalue ses attentes, ses rêves et ses fantasmes pour protéger un cœur sensible dont les blessures d'amour-propre guérissent lentement.

Jusqu'à se contenter d'aventures épisodiques, de l'intensité parfois raisonnable de moments volés en compagnie d'un policier
désabusé, le mari d'une autre. Et là, ce soir, elle aurait voulu
être grande, mince, blonde et belle, avec une poitrine généreuse, des lèvres pulpeuses et un mignon petit cul pour que cet
homme lui propose quelque chose de déplacé.

Et que faisait-elle ?

Elle le défiait intellectuellement. Elle. Elle si médiocre... en
tout.

— Nommez-moi un fléau, dit-il.

— Hitler.

— Hitler est le stéréotype même, lui rétorqua-t-il. Mais dites-
moi : était-il pire que la reine Victoria ?

— Je vous demande pardon ?

— Qui a nourri les femmes et les enfants boers avec du porridge
plein de morceaux de verre ? Et la politique de la terre brûlée ?
Peut-être étaient-ce ses généraux ? Peut-être n'en savait-elle rien ?
Exactement comme P.W. Botha. On nie avoir su et, par là même,
on est excusé ? Et Joseph Staline ? Idi Amin ? Comment est-ce
qu'on mesure ? Les chiffres représentent-ils l'évaluation ultime ?
Une échelle mobile du nombre de victimes nous permet-elle de
déterminer le bien et le mal ?

— La question n'est pas qui est le pire. La question est : existe-
t-il des gens qui incarnent le mal absolu ?

— Que je vous parle de Jeffrey Dahmer. Le tueur en série.
Vous savez qui c'est ?

— Le boucher de Milwaukee.

— Était-il le mal ?

— Oui, dit-elle, mais elle était déjà moins sûre d'elle.

— L'histoire raconte que pendant sept ou neuf ans, je ne me
rappelle plus, disons sept ans, il a réussi à refouler le besoin de
tuer. Ce pathétique débris humain, cinglé et bousillé, a réussi à
contenir cette pulsion quasi inhumaine pendant sept ans. Est-ce
que ça le rend mauvais ? Ou héroïque ? Combien d'entre nous
connaissent-ils une telle pulsion, une telle intensité ? Nous, qui
ne sommes même pas capables de contrôler de simples désirs
comme la jalousie ou l'envie.

– Non, reprit-elle, je ne suis pas d'accord. Il a tué. À répétition. Il a fait des choses terribles. Peu importe combien de temps il a réussi à se maîtriser.

Zatopek lui sourit.

– J'abandonne. C'est une discussion sans fin et fondée sur trop de choses personnelles. Je soupçonne qu'en définitive ça repose sur des croyances dont on ne peut débattre. Comme la religion. Les normes, les valeurs. La façon dont on se perçoit, dont on perçoit les autres, dont on est. Et ce qu'on a vécu.

Elle n'avait rien à répondre à cela et demeura immobile. Son visage n'exprimait rien mais son corps, lui, semblait trop petit pour contenir tout ce qu'elle ressentait.

– Merci, dit-elle pour rompre le silence.

– Thobela est un homme bon. Aussi bon que la société le lui permet. Ne l'oubliez pas.

Il était en train de coucher la moto lorsqu'il entendit le bourdonnement se rapprocher.

Il avait bataillé pour négocier la rive abrupte de la rivière qui descendait jusqu'à l'eau, puis il était remonté sur la moto en faisant patiner la roue arrière dans les herbes et les buissons pour l'amener directement sous le pont en béton. Elle serait difficile à repérer à cet endroit. La béquille latérale ainsi que la principale ne lui étant d'aucun secours, il dut coucher la moto sur le côté. C'était dur : le truc était de tourner les poignées en l'air et d'en attraper l'extrémité en laissant les genoux faire le travail, pas le dos. Les énormes moteurs de l'hélicoptère étaient plus près que jamais. D'une manière ou d'une autre, ils avaient dû le repérer.

Il posa le casque sur le réservoir, ôta sa veste et son pantalon, trop clairs pour la nuit. Il essaya de voir où se trouvait l'avion, regarda de l'autre côté du pont et le découvrit à trente ou quarante mètres seulement, tout près du sol. Il sentit le déplacement d'air des gigantesques rotors sur sa peau, vit les feux tournoyants rouges et blancs et par la porte ouverte de l'Oryx, il aperçut quatre visages, chacun sous un viseur de nuit à infrarouge.

Da Costa, Little Joe Moroka, Cupido et Zwelitini attendirent que l'Oryx ait atterri et que ses puissants moteurs se soient calmés pour sauter à terre.

L'hélicoptère s'était posé au milieu d'un espace dégagé délimité par la rivière, la route et quelques acacias. Leur première impulsion les poussa à marcher jusqu'à l'eau, attirés par le magnétisme ancestral de cet élément. Derrière eux, le rotor principal ralentit peu à peu et finit par s'arrêter. Les bruits de la nuit reprirent leurs droits, grenouilles qui s'étaient tues, insectes, quelque part au loin un chien aboya.

Da Costa s'approcha de l'eau, ouvrit sa braguette et lâcha un gros jet lumineux au clair de lune.

— Hé, les fermiers doivent boire cette flotte, bordel ! lança Cupido.

— Les Boers boivent du cognac et du Coca, lui rétorqua Da Costa en crachant son chewing-gum en un arc impressionnant.

— Pas mal, dit Zwelitini. Pour un Blanc.

— Tu peux faire mieux ?

— Évidemment. Tu savais pas que les Zoulous avaient des lèvres pareilles pour pouvoir cracher sur les Blancs et les Xhosas ?

— Au lieu de parler, aboule ton fric, sa seigneurie.

— Dix rands que je fais mieux.

— Mieux que nous trois.

— Ça marche.

— Hé, et nous ? lança Cupido.

— C'est l'UR, mon pote. Viens cracher avec nous.

— Attendez, fit Da Costa. Je dois contacter le capitaine. Pour lui dire qu'on est en position.

— Prends ton temps. On a toute la nuit.

Et ils continuèrent à plaisanter, à se taquiner et à cracher, ignorant que leur proie ne se trouvait qu'à douze mètres de là, ignorant que l'un d'eux ne verrait pas le soleil se lever.

XXXI

Dans le bureau, elle annonça la mort de Miriam Nzululwazi au directeur et remarqua combien la nouvelle le secouait, combien la tension de toute cette affaire le gagnait peu à peu. Le petit sourire avait disparu, la compassion et la considération dont il faisait preuve envers elle étaient moins marquées, la gaieté avait été balayée.

Il ressentait la pression, se dit-elle. La chemise immaculée avait perdu de son éclat ; les rides faisaient de petites fissures dans son armure, à peine visibles.

— Et Vincent ? demanda-t-il d'un ton las.

— Il a offert sa démission.

— Et vous l'avez acceptée.

— Bien entendu, monsieur.

Ton irrévocable.

Le Zoulou ferma les yeux. Il resta assis sans bouger, mains sur les genoux, elle se demanda un instant s'il priait, tout en sachant que c'était sa façon d'être. D'autres auraient fait des gestes, poussé un soupir ou rentré les épaules. Lui se retirait momentanément du monde.

— Il y a toujours des victimes dans notre métier, dit-il doucement.

Sans doute n'avait-elle pas à répondre. Elle attendit qu'il rouvre les yeux, mais rien n'arriva.

— C'est la partie que je n'aime pas. C'est la partie que je déteste. Mais c'est inévitable.

Il rouvrit les yeux.

— Vincent.

Un geste enfin, un vague signe de la main.

— Il est trop idéaliste. Trop fragile et émotif. Je vais lui trouver une mutation. Quelque chose où l'on puisse canaliser son dévouement.

Elle ne savait toujours que dire car elle n'était pas d'accord. Vincent avait échoué. À ses yeux, il n'existait plus.

— Qu'allons-nous faire de… madame Nzululwazi ?

Du corps ? Pourquoi ne prononçait-il pas le mot ? Elle apprenait énormément ce soir. Elle découvrait ses faiblesses.

— Je vais la faire envoyer à la morgue, monsieur. Discrètement.

— Et l'enfant ?

Elle avait oublié l'enfant.

— Le mieux serait que la famille s'occupe de lui. Nous ne sommes pas… nous n'avons pas les structures.

— C'est vrai.

— Au téléphone, vous m'avez dit que vous aviez des nouvelles intéressantes.

— Oh ! Oui, c'est le cas. J'ai reçu un appel de Luke Powell.

Il lui fallut un moment pour digérer l'information.

— Luke Powell ? répéta-t-elle pour gagner du temps et se remettre les idées en place.

— Il veut nous rencontrer. Pour discuter.

Elle lui sourit.

— Voilà qui est inattendu, monsieur. Mais pas déplaisant comme perspective.

Il lui rendit son sourire.

— En effet, Janina. Il nous attend. Au Spur, sur le front de mer.

— Oh, il veut reprendre à la base.

Elle s'attendait à ce qu'il réagisse à sa blague, mais il demeura impassible.

Allison Healy passa deux coups de fil avant de commencer à taper l'article pour la une du lendemain. Le premier à Rassie Erasmus, de la police de Laingsburg.

— J'ai essayé de te joindre deux fois cet après-midi, mais ton portable était éteint, lui dit-il sur le ton du reproche.

— J'avais une interview avec quelqu'un de pas facile, répondit-elle. Désolée.

— Trois choses, enchaîna-t-il. D'abord ce matin à Beaufort West. On raconte que le motard a menacé des soldats avec une arme et qu'il aurait pu les expédier tous deux en enfer, mais qu'il les a laissés filer en disant un truc du genre : « Je ne veux de mal à personne. »

— Je ne veux de mal à personne, répéta-t-elle en prenant des notes avec frénésie.

— Deuxièmement — c'est une rumeur mais l'informateur est sûr, c'est un de mes vieux potes de Pretoria : ce brigadier qui a déclaré aux infos que le motard était un vrai fouteur de merde pendant la Lutte, tu vois ce que je veux dire, celui qui était dans l'armée ?

— Oui ?

Elle fouilla parmi les documents étalés sur son bureau, à la recherche du fax.

— Apparemment, il est en attente d'un procès. Harcèlement sexuel ou un truc dans ce goût-là. On raconte qu'il a parlé parce que l'histoire de harcèlement pourrait bien passer aux oubliettes s'il se montre assez coopératif.

— Attends, attends, attends, Rassie. (Elle avait retrouvé la feuille et la parcourut du doigt.) Tu dis que le brigadier, là, voilà… Lucas Morape, tu dis qu'il ment pour sauver sa peau ?

— Je ne dis pas qu'il ment. Je dis qu'il leur donne un coup de main. Et ce n'est pas vérifié, c'est une rumeur.

— Et la troisième chose ?

— Ils ont coincé le motard dans l'État libre.

— À quel endroit ?

— Petrusburg.

— Petrusburg ?

— Je sais, je sais, un trou paumé au milieu de nulle part, mais c'est ce que m'a raconté le type.

— Tu dis qu'ils l'ont coincé ?

— Attends, je t'explique. Cet après-midi, il s'est fait prendre par un radar de ce côté-ci de Petrusburg. Le flic lui a filé une putain d'amende sans avoir la moindre idée de qui il était et l'a laissé repartir. Quand le pauvre type est rentré au bureau, c'est là que la bombe a pété. Ils pensent qu'il a réussi à traverser Petrusburg à cause de toutes les autres BMW, mais à présent, ils ont bloqué toutes les issues. Apparemment, y'a tout un escadron de Rooivalk qui l'attend avec des missiles téléguidés.

— Rassie, ne sois pas ridicule.

— Chérie, est-ce que je t'ai déjà menti ?

— Non...

— Je te rapporte ce que j'entends, Allison. Tu le sais. Et je ne t'ai jamais laissée tomber.

— C'est vrai.

— Tu peux me remercier.

— Oui, Rassie, je te dois une fière chandelle.

Elle mit fin à la conversation et hurla les nouvelles à son rédacteur en chef.

— Je vais avoir besoin de renfort sur ce coup-là, chef.

— Qu'est-ce qu'il te faut ?

— Des gens pour passer des coups de fil.

— OK, tu les as, dit-il en s'approchant de son bureau.

Elle avait déjà composé le numéro suivant. La maison de Miriam Nzululwazi à Guguletu.

— Je voudrais que quelqu'un appelle le chargé de relations publiques de l'armée auprès des médias pour qu'ils confirment si le brigadier Lucas Morape est ou non en instance de procès pour harcèlement sexuel.

Le téléphone sonna à Guguletu.

— Quel brigadier ?

— Le type qui a fait une déclaration à la presse pour dire à quel point le motard était vraiment mauvais.

— Entendu, répondit le rédacteur.

— Et j'ai besoin que quelqu'un contacte Kimberley et leur demande de confirmer si Thobela Mpayipheli s'est effectivement fait coincer près de Petrusburg.

— Brave fille, dit le rédacteur.

Le téléphone sonnait toujours.

— Et il faut que quelqu'un me trouve une liste des garderies de Guguletu et les appelle. Je veux savoir si un Pakamile Nzululwazi a été récupéré par sa mère aujourd'hui.

— Il est huit heures et demie.

— On parle de Guguletu, chef. Pas d'une quelconque banlieue blanche bien douillette où tout le mode est à la maison à dix-sept heures. Avec un peu de chance. Chef, s'il vous plaît.

Le téléphone sonnait et sonnait encore.

Tiger Mazibuko était assis sur le siège du copilote de l'Oryx. Ils avaient atterri à côté de la R64, à mi-chemin de Dealesville et de Boshof.

Le casque radio sur les oreilles, il écoutait les pilotes des Rooivalk faire leur rapport sur chaque secteur qu'ils avaient fouillé sans succès. Il les cochait ensuite sur une carte.

Le fumier se trouvait-il déjà au-delà de Boshof ?

Il hocha la tête.

Impossible. Il ne pouvait pas rouler aussi vite.

Ils allaient le coincer. Même s'il avait de la chance, il leur restait un dernier recours. Après Mafikeng, il n'y avait plus que deux routes pour le Botswana. Juste deux. Et on allait les fermer.

Mais ça ne serait sans doute pas la peine.

Au début, il se sentit soulagé. L'Oryx n'avait pas atterri parce qu'il l'avait repéré. Maintenant, il était frustré de s'être fait piéger.

Il était allongé sous le pont à côté de la GS et n'osait ni bouger ni faire un bruit, ils étaient trop près, quatre jeunes soldats qui s'amusaient bruyamment. Le copilote les avait rejoints et ils faisaient des ricochets sur l'eau avec des galets plats. Celui qui obtenait le plus de rebonds avant que le galet ne coule était le champion.

Il avait reconnu l'un d'eux, le jeune Noir. Ce matin même, il l'avait menacé de son arme.

Il se retrouvait en eux. Avec vingt ans de moins. Jeunes, si jeunes, des gamins dans des corps d'hommes, prêts à en découdre, idéalistes et avides de jouer au soldat.

Il en avait toujours été ainsi, de toute éternité, c'était les enfants qui allaient à la guerre. Van Heerden disait que c'était l'âge de montrer ce qu'on avait dans le ventre, de s'imposer pour pouvoir prendre sa place dans la hiérarchie.

Il était encore plus jeune quand il avait quitté la maison – dix-sept ans. Il s'en souvenait parfaitement, le voyage de nuit dans la voiture de son oncle Senzeni, Queenstown, East London, Umtata, ils avaient parlé sans discontinuer de la longue route qui l'attendait. Senzeni n'arrêtait pas de répéter que c'était son droit et son privilège, que les ancêtres lui seraient favorables, que la Révolution arrivait, que l'injustice serait balayée. Il s'en souvenait, mais couché là comme il l'était à présent, il ne retrouvait plus la flamme qui avait nourri son âme. Il cherchait cette ferveur – ce *Sturm und Drang*[1] qui l'avait habité –, elle avait existé, il le savait, mais il ne lui restait plus qu'un goût de cendre froide dans la bouche. Il avait pris le bus à Umtata, Senzeni l'avait serré fort dans ses bras et, les larmes aux yeux, lui avait dit « *Mayibuye* » en guise d'adieu. C'était la dernière fois qu'il devait le voir, Senzeni le savait-il ? Avait-il compris que son propre combat serait le plus dangereux, là, dans la gueule du lion, les risques tellement plus grands ? L'étreinte désespérée de Senzeni était-elle dictée par le pressentiment qu'il allait mourir dans la bataille qu'il menait dans son pays même ?

Le trajet en bus jusqu'à Durban, puis Empangeni et le saut dans l'inconnu. Durant les heures qui précédaient l'aube, l'énormité du voyage qui l'attendait lui avait rongé le cœur, apportant avec lui la gangrène de l'insécurité.

Dix-sept ans.

Assez vieux pour faire la guerre, assez jeune pour rester éveillé dans l'obscurité et avoir peur, se languir du lit dans sa chambre, de la présence rassurante de son père dans le presbytère, assez jeune pour se demander s'il retrouverait jamais les bras maternels.

1. Littéralement « ouragan et passion ». Principes esthétiques du mouvement romantique allemand au XVIIIᵉ siècle. *(NdT.)*

Mais le soleil s'était levé, balayant ses peurs, la bravade avait pris le dessus et lorsqu'il était descendu du bus à Pongola, il allait mieux. La nuit suivante, on lui avait fait passer la frontière du Swaziland en douce et le lendemain soir, il était au Mozambique et sa vie avait définitivement basculé.

Et voilà qu'il se retrouvait là, à utiliser un truc que les Allemands de l'Est lui avaient enseigné. Rester sans bouger, c'était tout l'art des assassins et des tireurs isolés, rester immobile et invisible pendant des heures, mais il était plus jeune à l'époque. Il avait quarante ans maintenant et son corps protestait. Une de ses jambes était engourdie, les pierres sous sa hanche étaient pointues et insupportablement inconfortables, le feu de ses entrailles était éteint et sa ferveur avait disparu. Elle était restée à mille cinq cents kilomètres de là, au sud, dans une petite maison des Cape Flats, à côté du corps paisiblement endormi d'une grande femme mince ; il sourit dans l'obscurité, malgré sa gêne il sourit à l'idée dont les choses évoluent, rien ne reste jamais pareil et c'est bien ainsi, la vie continue.

Il souriait, mais le doute l'envahissant, il prit conscience que ce voyage allait aussi changer sa vie. Il était en route pour plus que Lusaka.

Où cela le mènerait-il ?

Comment savoir ?

Elle travaillait à la une, sachant que ce soir-là un travail difficile l'attendait.

Selon des rapports contradictoires de l'armée et de sources non officielles, un escadron d'hélicoptères d'attaque Rooivalk aurait réussi à coincer le fugitif à moto Thobela Mpayipheli près de la ville de Petrusburg, État libre, tard la nuit précédente.

Elle relut son paragraphe d'introduction. Pas mal. Mais pas tout à fait ça. Le *Burger*, la radio et la télé avaient sans doute les mêmes infos. Et d'ici le lendemain matin, il aurait peut-être été arrêté.

Elle plaça le curseur à la fin du paragraphe et l'effaça. Elle réfléchit, reformula, testa mentalement les phrases et la construction.

Un nouveau drame en rapport avec le fugitif à moto Thobela Mpayipheli a eu lieu tard dans la nuit, avec la disparition mystérieuse de sa concubine, Mme Miriam Nzululwazi.

Elle tenait son scoop, elle continua.

Les autorités, y compris la SAPS et le bureau de la ministre des Renseignements, ont formellement démenti que Mme Nzululwazi ait été détenue par les services gouvernementaux. Néanmoins, ses collègues d'Absa ont déclaré qu'elle avait été appréhendée hier par des représentants non identifiés des forces de l'ordre, à leur agence d'Heerengracht.
L'armée n'a fait aucun commentaire sur les rumeurs persistantes selon lesquelles un escadron d'hélicoptères d'attaque Rooivalk aurait réussi à coincer Mpayipheli près de la ville de Petrusburg, État libre, hier après la tombée de la nuit.

C'est mieux, se dit-elle. D'une pierre deux coups.
– Allison…
Elle leva les yeux. Un collègue noir se tenait à côté d'elle.
– … j'ai quelque chose.
– Vas-y.
– Le môme. Je l'ai trouvé. Enfin, presque.
– C'est pas vrai !
– Une femme des services de garderie et d'accueil préscolaires de Guguletu dit qu'il fréquente régulièrement leur établissement. Et que sa mère n'est pas venue le chercher ce soir.
– Et merde !
– Mais un type du gouvernement s'est pointé. (Il compulsa ses notes.) Il dit s'appeler Radebe, lui a montré une carte en déclarant qu'il y avait eu un genre d'accident et qu'il était là pour s'occuper de l'enfant.
– Oh mon Dieu ! A-t-il dit pour qui il bossait ? Où il emmenait l'enfant ?

– Apparemment, les papiers qu'il lui a montrés portaient simplement la mention « Ministère de la Défense ».

– Et elle a laissé l'enfant partir ?

– C'était le dernier.

– Le dernier ?

– Il était le dernier à attendre et j'imagine que cette femme voulait rentrer chez elle.

Vincent Radebe n'arrivait pas à annoncer à l'enfant que sa mère était morte. Il ne savait comment s'y prendre.

– Ta maman a dû rester plus longtemps au travail, fut tout ce qu'il parvint à trouver dans la voiture. Elle m'a demandé de m'occuper de toi.

– Tu travailles avec elle ?

– On peut dire ça.

– Tu connais Thobela ?

– Oui, je le connais.

– Thobela est parti quelque part et c'est notre secret.

– Je sais.

– Et je ne dirai rien à personne.

– C'est bien.

– Et il revient demain.

– Oui, il revient demain, avait-il répondu sur la route de Green Point qui menait à son appartement.

Pendant le trajet, il y avait eu des moments où il n'arrivait plus à supporter sa culpabilité, le poids qui pesait sur lui, mais à présent, dans le MacDonald en face du stade d'athlétisme, il avait repris le contrôle de lui-même. Il regarda Pakamile dévorer son Big Mac et lui demanda :

– Tu as de la famille ici au Cap ?

– Non, répondit l'enfant qui s'était mis de la sauce tomate sur le front.

Radebe prit une serviette et l'essuya.

– Personne ?

– Ma mamie habitait à Port Elizabeth, mais elle est morte.

– Tu as des oncles et des tantes ?

– Non. Juste Thobela et ma mère. Thobela dit qu'il y a des dauphins à Port Elizabeth et il va nous emmener les voir à la fin de l'année.

– Oh !

– Je sais où est Lusaka. Et toi ?

– Moi aussi.

– Thobela m'a montré. Dans l'atlas. Tu sais que Thobela est l'homme le plus intelligent du monde ?

XXXII

Officiellement, Luke Powell était conseiller économique auprès du consulat américain du Cap.

Officieusement, comme personne ne l'ignorait dans le monde du Renseignement, il avait peu de choses à voir avec l'économie. Il était en réalité haut fonctionnaire, chargé des intérêts de la CIA en Afrique australe, ce qui incluait à peu près tout de ce côté-ci du Sahara.

Dans la terminologie politiquement correcte de son pays, Luke Powell était ce qu'on appelle un *Africain américain*, un personnage jovial plutôt replet au visage rond et doux qui portait (au grand dam de son adolescente de fille) de larges lunettes à monture dorée passées de mode depuis dix ans. Il n'était plus tout jeune, ses tempes grisonnaient et son accent était lourd des intonations du Mississipi.

— Je prendrai un cheddamelt et des frites, dit-il au jeune serveur couvert d'acné.

— Je vous demande pardon ?

— Un steak cheddamelt, bien cuit. Et des frites.

Le serveur plissait toujours le front. Ils étaient plus jeunes d'année en année. Et de plus en plus crétins, se dit Janina Mentz.

— Des pommes de terre sautées, lança-t-elle en guise d'explication.

— Vous ne prenez que des pommes de terre sautées ? lui demanda le serveur.

– Non, moi, je ne veux qu'un jus d'orange. Lui, il veut un steak cheddamelt et des pommes de terre sautées. Les Américains appellent ça des frites.

– C'est exact. Des pommes de terre frites, à la française, renchérit Luke Powell avec bonne humeur en décochant un large sourire au serveur complètement perdu à présent, le stylo en équilibre au-dessus de son calepin.

– Ah ! fit le garçon.

– Mais ce n'est pas français, c'est américain, affirma Powell avec une certaine fierté.

– Ah ! fit à nouveau le garçon.

– Je prendrai simplement une salade composée, ajouta le directeur.

– OK, répondit le garçon soulagé en gribouillant quelque chose.

Il traîna encore un peu et, voyant que personne n'ajoutait rien, s'éloigna.

– Comment allez-vous ? demanda Luke Powell d'un air souriant.

– Pas mal pour un pays du tiers-monde en voie de développement, répondit Janina en ouvrant son sac à main.

Elle en sortit une photo qu'elle tendit à Powell.

– Allons droit au but, monsieur Powell.

– Je vous en prie, appelez-moi Luke.

L'Américain prit la photo en noir et blanc. Il vit la porte d'entrée du consulat américain et reconnut sans le moindre doute le visage de Johnny Kleintjes quittant les lieux.

– Ah ! dit-il à son tour.

– Ah, vraiment, reprit Janina.

Powell ôta ses lunettes à monture dorée et en tapota la photo.

– Aurions-nous quelque chose en commun concernant cet individu ?

– C'est possible, répondit doucement le directeur.

Il est bon, cet Américain, se dit Janina en le regardant s'adapter en un éclair, le visage impassible.

Un innocent petit garçon de six ans, originaire de Guguletu, est devenu un pion dans la chasse à l'homme nationale lancée contre Thobela Mpayipheli, le fugitif à moto, actuellement recherché par les services de renseignements, l'armée et la police.

— Maintenant, tu me ponds quelque chose, lança le rédacteur en arpentant nerveusement le bureau derrière Allison.

Le bouclage approchait.

Pakamile Nzululwazi a été emmené de la garderie où il se trouvait, tard dans la soirée, par un fonctionnaire du « ministère de la Défense ». Il s'agit du fils de la concubine de Thobela Mpayipheli, Miriam Nzululwazi, elle aussi mystérieusement disparue de la succursale d'Absa à Heerengracht, où elle est employée.

— Et que ça saute, répéta le rédacteur.

Elle aurait voulu qu'il s'asseye pour pouvoir se concentrer tranquillement.

— Que s'est-il passé à Lusaka ? demanda Janina Mentz.

Luke Powell les dévisagea tour à tour, elle d'abord, puis le directeur, et remit ses lunettes.

Quel jeu étrange, songea-t-elle. Il sait qu'on sait et on sait qu'il sait qu'on sait.

— On essaie encore de comprendre, répondit-il.

— Alors, vous vous êtes fait avoir ?

Le doux visage de Luke Powell ne trahissait rien du conflit intérieur, de l'humiliation qu'il y avait à reconnaître que la petite expédition africaine de la superpuissance avait mal tourné.

— Oui, on s'est fait avoir, dit-il d'une voix égale.

Ils étaient assis en cercle dans l'herbe et discutaient, les quatre soldats, le pilote et le copilote.

Thobela Mpayipheli était soulagé qu'ils se soient éloignés un peu. Il percevait les voix, mais pas les paroles. Il entendait des éclats de rire. Ils devaient se raconter des blagues. Il distinguait aussi le crépitement périodique de la radio qui les faisait taire chaque fois, jusqu'à ce qu'ils soient sûrs que le message ne leur était pas destiné.

L'adrénaline était retombée peu à peu, l'inconfort avait augmenté mais au moins pouvait-il enfin bouger, remuer les membres et déplacer les pierres et les touffes d'herbe qui le gênaient.

Mais il avait un nouveau problème : combien de temps cela allait-il durer ?

À l'évidence, ils attendaient un signal ou une alerte. Et il savait que c'était lui, l'objet de cette alerte. Le seul ennui, c'était que tant qu'il resterait coincé sous ce pont, il n'y en aurait pas. Ce qui signifiait qu'ils ne partiraient pas. Ce qui signifiait que la nuit allait être drôlement longue.

Plus cruciales encore étaient les heures perdues, celles qu'il aurait dû mettre à profit pour se rapprocher de Lusaka. Pas encore trop grave, il lui restait du temps, mais mieux valait avoir du temps devant soi, parce que qui sait ce qui l'attendait ? Il y avait au moins deux frontières à traverser et bien qu'il ait son passeport dans son sac, il ne possédait pas les papiers de la GS. À l'africaine, il aurait glissé quelques billets de cent entre les pages du passeport en espérant que ça marche, mais il fallait du temps pour soudoyer quelqu'un et marchander et il risquait de tomber sur la mauvaise personne le mauvais jour. Mieux valait trouver un trou dans la clôture qui délimitait la frontière ou en faire un lui-même et aller son propre chemin. Cela dit, le Zambèze n'était pas non plus si facile que ça à franchir.

Ces heures, il en aurait besoin.

Et bien sûr, il y avait l'autre petit problème. Tant qu'il faisait nuit, il était à l'abri. Mais le lendemain matin, au lever du soleil, sa cachette dans l'ombre impénétrable du pont ne lui serait plus d'aucune utilité.

Il devait sortir de là.

Il lui fallait un plan.

– Il y a quelque chose que j'ai du mal à comprendre, Luke, reprit le directeur. Inkululeko, le soi-disant agent double sud-africain, travaille pour vous. Alors pourquoi proposer à Johnny Kleintjes de lui acheter des informations ?

Powell se contenta de hocher la tête.

– Qu'est-ce que ça peut vous faire si nous croyons savoir de qui il s'agit ? insista le directeur, et Janina fut surprise de la tournure que prenaient les questions.

Le directeur ne lui avait rien dit de ses soupçons.

– Ça ne me paraît pas être un angle d'investigation très raisonnable, monsieur le directeur, répondit Powell.

– Détrompez-vous : ça sent drôlement le coup monté dans le coin.

– Je n'ai rien à ajouter. J'accepte de discuter de notre problème commun de Lusaka, mais j'ai bien peur que les choses ne s'arrêtent là.

– Ça n'a pas de sens, Luke. Pourquoi prendre un tel risque ? Vous saviez qu'il existait dès le moment où Kleintjes a franchi la porte du consulat. Vous savez que nous avons un photographe en planque.

Powell fut sauvé un instant par l'arrivée du garçon qui apportait les commandes – un steak cheddar melt pour lui, une assiette de pommes de terre sautées pour Janina et un jus d'orange pour le directeur.

– Je n'ai pas… commença Janina avant de laisser tomber – il était inutile de corriger le serveur.

Elle prit le jus d'orange et le posa devant elle.

– Je vais me chercher des salades, dit le directeur en se levant.

– Pourrais-je avoir du Ketchup ? demanda Powell.

– Pardon ? fit le garçon.

– Il veut de la sauce tomate, reprit Janina, agacée.

– Oh. Oui. Bien sûr.

– Pourquoi faites-vous ça ? demanda-t-elle à Powell.

– Ça quoi ?

– Utiliser ces américanismes.

– Oh, juste pour saupoudrer un peu de culture.

– De culture ?

Il se contenta de sourire. Le serveur rapporta la sauce tomate. Powell en arrosa largement ses frites, prit sa fourchette, en piqua quelques-unes et les engloutit.

— Super, dit-il.

Elle le regarda manger jusqu'à ce que le directeur revienne avec une pleine assiettée de salades.

— Qui vous a grillé à Lusaka ? demanda Janina. Vous avez une idée ?

— Non, madame, répondit Powell, la bouche pleine de steak.

Le garçon se matérialisa à la table.

— Tout va bien ?

Elle failli crier au visage boutonneux que non, tout n'allait pas bien, qu'elle n'avait pas commandé de pommes de terre, que ce n'était pas la peine de revenir pour un pourboire, qu'il ferait mieux de les laisser en paix, mais elle se retint.

— Le steak est fantastique, lança Powell.

Le garçon grimaça de soulagement et partit.

— Comment est votre salade, monsieur le directeur ?

Le directeur reposa soigneusement et minutieusement son couteau et sa fourchette sur son assiette.

— Luke, nous avons des hommes sur place, en Zambie. La dernière chose dont nous avons besoin, c'est de tomber sur une de vos équipes.

— Ce serait regrettable.

— Ce qui signifie que vous aussi, vous avez des gens ?

— Je ne suis pas habilité à vous répondre.

— Vous avez dit que vous acceptiez de parler de notre problème commun.

— J'espérais que vous auriez des informations à me donner.

— Tout ce que nous savons, c'est que Thobela Mpayipheli est en route pour Lusaka avec un disque dur qui contient Dieu sait quoi. C'est vous qui savez ce qui s'est passé là-bas. Avec Johnny.

— Il a été, dirons-nous, intercepté.

— Par des inconnus ?

— Exactement.

— Et vous n'avez pas le moindre soupçon ?

— Je ne dirais pas ça.

– Éclairez-nous.

– Eh bien, pour être franc, j'ai cru que c'était vous l'empêcheur de tourner en rond.

– Ce n'est pas nous.

– Peut-être. Peut-être pas.

– Je vous garantis personnellement qu'il ne s'agissait pas de mes hommes, dit Janina Mentz.

– Vous me le garantissez personnellement, répéta Powell en souriant la bouche pleine.

– Ça va faire du monde à Lusaka, Luke, reprit le directeur.

– Oui, ça risque.

– Je vous demande comme une faveur personnelle de vous tenir à l'écart.

– Tiens donc, monsieur le directeur, je ne savais pas que l'Afrique du Sud possédait un droit de passage en Zambie.

La voix du directeur devint glaciale.

– Vous avez déjà saboté le travail. Maintenant, retirez-vous.

– Sinon quoi, monsieur le directeur ?

– Sinon, on vous vire.

– Comme vous avez viré le méchant malabar à la BMW ? lui renvoya Powell en enfournant un autre morceau de steak noyé sous le fromage et les champignons.

Le plan du méchant malabar à la BMW s'imposa à lui sans qu'il le veuille.

Le destin venait d'abattre une carte étrange du côté de la très puissante Modder.

XXXIII

Sans les chants, Little Joe Moroka ne se serait peut-être jamais éloigné du cercle des blagueurs.

C'était Cupido qui avait lancé toute l'affaire avec une de ces provocations moqueuses : « Vous, les Blancs, vous ne savez pas… », qui finit en chansons. Le pilote et le copilote, pâles comme des lys, avaient alors entonné *a cappella* un *On a bicycle built for two*[1] parfaitement à l'unisson et empli la nuit de leur mélodie.

— Nom de Dieu ! s'était exclamé Cupido quand ils eurent terminé et que les applaudissements tapageurs eurent cessé, où est-ce que vous avez appris à chanter comme ça ?

— L'armée de l'air a de la culture, lui avait répondu le pilote en affichant un faux air de supériorité.

— C'est d'ailleurs un contraste frappant avec le reste de la SANDF, avait renchéri son collègue.

— Tous les gens raffinés le savent.

— Non, sérieusement, avait continué Da Costa. D'où ça vient ?

— Quand on passe un certain temps au mess, on découvre des trucs bizarres.

— C'était pas mal, avait ajouté Little Joe. Pour des Blancs.

— Oh, ça va les compliments ! avait dit le pilote.

— Mais le nègre sait-il chanter ? avait alors lancé le copilote.

— Évidemment, avait rétorqué Little Joe.

1. *Sur une bicyclette pour deux*, chanson de Harry Dacre, 1892. *(NdT.)*

Et c'est ainsi que les choses commencèrent, parce que alors le pilote ajouta : « Prouvez-le. » Little Joe Moroka leur décocha un sourire éclatant dans l'obscurité. Il allongea le cou, redressa la tête comme pour libérer ses cordes vocales et le chant éclata, enflammé et puissant, *Shosholoza,* quatre notes de pur baryton pleines de bravoure.

Thobela Mpayipheli ne pouvait suivre la conversation depuis le pont, mais le premier chant des deux pilotes était parvenu jusqu'à lui et qu'il ne soit pas particulièrement amateur de musique ne l'empêcha pas d'en éprouver du plaisir, malgré sa situation, malgré les circonstances. Et, tout à coup, il entendit la première phrase de l'hymne africain et dressa l'oreille, sachant qu'il assistait à quelque chose de rare.

Little Joe lançait les notes dans la nuit comme un défi. Deux autres voix se joignirent à lui, que Mpayipheli ne put identifier. La mélodie gagna en signification, en émotion, en nostalgie. Puis ce fut encore une voix de ténor, celle de Cupido, sonore et haut perchée comme une flûte, qui flotta un instant au-dessus des autres avant de trouver sa place. Zwelitini apporta la touche finale en ajoutant discrètement sa voix de basse à l'ensemble, de sorte que les quatre voix formèrent une trame de velours pour la mélodie de Moroka, s'entremêlant les unes aux autres au gré des gammes. Ils chantaient sans hâte, portés par les rythmes paisibles de tout un continent et les bruits de la nuit cessant, le veld silencieux accueillit le chant, l'Afrique ouvrit les bras.

Les notes envahirent Thobela, l'arrachèrent au pont, lui firent lever les yeux sur la trouée d'étoiles qui se trouvaient dans son champ de vision, il entrevit un monde de Noirs, de Blancs et de métis vivant dans une harmonie encore plus parfaite, un monde de possibilités fantastiques et laissa l'émotion, infime et d'abord retenue, éclater, tandis que la musique emplissait son âme.

Une autre prise de conscience faisait son chemin en lui, enfouie quelque part, elle avait attendu qu'il soit prêt et, maintenant, l'esprit enfin clair pour la première fois depuis plus de dix ans, il sentit le cordon ombilical qui le reliait à ses origines, qui le ramenait en arrière, toujours plus loin et plus profond, à sa vie et à celles qui l'avaient précédé, jusqu'à ce qu'il puisse les contempler toutes, jusqu'à ce qu'il puisse se voir et se connaître.

La dernière note mourut sur la plaine, trop tôt, un silence absolu envahissant les lieux comme si le temps s'était arrêté l'espace d'un battement de cœur.

Il sentit que ses yeux étaient humides, un long filet argenté dégoulina le long de sa joue et il en fut ébahi.

Les bruits de la nuit reprirent peu à peu, respectueux et feutrés, comme si la nature avait compris qu'il était maintenant inutile de lutter.

Sans un mot, Little Joe Moroka se leva et quitta le cercle.

Il balança machinalement le Heckler & Koch par-dessus son épaule et s'éloigna.

Personne ne parlait. Ils savaient.

Little Joe descendit la berge. La journée avait été douce-amère et il voulait faire durer cette douceur, goûter ces émotions encore un peu. Il marcha jusqu'à la rivière et contempla l'eau sombre, immobile, le H & K dans son dos, inoffensif. Il avait envie de bouger et se dirigea vers le pont, pensant à tout et à rien, les sons faisaient écho dans sa tête, bon sang que c'était bon, comme quand il était gosse. Ses pas le menèrent au hasard jusque sous le pont obscur. Il vit le faible reflet du pot d'échappement en acier inoxydable, mais ne réagit pas parce que c'était tellement déplacé, il détourna les yeux, regarda à nouveau, moment irréel avec un soupçon de raison, déclic dans le cerveau, il fit un pas en avant, puis un autre, l'objet rutilant prit forme, les tuyaux, le réservoir, les roues et le guidon, il poussa un cri de surprise, saisit son arme, la fit pivoter, mais trop tard. Une silhouette affreusement rapide ayant surgi de l'ombre lunaire, une épaule le heurta pour la deuxième fois de la journée mais il avait le doigt sur la détente, déjà le pouce dégageait le cran de sûreté et là, tandis qu'il crachait ses poumons en tombant à la renverse, l'arme se mit à bégayer en tir continu, gaspillant sept de ses dix-neuf munitions.

Cinq atteignirent le ciment et l'acier et s'enfoncèrent avec un sifflement strident dans la nuit. Deux rencontrèrent la hanche droite de Thobela Mpayipheli.

Son corps fut projeté de côté sous l'impact des balles de 9 mm et il ressentit immédiatement le choc. Il comprit qu'il était en mauvaise posture, mais accompagna la chute de Moroka le long de la berge escarpée. Il entendit les cris du groupe près de l'hélicoptère, mais se concentra sur l'arme, Little Joe avait le souffle coupé, il atterrit sur lui, la main sur le pistolet-mitrailleur, il tira d'une secousse, le lui arracha, chercha la crosse des doigts, son autre avant-bras sur la gorge du soldat, face à lui, les pas se rapprochaient, les camarades hurlaient des questions, il pressa violemment le canon du H & K contre la joue de Moroka.

— Je ne veux pas te tuer, dit-il.

— Joe ? lança Da Costa au-dessus d'eux.

Moroka se débattit. Le canon se fit plus insistant, le fugitif plus lourd, l'homme siffla « Chut » dans son visage et Little Joe céda. Où cet enfoiré pouvait-il aller, ils étaient six contre un.

— Joe ?

Mpayipheli fit rouler Moroka sur lui-même, passa derrière lui et le prit au collet pour s'en servir comme d'un bouclier.

— On se calme, dit Thobela.

L'adrénaline faisait tourner le monde au ralenti. Sa hanche était trempée de sang, celui-ci coulant à flots le long de la jambe.

— Putain de merde ! s'écria Cupido.

Enfin il les voyait, Little Joe avec le pistolet sur la joue, l'immense mec derrière lui.

— Posez vos armes, ordonna Thobela.

Le choc des deux balles de 9 mm combiné avec la chimie de son propre corps le faisait trembler.

Ils ne firent pas un geste.

— Descendez-le ! dit Little Joe.

— Personne ne sera blessé, lança Thobela.

— Tuez ce chien ! gueula Little Joe.

— Attendez ! intervint Da Costa.

— Posez vos armes, répéta Tholeba.

— Mec, par pitié, descends-le ! implora Little Joe.

Il ne pourrait pas endurer une fois de plus la colère de Tiger Mazibuko, l'humiliation supplémentaire. Il se tortilla en essayant de se libérer de l'emprise du fugitif, mais Thobela Mpayipheli le frappa de la crosse du pistolet-mitrailleur, là où les nerfs se concentrent, entre le dos et la tête. Ses genoux s'affaissèrent, mais le bras se referma sur sa gorge et le soutint.

— Je compte jusqu'à dix, lança Mpayipheli, et vous me posez toutes les armes à terre.

Sa voix était étrange, rauque et distante, la voix d'un homme désespéré. Il pensait à l'hélicoptère, où était le pilote, où étaient les hommes qui pouvaient se servir de la radio pour donner l'alerte ?

Ils déposèrent leurs armes, Da Costa, Zwelitini et Cupido.

— Où sont les deux autres ?

Da Costa se retourna, trahissant ainsi leur position.

— Allez les chercher. Tout de suite !

— Vous énervez pas, dit Da Costa.

Little Joe commençait à reprendre ses esprits et se remit à gigoter sous son bras.

— Je suis calme, mais si ces deux-là n'arrivent pas tout de suite…

— Capitaine ! lança Da Costa par-dessus son épaule.

Pas de réponse.

Il est en train d'envoyer un message, Mpayipheli en était certain, il appelait des renforts.

— Un, deux, trois…

— Capitaine ! hurla Da Costa, paniqué.

— Quatre, cinq, six…

— Merde, capitaine, il va le descendre !

— C'est exact, sept, huit…

— OK, OK, répondit le pilote en émergeant avec son collègue au sommet de la berge, les mains en l'air.

— Écartez-vous des armes, ordonna Mpayiheli, et tous reculèrent de quelques pas.

Il poussa Little Joe jusqu'en haut de la berge pour mieux surveiller l'hélicoptère. Le soldat tenait à peine sur ses pieds mais marmonnait toujours « Descendez-le ».

— Tu ne voudrais pas que je te frappe à nouveau, si ? lui lança Tholeba.

Les grommellements cessèrent.

Ils se faisaient face, le fugitif avec son otage et les cinq autres serrés les uns contre les autres.

Dans sa tête, les secondes défilaient.

Le pilote avait-il réussi à envoyer un message ? Combien de sang avait-il perdu ? À quel moment allait-il ressentir les vertiges, la perte de concentration et de contrôle ?

— Écoutez-moi bien, dit-il. Nous avons un problème. N'aggravez pas les choses.

Pas de réponse.

— Il s'appelle Joe ?

Da Costa acquiesça.

Il sentait le blindage du gilet en Kevlar sous la chemise de Little Joe. Il choisit ses mots avec soin.

— La première balle est pour l'épaule de Joe. La deuxième pour sa jambe. Vous avez compris ?

Ils gardèrent le silence.

— Vous trois, reprit-il en les montrant avec le canon de l'arme. Allez chercher la moto.

Pas de réaction.

— Grouillez-vous !

Il pressa le canon contre la clavicule de Little Joe.

Les soldats descendirent au pied du pont.

— Tu t'en tireras pas ! lui lança le pilote, et il sut alors avec certitude que l'homme avait réussi à se servir de la radio.

— Vous avez trente secondes ! hurla-t-il aux trois qui se trouvaient près de la moto.

— Toi, enchaîna-t-il en désignant le copilote, va chercher le casque et la combinaison. Là-bas. Et si je vois que tu traînes...

L'homme écarquilla les yeux. Il s'éloigna en trottinant, dépassa les hommes qui luttaient pour remonter la moto.

— Aide-les à la charger dans l'hélicoptère, dit-il au pilote.

— Tu déconnes complètement, mec. Pas question que je t'emmène quelque part !

C'est alors que Little Joe se dégagea brusquement d'un mouvement d'épaule et plongea sur les armes empilées par terre. Thobela le suivit avec le canon du Heckler, comme au ralenti, le vit s'emparer d'un pistolet-mitrailleur, rouler sur lui-même en faisant volte-face, déclencher le mécanisme avec une adresse consommée. Il vit l'arme pointée sur lui, il vit les autres se figer et se dit « non » à voix basse, pour lui-même, une seule fois, puis il pressa la détente car le choix n'était plus de tirer ou non, mais de vivre ou de mourir. Les détonations retentirent, il visa le gilet pare-balles et Little Joe fut projeté en arrière. Mpayipheli s'avança vers lui sur sa jambe droite chancelante (quels étaient les dégâts ?), arracha l'arme des mains du jeune soldat, jeta la sienne et leva la tête. Les autres étaient toujours cloués sur place, il baissa les yeux, trois coups inoffensifs avaient touché sa poitrine, un quatrième atteignant son cou, blessure affreuse d'où jaillissait le sang.

Il inspira profondément, il devait rester maître de lui. Et d'eux aussi.

– Il faut l'emmener à l'hôpital. C'est vous qui décidez à quelle vitesse, dit-il. Chargez la moto.

Ils étaient choqués.

– Dépêchez-vous. Il va mourir.

Little Joe gémit.

La GS était devant la portière ouverte de l'Oryx.

– Aide-les ! lança-t-il au pilote.

– Ne tirez pas, cria le copilote en arrivant au sommet de la berge avec le casque et la combinaison.

– Mets-les à l'intérieur.

Les quatre bataillèrent avec la lourde machine, mais l'adrénaline qui coulait dans leurs veines les aida à hisser d'abord l'avant puis l'arrière de l'engin.

– Vous avez du matériel de premier secours ?

Cupido acquiesça.

– Posez-lui un pansement compressif sur le cou. Bien serré.

Il gagna l'Oryx en titubant, la douleur dans sa hanche l'élançant violemment. Il n'y avait plus de temps à perdre.

– On y va ! lança-t-il aux deux pilotes.

XXXIV

Ce fut le capitaine Tiger Mazibuko qui capta le signal d'alerte dans le second Oryx posé à côté de la R64, à mi-chemin de Dealesville et Boshof.

– SOS ! SOS ! SOS ! Ça tire là-dessous, je pense qu'ils l'ont trouvé…

Puis plus rien.

Il appela en hurlant l'équipage occupé à fumer et à discuter avec les autres membres de l'équipe Alpha.

– Ramenez-vous ! gueula-t-il, puis à la radio : Où êtes-vous ? À vous. Où êtes-vous ?

Mais seul le silence lui répondit.

Son cœur se mit à battre à tout rompre, la frustration attisant sa rage.

– Quoi ? demanda le pilote arrivé à ses côtés.

– Ils l'ont coincé, quelqu'un a envoyé un SOS, dit-il. À vous, SOS, où êtes-vous, qui a envoyé le signal ?

L'officier aux commandes avait le casque sur la tête.

– Rooivalk Un à Oryx, nous avons aussi reçu le message.

– C'était qui ? demanda Mazibuko.

– On aurait dit Kotze, terminé.

– Putain, c'est qui, ce Kotze ?

– Le pilote de l'autre Oryx.

– On y va, hurla Tiger Mazibuko, mais le pilote avait déjà mis les moteurs en route. Je veux tous les Rooivalk avec moi, ajouta-t-il dans le micro. Vous savez où sont Kotze et les autres ?

– Négatif, Oryx, terminé.

– Et merde ! s'écria Mazibuko en se débattant avec la carte dans la cabine obscure.

– Faites-moi voir, dit le copilote. Après, je leur donne les coordonnées.

– Là, dit-il en frappant la carte de l'index. Juste là.

Ils fonçaient au-dessus du paysage.

– Où on va ? hurla le pilote.

– Botswana, répondit-il par-dessus le vacarme.

Le capitaine hocha la tête.

– Je ne peux pas franchir la frontière.

– Si, vous pouvez. En volant à basse altitude, le radar ne pourra pas nous repérer.

– Quoi ?

La douleur dans sa hanche était insupportable, lancinante. Son pantalon était détrempé par le sang. Il fallait qu'il jette un coup d'œil. Mais il y avait plus urgent.

– Je veux un casque, fit-il en mimant le geste.

Le copilote lui en passa un, les mains tremblantes, sans quitter le H & K des yeux. Il trouva des écouteurs, les lui fit passer par-dessus sa tête et brancha le cordon. Sifflements, voix, les Rooivalk communiquaient entre eux.

– Dites-leur qu'il y a un blessé, dit Thobela Mpayipheli dans le micro en s'adressant au copilote, et rien d'autre. Compris ?

L'homme acquiesça.

Thobela examina le tableau de bord pour trouver la boussole. Il savait que Lobatse était au nord, pratiquement tout au nord.

– Où est la boussole ?

– Là, dit le pilote.

– Vous mentez.

Leurs yeux se rencontrèrent, le pilote le jaugea, jeta un rapide coup d'œil sur ses blessures et ses mains tremblantes, tel le prédateur qui guette sa proie. Mpayipheli entendit le copilote annoncer qu'ils avaient un soldat blessé.

– Oryx Deux à Oryx Un, nous avons un blessé, je répète, nous avons un blessé, demandons aide immédiate.

– Où êtes-vous, Oryx Deux ?

Mpayipheli reconnut la voix. Le type de ce matin, le dingue.

– Ça suffit, lança-t-il au copilote qui acquiesça avec enthousiasme.

– Écoutez attentivement, dit-il au pilote. Je n'ai besoin que d'un seul d'entre vous. Vous avez vu ce qui est arrivé au soldat. Vous voulez que je descende aussi votre coéquipier ?

L'homme fit signe que non.

– Montrez-moi la boussole. Et je veux voir le sol, tout le temps, c'est compris ?

– Oui.

– Montrez-moi.

Le pilote effleura l'instrument. Il affichait 270.

– Vous me prenez pour un *cafre*[1] stupide ?

On entendait des voix à la radio, Mazibuko ne cessait d'appeler, « Oryx Deux, à vous. Oryx Un à Oryx Deux, à vous ». Le pilote restait muet.

– Vous avez dix secondes pour virer au nord.

Le pilote hésita un instant, puis changea de direction, 280, 290, 300, 310, 320, l'instrument oscillait dans son boîtier, lettres blanches sur fond noir, 330, 340, 350, 355.

– Gardez ce cap-là.

Il devait s'occuper de ses blessures. Arrêter l'hémorragie. Il fallait qu'il boive, il avait la bouche sèche comme du papier de verre, il fallait rester éveillé, en alerte.

– Combien jusqu'à Lobatse ?

– Une heure, une heure un quart.

Il régnait une atmosphère morbide dans le centre opérationnel.

Janina Mentz était assise à la grande table et essayait de ne rien laisser paraître de sa nervosité. Ils écoutaient la cacophonie à la radio. C'était la confusion là-bas, se dit-elle, le chaos généralisé, la

---

1. Terme très péjoratif pour désigner les Noirs en Afrique du Sud. *(NdT.)*

rencontre avec l'Américain avait été un échec, le retour en compagnie du directeur s'était mal passé et voilà qu'elle retrouvait une équipe démoralisée.

Tout le monde était déjà au courant de la mort de Miriam Nzululwazi, tout le monde savait que Radebe était parti, qu'un des membres de l'Unité de réaction était gravement blessé, quant au fugitif... personne ne savait où se trouvait le fugitif.

Le chaos. Et elle n'avait aucune idée de ce qu'il fallait faire.

Dans la voiture, elle avait essayé de discuter avec le directeur, mais une distance s'était installée entre eux, la confiance avait disparu et elle n'en comprenait pas la raison. Pourquoi la soupçonnait-il au même titre que les autres ? Ou était-ce simplement histoire d'éliminer le porteur de mauvaises nouvelles ?

Ou alors... le directeur ressentait-il cette confusion comme une menace pour sa carrière ? Pensait-il à l'avenir, réfléchissait-il à la manière dont il allait expliquer ce gâchis à la ministre ?

Elle entendit le premier Rooivalk arriver jusqu'au soldat blessé.

Elle entendit Da Costa faire son rapport sur la radio de l'hélicoptère.

Thobela Mpayipheli avait détourné l'Oryx.

Son cœur se serra.

Elle entendit la réaction de Tiger Mazibuko, son chapelet d'insultes.

Ce n'était pas l'homme de la situation, se dit-elle. La rage n'aidait pas. Elle allait devoir intervenir. Elle s'apprêtait à se lever quand elle entendit Mazibuko appeler les autres Rooivalk.

— Ce fumier est en route pour le Botswana. Vous devez l'intercepter. Arrêtez-moi cet Oryx.

Les hélicoptères d'attaque confirmèrent leur nouvelle position l'un après l'autre.

— À quoi pensez-vous Tiger ? Descendre l'appareil avec nos hommes dedans et tout le reste ?

Décision terrifiante.

— Et emmenez Little Joe à l'hôpital, disait Mazibuko.

— Trop tard, capitaine, répondit Da Costa.

— Quoi ? !

— Il est mort, capitaine.

Pour la première fois, la ligne resta silencieuse.

Vincent Radebe regardait l'enfant endormi dans le salon de son appartement de Sea Point. Il lui avait fait un lit sur le canapé et avait cherché un programme approprié à la télévision.

— J'ai pas envie de regarder la télé, avait dit Pakamile sans pouvoir détacher les yeux de l'écran.

— Et pourquoi donc ?

— Je veux pas devenir idiot.

— Idiot ?

— Thobela dit que ça rend les gens idiots. Il dit que si on veut devenir intelligent, il faut lire.

— Il a raison. Mais on ne devient idiot que si on la regarde trop. On va juste la regarder un petit peu.

Je vous en prie, mon Dieu, il priait en silence, faites que j'arrive à occuper cet enfant, faites qu'il s'endorme pour je puisse réfléchir.

— Juste un petit peu ?

— Jusqu'à ce que tu t'endormes.

— Ça devrait aller.

— Je te promets que ça va aller.

Mais que laissait-on regarder à un enfant ?

Sur une des chaînes de la SABC, il était tombé sur une série d'émissions animalières, les lions dans le Kalahari, et avait déclaré : « Ça aussi, ça peut te rendre intelligent, c'est sur la nature », et Pakamile avait approuvé avec joie et s'était installé confortablement. Vincent avait regardé le sommeil étendre son voile invisible sur le visage de l'enfant, doucement, lentement, jusqu'à ce que ses paupières se ferment.

Radebe éteignit la télé et la lumière du salon. Il laissa la cuisine à l'américaine allumée pour que l'enfant ne soit pas perdu s'il se réveillait en pleine nuit. Il sortit sur le balcon et réfléchit à cet abominable gâchis.

Il allait devoir lui annoncer que sa mère était morte.

À un moment ou un autre. Ce n'était pas juste de lui mentir.

Il fallait qu'il récupère les vêtements du garçonnet. Et une brosse à dents.

Ils ne pouvaient pas rester là, Mentz allait découvrir qu'il était venu chercher l'enfant et elle le ramènerait dans la minuscule petite pièce.

Où aller ?

Pas dans la famille. Ce serait le premier endroit où Mentz irait le chercher. Les amis aussi présentaient un risque.

Où alors ?

Allison Healy alluma une cigarette dans sa voiture avant de tourner la clé de contact. Elle inhala la fumée, la recracha sur le pare-brise et la regarda se dissiper contre le verre.

Dure journée. Étrange journée.

Elle s'était levée, à l'affût d'un article, et elle était tombée sur un os.

Moments de vérité. Ce soir, elle aurait aimé récrire son intro.

Thobela Mpayipheli, le fugitif à moto, est un ancien tueur à gages du KGB.

Non.

Thobela Mpayipheli, l'homme que les médias ont surnommé « le méchant malabar à moto », est un ancien tueur à gages du KGB.

Elle était déjà passée outre certains accords « officieux » par le passé.

Même dans le meilleur des cas, il s'agissait d'arrangements assez flous. Parfois, les gens racontent des choses qui dépassent leur pensée. La source parle, parle et parle et à un moment donné, elle dit : « Vous ne pouvez pas écrire ça », et, à la fin, personne ne se souvient de ce qui est officiel et de ce qui ne l'est pas. Bien entendu, les histoires vraiment savoureuses, les vraies infos, se situent dans ces passages-là. Certaines personnes, désirant malgré tout qu'on écrive l'article, utilisent ce genre de procédé pour se couvrir et pouvoir arguer de leur bonne foi en protestant : « Je lui avais dit que c'était entre nous. »

Parfois, on écrivait quand même.

Parfois, on le faisait sciemment, en en mesurant les consé-quences, *après moi le déluge*, et si les gens n'étaient pas contents… ils s'en remettraient, parce qu'ils avaient besoin de nous, les médias. Quant aux autres, ça n'avait aucune importance, qu'ils soient donc fâchés, ils avaient eu ce qu'ils méritaient.

Ce soir, la tentation avait été particulièrement forte.

Qu'est-ce qui l'avait retenue ?

Elle sortit son téléphone portable. Son cœur cognait dans sa poitrine.

Elle chercha le numéro parmi les appels reçus. Enfonça le bouton et porta le combiné à son oreille.

Trois, quatre, cinq sonneries.

— Van Heerden.

— Il y a quelque chose que je n'ai pas compris dans ce que vous avez dit.

Il ne répondit pas tout de suite. Son silence était lourd de sens.

— Où êtes-vous ?

— Je rentre chez moi.

— Où habitez-vous ?

Elle lui donna l'adresse.

— Je serai là dans une demi-heure.

Elle remit le téléphone dans son sac et tira longuement sur sa cigarette.

Mon Dieu, qu'est-ce que je suis en train de faire ?

XXXV

Il avait du mal à surveiller la boussole, évaluer l'altitude, garder un œil sur l'équipage et sortir le sac de sport de la sacoche tout en jonglant d'une main avec le H & K.

Il y parvint étape par étape, conscient du besoin qu'il avait de se concentrer. Rien ne pressait, il lui fallait juste rester vigilant et contrôler toutes les variables. Il posa le sac à côté de lui.

Puis il remonta sa chemise pour voir la blessure. Elle n'avait pas bonne allure.

Il entendit le premier Rooivalk arriver sur les lieux, écouta les comptes rendus. Entendit l'ordre donné aux hélicoptères de les poursuivre.

Ils savaient qu'il allait au Botswana.

C'était la voix de ce matin.

Je suis le capitaine Tiger Mazibuko. Et je parle à un homme mort.

Pas encore, capitaine Mazibuko. Pas encore.

Mazibuko en train d'aboyer : *Et emmenez Little Joe à l'hôpital.*

Trop tard, capitaine.

Quoi ?!

Il est mort, capitaine.

Le pilote se détourna, écœuré par sa présence. Thobela ressentit l'injustice de la situation, mais ça n'avait plus d'importance à présent.

Ce qui comptait, c'était son statut. Et il avait changé du tout au tout. De messager illégal, il était devenu un meurtrier à leurs yeux. Bien que ce soit de l'autodéfense, ce n'était pas ainsi qu'ils le verraient.

Il baissa les yeux sur sa blessure.

Il devait se concentrer sur sa survie.

Maintenant plus que jamais.

Il voyait à présent qu'il y avait plus d'une balle. L'une avait emporté un morceau de chair juste sous l'os iliaque, l'autre était entrée et ressortie en biais et avait dû toucher l'os. Le sang avait coagulé sur les blessures. Il prit une chemise dans le sac et commença à nettoyer la plaie, leva les yeux et vit le copilote qui l'observait. L'homme pâlit en voyant les blessures. Il vérifia la boussole, regarda dehors, le paysage défilait sous l'avion illuminé par la lune.

Il examina l'habitacle. Une partie de l'équipement des soldats y était resté : des sacs à dos, deux malles métalliques, un livre de poche. Il repoussa les sacs du pied gauche. Attrapa deux bouteilles d'eau et les détacha du pack.

– J'ai besoin de bandages, dit-il.

Le copilote lui montra quelque chose du doigt. À l'arrière, vissée sur la paroi de l'hélicoptère, se trouvait une boîte en métal avec une croix rouge peinte dessus. Scellée.

Il se leva et débrancha le casque. Il fit sauter les scellés de la boîte et l'ouvrit. Le contenu datait un peu, mais il y avait des bandages, des calmants, de la pommade, des antiseptiques, des seringues remplies de produits qu'il ne reconnut pas, le tout dans un sac de toile amovible. Il le prit et regagna son siège, remit le casque, refit le point, équipage, altitude et direction. Il mit les pansements de côté, essaya de déchiffrer les étiquettes des tubes de pommade et des boîtes de comprimés dans la faible lumière. Puis il posa ce qu'il lui fallait à part.

C'était la première fois qu'il était blessé.

Les sensations physiques étaient nouvelles pour lui, il se souvenait vaguement des effets attendus : commotion, tremblements et vertiges, puis douleur, fatigue, les dangers de l'hémorragie, soif, affaiblissement, perte de concentration. Le plus important était de stopper l'hémorragie et de boire assez d'eau ; la déshydratation était le pire ennemi.

Il entendit la voix de sa mère dans sa tête. Il avait quatorze ans et jouait à chasser les iguanes au bord de la rivière. Un roseau acéré lui avait ouvert la jambe comme une lame. Au début, il n'avait senti que la brûlure. En baissant les yeux, il avait découvert une plaie béante jusqu'à l'os, il le voyait au-dessus de la rotule, blanc pur contre peau sombre, il voyait le sang qui s'était mis à ruisseler immédiatement de tous côtés telle une armée qui s'élance vers le front. « Regardez », avait-il fièrement lancé à ses copains en se tenant la jambe pour leur montrer la plaie longue et impressionnante. « Je rentre à la maison, salut. » Et il avait rejoint sa mère en boitant, observant la progression du sang le long de sa jambe avec une curiosité détachée, comme si cette dernière ne lui appartenait pas. Sa mère était dans la cuisine, il n'avait pas eu besoin de parler, s'était contenté de grimacer. Elle avait eu un choc, « Thobela ! » avait-elle crié, paniquée. Elle l'avait fait asseoir au bord de la baignoire et avait désinfecté la blessure avec de la ouate immaculée et des gestes doux, en claquant la langue. Il se souvenait de l'odeur du Dettol, de la brûlure, des bandages et du sparadrap, de la voix de sa mère, apaisante, aimante, de ses mains caressantes, la nostalgie de cette époque insouciante le submergea, sa mère, son père, il revint brusquement au présent, la boussole était toujours calée sur 355.

Il se mit debout et colla son arme sur le cou du copilote.

– Ces hélicoptères, dit-il. Ils peuvent voler à combien ?

– Aah, euh…

– À combien ? et il lui enfonça le H & K dans la joue.

– Environ deux cent quatre-vingt.

– Et on vole à combien ?

– Cent soixante.

– On ne peut pas aller plus vite ?

– Non, dit le pilote. On ne peut pas aller plus vite.

Sans conviction.

– Vous vous foutez de moi ?

– Regardez ce truc. C'est un lévrier d'après vous ?

Il se laissa retomber dans son siège.

L'homme mentait. Mais que faire ?

Ils n'y arriveraient pas, la frontière était trop loin.

Que feraient les Rooivalk quand ils les intercepteraient ?

Il détacha une autre bouteille d'un des sacs à dos, en fit sauter le bouchon, la porta à ses lèvres et but longuement. L'eau avait un étrange goût de cuivre sur sa langue, mais il but à grandes goulées, en avala le plus possible. La bouteille tremblait dans sa grande main, bon Dieu, il frissonnait et frissonnait. Il inspira lentement, expira de la même manière. S'il pouvait seulement tenir jusqu'au Botswana. Alors, il aurait une chance.

Il commença à nettoyer la plaie lentement et méticuleusement.

Parce que, s'il était encore Umzingeli, vous auriez déjà à répondre de quatre cadavres.

C'était les propres mots du ministre des Eaux et Forêts et maintenant, un cadavre, il y en avait un. Janina Mentz se demanda si les dieux avaient conspiré contre elle. Car quelles étaient les chances pour que cette opération parfaite, si bien planifiée et menée sans accroc, attire un ex-tueur à gages ?

Et dans ce moment de laisser-aller, elle découvrit la réponse. Le raisonnement sur lequel s'appuyer.

Il n'y avait pas de hasard.

Johnny Kleintjes avait donné des instructions à sa fille pour qu'elle mette Thobela Mpayipheli dans le coup si quelque chose tournait mal. Était-ce une prémonition ? Le vieil homme s'attendait-il à ce que ça foire ? Ou alors… jouait-il double jeu ? Quelqu'un était au courant de tout, quelqu'un avait attendu à Lusaka et mis la CIA sur la touche, et la question, la question principale était : qui ?

Les différentes éventualités la rendaient dingue, les trop nombreuses éventualités. Il pouvait s'agir des propres services de renseignements de ce pays, services secrets ou Renseignement militaire, les rivalités, la rancune et la corruption menaient parfois très loin.

Le contenu du disque dur était la deuxième grande question, parce que c'était une des clés permettant d'arriver au « qui ».

Et si Johnny Kleintjes avait contacté quelqu'un d'autre ?… Un ancien collègue travaillant à présent pour la NIA, les services secrets ou le Renseignement militaire, en disant : voici ce que projettent les gens de l'ARP mais j'ai d'autres informations.

Impossible.

Parce que, alors, les coups de fil à Monica Kleintjes, les menaces de mort contre son père n'auraient pas eu de raison d'être. Pourquoi compliquer ainsi les choses ? Pourquoi mettre sa propre fille en danger ?

Johnny aurait pu se contenter de donner les copies des informations aux Renseignements.

C'était forcément quelqu'un d'autre.

C'était elle qui avait recruté Kleintjes, qui lui avait expliqué l'opération, elle avait vu son enthousiasme, jaugé sa loyauté et son patriotisme. Ils l'avaient surveillé des semaines durant, avaient épié ses conversations téléphoniques, l'avaient suivi, ils savaient ce qu'il faisait, où il était. Ça n'avait aucun sens. La fuite ne pouvait pas venir de lui.

D'où alors ? De la CIA ?

Un ou deux ans plus tôt, peut-être. Mais pas depuis le 11 septembre. Les Américains s'étaient repliés sur le *laager*, ils jouaient sérieusement et sans pitié, sans abattre leurs cartes. Ils ne prenaient aucun risque.

D'où venait la fuite ?

Ici, elle était la seule au courant.

Ici. Quinn et ses équipes avaient filé Kleintjes et mis son téléphone sur écoute sans être informés des tenants et aboutissants de l'affaire. Elle était la seule à connaître toute l'histoire. De A jusqu'à Z.

Qui ? Qui, qui, qui ?

Son téléphone sonna, elle vit que c'était Tiger. Elle n'avait pas envie de lui parler pour le moment.

— Tiger ?

— Madame, il est en chemin...

— Pas maintenant, Tiger, je vous rappelle.

— Madame...

Désespéré. Elle comprenait ça. Un de ses hommes était mort, la vengeance lui consumait le cœur, quelqu'un devait payer. Il fallait qu'elle réfléchisse. Elle enfonça le bouton et coupa la communication.

Abattue, elle entra dans le centre opérationnel. Elle ne se sentait plus à la hauteur. Elle se rendit compte qu'elle était en train de s'apitoyer sur son sort. C'était la faute du directeur. Il lui avait retiré son soutien et sa confiance et elle se retrouvait soudain seule, consciente de son manque d'expérience. Son travail, c'était la planification, la stratégie et la manipulation. Elle était douée pour l'organisation, pas pour la gestion de crise. Pas pour la violence, les armes et les hélicoptères.

Mais de fait, on ne parlait pas du problème du fugitif et d'un soldat mort.

Ne pas se laisser entraîner dans le drame. Aller de l'avant. Réfléchir. Raisonner, s'appuyer sur ses points forts.

Le disque dur.

Johnny Kleintjes avait fait ce que n'importe qui, avec une vie d'imposture derrière lui, aurait fait : se ménager une porte de sortie, une assurance sur l'avenir : Thobela Mpayipheli. Mais Kleintjes n'avait même pas laissé la bonne adresse ou le bon numéro de téléphone à Monica, ils n'étaient plus valables. S'il avait réellement craint les ennuis, il aurait pris plus de précautions et serait sûrement allé voir Mpayipheli en personne. Il aurait au moins vérifié où se trouvait son vieil ami.

Non, il avait fait ça par habitude, pas par anticipation.

Même chose pour le disque dur. C'était une garantie qui datait de l'époque où il était chargé de coordonner l'uniformisation de ces renseignements infâmes. Des infos tombées dans l'oubli sur les préférences sexuelles des dirigeants, les traîtres supposés et les agents doubles. Négligeable. Inapproprié, juste des trucs auxquels Kleintjes avait repensé quand il s'était retrouvé dans la merde jusqu'au cou, une façon de faire marcher l'assurance. Ne pas se focaliser sur le disque dur, ne pas se laisser égarer par ce dernier. Elle sentit le soulagement la gagner parce qu'elle savait avoir raison.

Mais il ne fallait pas l'ignorer pour autant. Elle pouvait courir plusieurs lièvres à la fois.

Donc se concentrer sur Lusaka. Découvrir qui retenait Johnny Kleintjes prisonnier. Si elle arrivait à trouver, elle saurait d'où venait la fuite et pourrait reprendre la main pour de bon.

Exit le directeur. *Exit* Thobela Mpayipheli. Concentration.

– Quinn ! lança-t-elle.

Il était penché sur ses instruments et sursauta en entendant son nom.

– Rahjev.

– Madame ?

– N'ayez pas l'air aussi abattus. Venez, marchons un peu.

Sa voix exprimait la fermeté et ils le sentirent. Ils la regardèrent, tous.

Avant qu'il ne frappe à la porte, Allison avait pris une douche, s'était changée, avait mis de la musique, s'était rongé les sangs à cause de l'éclairage trop vif, avait allumé une cigarette et s'était assise dans le fauteuil du salon pour essayer de se calmer un peu.

Mais à l'instant même où il frappa doucement, elle perdit tous ses moyens.

Janina Mentz marchait au milieu, flanquée des deux hommes. Quinn le métis, mince et athlétique, et Rajkumar, incroyablement obèse, telle une paire de serre-livres dépareillés. Ils descendirent Wale Street sans parler, tournèrent au coin de l'église en direction de la Cour suprême. Seul le halètement de Rajkumar qui essayait de suivre le rythme les accompagnait. Les deux hommes savaient qu'elle leur avait demandé de sortir pour fuir les oreilles indiscrètes. En tant qu'acteurs de l'intrigue, ils acceptaient son initiative.

Ils traversèrent Queen Victoria et entrèrent dans le jardin botanique, obscur à cette heure et peuplé d'ombres d'arbres et d'arbustes chargés d'histoire. Les pigeons et les écureuils s'étaient calmés. Elle y amenait ses enfants avec son ex-mari les jours de grand soleil, mais même en plein jour le jardin murmurait, les coins sombres offrant de petites oasis confidentielles et complices.

Elle se dirigea vers un des bancs en bois, observa les lumières du parlement de l'autre côté de la rue et la silhouette d'un *Bergie*[1] sans-abri sur la pelouse.

Quelle ironie !

— Bien, dit-elle en s'asseyant. Que je vous dise comment se présentent les choses.

Zatopek Van Heerden avait apporté du vin qu'il ouvrit et versa dans les verres qu'elle lui présenta.

Ils étaient mal à l'aise dans ce rôle si différent de l'après-midi, leur intuition commune laissée de côté, éludée, ignorée comme une maladie honteuse.

— Qu'est-ce que vous ne comprenez pas ? demanda-t-il en prenant un siège.

— Vous avez parlé d'indicateurs d'adéquation génétique.

— Oh… ça.

Il étudia son verre, le vin rouge luisait entre ses mains. Puis il leva la tête et elle comprit qu'il attendait autre chose, qu'elle lui entrouvre une porte et ne put s'empêcher de poser la question qui lui faisait si peur :

— Êtes-vous engagé ?

Et comprit que ce n'était pas assez clair.

— Avec quelqu'un ?

1. Terme d'argot qui vient de *berg* « montagnes », soit péquenaud, plouc… *(NdT.)*

XXXVI

– Non, dit-il en esquissant un sourire.
– Quoi ? demanda-t-elle inutilement, car elle savait.
– La différence entre nous. Entre les hommes et les femmes.
Pour moi, c'est encore... un mystère.
Elle lui sourit en retour.
Il regarda son verre et ajouta d'une voix calme :
– Combien de fois dans une vie est-on certain que l'attrac-
tion est réciproque ? De même intensité ?
– Je ne sais pas.
– Trop peu, reprit-il.
– Et j'ai besoin de savoir s'il y a quelqu'un d'autre.
Il haussa les épaules.
– Je comprends.
– Ça ne compte pas pour vous ?
– Pas pour l'instant. Plus tard. Plus tard, sûrement.
– C'est curieux, dit-elle.
Elle tira sur sa cigarette, avala une gorgée de vin, attendit. Il
se leva, posa son verre sur la table basse et s'avança vers elle. Elle
laissa passer un moment avant d'écraser son mégot.

Tiger Mazibuko était assis dans l'Oryx, seul. Les hommes
attendaient dehors, près du pont où Little Joe avait trouvé la
mort, mais il ne pensait pas à eux. Il avait les graphiques avec lui,
les cartes du Botswana. Il fredonnait doucement en les parcourant

du doigt, un refrain monotone impossible à identifier, et s'activait, encore et encore, lorsque le téléphone sonna. Il savait qui c'était.

— Ce que j'aurais vraiment envie de faire, annonça-t-il aussitôt, c'est de dégommer ce salopard avec un missile, si possible de ce côté-ci de la frontière. (Il avait une voix calme et choisissait ses mots avec soin.) Mais je sais que c'est hors de question.

— Exact, dit Janina Mentz.

— J'imagine qu'on se passe de l'aide des voisins.

— Encore exact.

— Orgueil national et léger problème d'informations hypersensibles dans des mains douteuses.

— Voilà.

— Je veux lui tendre une embuscade, madame.

— Tiger, ce n'est pas nécessaire.

— Que voulez-vous dire, « pas nécessaire » ?

— Cette ligne n'est pas sûre, croyez-moi. Les priorités ont changé.

Il faillit perdre son sang-froid, la rage monta en lui comme de la lave, *les priorités ont changé*, putain de Dieu ! Il avait perdu un homme, il se sentait humilié et ballotté à droite à gauche, il avait supporté la pagaille et le manque de professionnalisme et, maintenant, quelqu'un dans un bureau de merde avait changé les priorités. Il était à deux doigts d'exploser, mais se retint et ravala sa colère parce qu'il le fallait.

— Tiger ?

— Je suis là. Madame, je sais quelle route il va prendre.

— Et… ?

— Il va passer par Kazungula.

— Kazungula ?

— À la frontière zambienne. Il ne traversera pas le Zimbabwe, trop de postes frontières, trop de problèmes. J'en suis sûr.

— Ça ne nous aide pas, Tiger. C'est au Botswana. Même si ça vient d'en haut, la filière officielle prendra trop de temps.

— Je n'avais rien d'officiel en tête.

— Non, Tiger.

— Madame, il est blessé. D'après Da Costa…

— Blessé ?

– Oui. D'après Da Costa, c'est sérieux, l'estomac ou la jambe. Little Joe a tiré quelques coups avant de mourir. Ça va le ralentir. Il doit se reposer. Et boire. Ça nous donne du temps.

– Tiger...

– Madame, juste moi. Seul. Je peux être à Ellisras dans deux heures. À Mahalapye dans trois. Tout ce qu'il me faut, c'est un véhicule...

– Tiger...

– Ça vous donne une option supplémentaire.

Il jouait sa carte maîtresse.

Elle hésita. Il saisit sa chance.

– Je vous jure que je ferai profil bas. Pas d'incident international. Je vous le jure.

Elle hésitait encore. Il reprit son souffle pour ajouter quelque chose, mais s'interrompit. Qu'elle aille se faire foutre, il n'allait pas l'implorer.

– Tout seul ?

– Oui. Absolument seul.

– Sans renfort, ni communications, ni soutien officiel ?

– Oui.

Il la tenait, il savait qu'il la tenait.

– Juste une voiture. C'est tout ce que je demande.

– Oryx Deux, ici Rooivalk Trois. Nous sommes à cent mètres derrière vous avec les missiles enclenchés. Veuillez atterrir, il y a tout l'espace nécessaire en dessous.

Il avait avalé les calmants avec de l'eau tiède, mais ils n'avaient pas encore fait effet. La blessure était propre, le bandage bien serré autour de sa taille tirait fort sur sa hanche. Il saignait encore, mais ne savait comment stopper l'hémorragie. Pourvu que ça s'arrête !

– Et maintenant ? lança le pilote.

– On continue.

– Oryx Deux, ici Rooivalk Trois. Confirmez le contact, s'il vous plaît.

– À combien sommes-nous de la frontière du Botswana ?

Les deux officiers se contentèrent de regarder droit devant eux. Il jura à voix basse, se leva et sentit ses blessures, bon Dieu, il ferait mieux de rester tranquille. Il frappa le copilote au front avec le canon du Heckler, le sang se mit à couler, il secoua l'homme qui leva les mains pour se protéger.

— J'en ai assez.

— Soixante-dix kilomètres, répondit hâtivement le pilote.

Mpayipheli vérifia sa montre. C'était peut-être vrai. Encore une demi-heure.

— Oryx Deux, ici Rooivalk Trois. Vous êtes dans notre ligne de mire, vous avez quatre-vingt-dix secondes pour répondre.

— Ils vont nous descendre, dit le copilote.

Il s'était essuyé le front et regardait le sang sur sa main, puis Mpayipheli, comme un chien fidèle qui vient de recevoir un coup de pied.

— Ils ne le feront pas.

— Qu'est-ce que vous en savez ?

— Soixante secondes, Oryx Deux, nous avons l'autorisation de faire feu.

— Je descends, fit le pilote, paniqué.

— Pas question d'atterrir, dit Mpayipheli en appuyant le H & K sur le cou du copilote.

— Vous voulez mourir ?

— Ils ne tireront pas.

— Vous n'en savez rien.

— Si vous faites autre chose que de foncer droit devant, je fais sauter la cervelle de votre copain.

— Je vous en prie, non, fit le copilote en serrant fort les paupières.

— Trente secondes, Oryx Deux.

— T'es complètement dingue, mec, lança le pilote.

— Restez calme.

Le copilote laissa échapper un gargouillis étranglé.

— Oryx Deux, quinze secondes avant lancement du missile, confirmez les instructions, je sais que vous m'entendez.

Deux vies innocentes et un hélicoptère d'un million de rands, ils ne tireraient pas, ils ne tireraient pas, ils avaient sûrement reçu un ordre officiel à la radio, leurs supérieurs ne pouvaient pas prendre ce genre de décision, ils ne pouvaient pas tirer. Les secondes s'écoulaient, ils guettaient l'impact, crispés tous les trois, se préparant d'instinct à l'explosion, attendant un signe. Ils entendirent le pilote du Rooivalk lâcher un « Merde ! » retentissant.

Soulagement.

– T'as des couilles, faut le reconnaître, enfoiré de nègre, lâcha le pilote du Rooivalk.

XXXVII

Il fit atterrir l'Oryx près d'un panneau de signalisation pour vérifier qu'ils avaient bien passé la frontière. Les Rooivalk avaient fait demi-tour, la route principale entre Lobatse et Gaborone était dégagée et la nuit douce. Il fit allonger les hommes face contre terre sur le bitume pendant qu'il se débattait de toutes ses forces pour relever l'énorme GS couchée sur le plancher de l'hélicoptère. Rien à faire, il allait devoir la démarrer dans l'avion et sauter, en espérant ne pas tomber au moment de toucher le sol, un mètre plus bas. Il avait une légère fièvre et une fine membrane transparente l'isolait du monde extérieur. Les calmants ayant fait leur effet, il agissait avec précaution, cochant mentalement chaque élément de sa liste intérieure, pour ne rien oublier.

S'il tombait, ils lui sauteraient dessus. C'était le pilote, le plus dangereux : la haine qu'il éprouvait pour lui brûlait comme un flambeau.

Il mit la moto sur la béquille latérale, vérifia que le sac de sport était dans la sacoche, la verrouilla, qu'oubliait-il ? Il enfourcha la machine et appuya sur le démarreur, le moteur toussa, encore et encore, mais ne démarra pas.

Il enfonça le starter et réessaya. Cette fois, le moteur gronda en trépidant. Il releva la béquille d'un pied et tourna le guidon. Il ne pouvait pas sortir doucement, il devait accélérer au maximum et se laisser porter par la vitesse. L'hélicoptère se trouvait à côté de la route, moteurs encore allumés, les pales soulevant un tourbillon de poussière autour de l'oiseau au repos. Il voulait être certain que le moteur de la GS soit suffisamment chaud et le fit ronfler.

Le pilote l'observait d'un air absent.

Il prit une inspiration, maintenant ou jamais, embraya, passa la première, mit les gaz et débraya. La GS bondit dans le vide, la roue avant bascula vers le bas, toucha le sol, les amortisseurs claquèrent, la violence du choc lui remonta dans les bras et lui fit perdre l'équilibre, la roue arrière atterrit et, les gaz encore à fond, il s'élança comme une flèche, traversa la route, freina pour ne pas s'enfoncer dans le veld et parvint à s'arrêter. Son cœur battait la chamade, doux Jésus, il regarda autour de lui, le pilote avait bondi sur ses pieds et courait vers l'hélicoptère, vers le Heckler, son cerveau avait tenté de le lui dire, n'oublie pas le pistolet-mitrailleur, mais c'était trop tard à présent, il n'avait plus le choix. Il accéléra autant que la moto le lui permettait, couché sur l'engin sans un regard en arrière, cible de plus en plus réduite, dressant l'oreille, seconde, troisième, quatrième, quelque chose heurta la moto, cinquième, 160 km/h, accélérant toujours, qu'avait touché le pilote ?

Il se trouva enfin hors de portée et maintint la vitesse en se demandant si la haine du pilote serait assez grande pour qu'il le poursuive avec l'Oryx.

Janina Mentz exécuta son plan avec soin.

Elle alla chercher le directeur dans son bureau, elle sentait sa fatigue, son corps tout entier l'exprimait.

– Je voudrais vous parler, monsieur, mais pas ici.

Il acquiesça et se leva, décrocha sa veste du portemanteau où elle était soigneusement pendue, l'enfila sans hâte et lui tint la porte. Ils prirent l'ascenseur et quittèrent le bâtiment, lui légèrement en retrait par courtoisie. Ils remontèrent Long Street. Le Long Street Café ne serait pas fermé, elle le savait. Cette partie de la ville était encore animée à cette heure, des jeunes, des touristes avec des sacs à dos, des taxis Rikki, des scooters. Le martèlement d'une musique tonitruante s'échappait d'une boîte de nuit à l'étage. Le directeur semblait petit et voûté à côté d'elle, une fois encore elle prit conscience du spectacle qu'ils offraient. Qu'allaient penser les gens en voyant cette Blanche en ensemble pantalon accompagnée d'un petit Noir bossu ?

Une table était libre au fond de la salle, près du présentoir à gâteaux.

Il lui tira la chaise et, l'espace d'un instant, elle trouva sa courtoisie agaçante, soit il l'acceptait soit il la rejetait mais elle ne voulait pas de cet entre-deux.

Il laissa le menu de côté.

— Vous pensez que nous sommes sur écoute ?

— Monsieur, j'ai passé tous les témoignages en revue et il y a une fuite quelque part. Chez nous ou chez Luke Powell.

— Et vous ne croyez pas que ça puisse venir de chez eux ?

— Ce n'est pas impossible, juste improbable.

— Qu'est devenue notre théorie sur Johnny-le-communiste ?

— Plus j'y pense, moins ça se tient.

— Pourquoi, Janina ?

— Il n'aurait pas mis sa propre fille en danger. Il ne lui aurait pas laissé l'adresse et le numéro de téléphone périmés de Mpayipheli. S'il voulait faire peur à la CIA, il s'y serait pris autrement. À vrai dire, rien dans cette histoire n'a de sens.

— Je vois.

— Vous pensez toujours qu'il s'agit de Johnny ?

— Je ne sais plus quoi penser.

Sa voix trahissait la lassitude, elle le vit alors avec plus de clairvoyance. Qu'était-il ? À cinquante ans passés, il traînait derrière lui le fardeau de ces interminables décennies d'intrigues larvées. Pendant qu'une jeune serveuse aux yeux sombres et mystérieux prenait leur commande, elle l'étudia. Avait-il un jour eu des rêves et des ambitions plus nobles ? S'était-il cru digne de faire partie du conseil des sages et d'en porter la couronne ? L'idée l'en avait-elle jamais effleuré au cours de ses pérégrinations durant la Lutte ? C'était un homme intelligent dont on aurait reconnu le potentiel. Qu'est-ce qui l'avait retenu, mis à l'écart, lui, ce vieil homme usé qu'elle avait assis là devant elle, cet homme qui s'accrochait à son statut de haut fonctionnaire avec titres et chemises de soie immaculées ?

Il se méprit sur son regard scrutateur.

— Me suspectez-vous vraiment, Janina ?

Elle soupira profondément.

— Monsieur…

Sa mimique exprimait la compassion.

— … j'ai dû envisager cette possibilité.

— Et quelle a été votre conclusion ?

— Improbable là aussi.

— Pourquoi ?

— Johnny Kleintjes faisait partie d'un groupe plus important que nous avions à l'œil. C'est tout ce que vous pouviez savoir. Et j'étais la seule à en connaître la raison.

Il acquiesça lentement, sans satisfaction, il savait qu'elle en arriverait à cette conclusion.

— Ça vaut pour chacun d'entre nous, Janina.

— C'est ce qui me laisse perplexe.

— Alors, la fuite ne vient pas de chez nous.

— Je ne sais pas…

— À moins, bien entendu, que ce ne soit vous.

— C'est vrai. À moins que ce ne soit moi.

— Et ça ne peut pas être le cas, Janina.

— Monsieur, je vais vous parler franchement. Je sens que nos relations se sont détériorées…

Le café arriva, elle suspendit sa phrase jusqu'à ce que la serveuse soit repartie.

— … depuis que nous avons rencontré Powell. Après ça, ajouta-t-elle.

Il prit son temps pour répondre, ouvrit le sachet de sucre, le versa dans sa tasse et mélangea. Puis il leva les yeux.

— Je ne sais plus à qui me fier, Janina.

— Pourquoi, monsieur ? Qu'est-ce qui a changé ?

Il porta la tasse à ses lèvres, en évalua prudemment la température, avala une gorgée de liquide et reposa avec précaution la tasse en porcelaine dans la soucoupe.

— Je n'ai pas de réponse spontanée à vous fournir. Je n'arrive pas à analyser les choses point par point. C'est une impression,

Janina, et je suis désolé que vous vous sentiez concernée car ce n'est pas nécessairement le cas.

— Une impression ?

— Qu'on me mène en bateau.

Thobela tenait à peine debout lorsqu'il descendit de la R 1150 GS devant le Livingstone Hotel de Gaborone. Des centaines d'étoiles dansant devant ses yeux, il dut s'accrocher à la selle et appuyé dessus, attendit d'avoir retrouvé équilibre et vision.

Puis il fit le tour de la moto et constata les dégâts pour la première fois.

Les balles de 9 mm avaient atteint le côté droit de la sacoche, deux minuscules trous bien nets dans le polyvinyle. C'était là que se trouvait le sac de sport.

Il ouvrit la sacoche et l'en sortit. Deux trous, parfaitement cylindriques.

Il referma le tout, traversa le trottoir et entra.

Le gardien de nuit était assis dans son fauteuil et dormait. Thobela dut insister sur la sonnette avant que l'homme se lève en chancelant et pousse le registre sur le comptoir. Il nota ses coordonnées.

— Vous acceptez les rands sud-africains ?

— Oui.

— Je peux encore me faire servir quelque chose à manger ?

— Appelez le garçon d'étage. Neuf, un. Passeport, s'il vous plaît.

Il le lui donna. L'homme aux yeux injectés de sang le regarda à peine, confrontant simplement le numéro avec celui qu'il avait inscrit sur le registre. Puis il décrocha une clé du placard verrouillé derrière lui et la lui tendit.

Avant que l'ascenseur bringuebalant ait atteint le rez-de-chaussée et se soit ouvert devant Umzingeli, l'homme s'était déjà rendormi.

La chambre était spacieuse, le lit semblait divin sous son couvre-lit multicolore et les oreillers rebondis plus que tentants.

D'abord, une douche. S'occuper de la blessure. Manger, boire.

Et puis dormir, mon Dieu, comme il allait dormir !

Il ouvrit le sac de sport – il était temps d'évaluer la casse. Il en répandit le contenu sur le lit double. Rien à signaler, même sa trousse de toilette était intacte. Puis il ramassa le disque dur, le leva vers lui et vit qu'il était détruit. Les balles du Heckler & Koch avaient touché la boîte carrée en son centre, là où métal, plastique et circuits intégrés se rejoignaient. Les infos étaient perdues à jamais.

Pas étonnant que la détonation ait été aussi forte.

Têtes rapprochées et voix murmurantes, Janina Mentz et le directeur ressemblaient à deux amants dans le Long Street Café. Elle lui dit qu'il ne fallait pas se focaliser sur le disque dur, qu'il ne contenait rien d'essentiel, des informations périmées enfermées dans un coffre par un vieil homme qui voulait se donner l'impression de faire encore partie du jeu et qu'il avait soudain exhumées lorsqu'il avait eu des ennuis. Thobela Mpayipheli n'avait plus d'importance, lui non plus, il était devenu un personnage marginal, une démangeaison tout au plus. Qu'on le laisse tranquille, tout se jouait à Lusaka, c'était là que se trouvait la réponse.

– Nous avons déjà quatre opérateurs là-bas. Nous allons en envoyer douze autres, les meilleurs. Nous devons découvrir qui retient Johnny Kleintjes en otage et comment ils ont eu vent de cette opération. J'avais pensé envoyer l'UR à Lusaka, mais nous ne voulons pas d'incident, il faut faire profil bas, agir avec subtilité. Nous avons besoin de discrétion, pas de feux d'artifice.

– Et la fuite ?

– Seules quatre personnes sont au courant ici – moi, vous, monsieur, Quinn et Rajkumar. C'est limité, ça reste entre nous et on obtient les réponses.

– Tiger est au courant ?

– Tiger sait seulement que les priorités ont changé. De toute façon, il est en mission de son côté. Apparemment, il va intercepter Mpayipheli. Au Botswana.

– Et vous l'avez laissé faire ?

Elle réfléchit avant de répondre prudemment.

– Tiger mérite sa chance, monsieur. Il est seul.

Le directeur hocha la tête.

– Tiger le fait pour de mauvaises raisons, Janina.

– Il l'a toujours fait pour de mauvaises raisons, monsieur le directeur. C'est pour ça qu'il nous est si précieux.

Ils étaient étendus l'un à côté de l'autre dans le noir, elle sur le dos, lui de profil, caressant son corps, apprenant à le connaître des pieds à la tête. Son toucher était divin, une acceptation absolue. Elle lui avait demandé une fois la sueur séchée et la passion retombée, tandis qu'il effleurait distraitement sa poitrine généreuse et qu'elle sentait la chaleur de son souffle sur ses seins, elle lui avait demandé s'il aimait son corps et il avait répondu : « Plus que tu ne le sauras jamais », et c'en avait été fini de ses peurs pour la soirée. Une autre angoisse l'attendait, elle le savait, mais elle verrait ça demain, elle voulait vivre ce moment sans anxiété. Sa voix était douce, il avait posé sa tête au creux de son cou sans cesser de la caresser et il lui parlait, lui disait tout et lui ouvrait la porte d'un monde nouveau.

Le capitaine Tiger Mazibuko franchit la frontière une heure après minuit au volant d'une Golf GTI Turbo de 1,8 litre. Il ne savait pas comment Janina Mentz s'était débrouillée, mais la voiture l'attendait au poste de police d'Ellisras. On lui avait remis les clés au bureau des mises en accusation dès qu'il avait montré son passeport. Maintenant, il était au Botswana et roulait aussi vite que la route étroite et l'obscurité le lui permettaient dans ce pays où vaches et chèvres paissaient au bord de la chaussée. Il avait fait ses calculs. Tout dépendait de la progression du salopard, mais ses blessures allaient le retarder. Le pilote de l'Oryx lui avait parlé au téléphone, ils avaient une haine commune de Mpayipheli. Il lui avait dit que la blessure était sérieuse et que le fugitif ne tiendrait pas la nuit sur la moto. Il avait failli tomber en sautant de l'hélicoptère et il y avait eu d'autres coups de feu, peut-être avait-il pris une ou deux balles en plus.

Mettons que ce connard soit plus résistant qu'ils ne pensent, mettons qu'il ait continué...

Dans ce cas, Mpayipheli avait encore de l'avance sur lui. Au moins deux heures.

Arriverait-il à le rattraper ?

Tout dépendait de la vitesse à laquelle cette enflure pouvait rouler, et il devait manger, se reposer, boire et faire le plein.

C'était possible.

Peut-être dormait-il quelque part et, dans ce cas, Tiger n'aurait qu'à l'attendre. Au pont sur le Zambèze, juste après le confluent de la grande rivière et du fleuve Chobe.

Bel endroit pour mourir en Afrique.

Avant d'éteindre et de sombrer dans le grand lit moelleux, il resta assis, les yeux fixés sur le téléphone. Il éprouvait un désir irrépressible de parler à Miriam et à Pakamile, juste une fois. « Ne vous inquiétez pas de ce qu'ils racontent à la radio, je vais bien, je suis presque arrivé, je vous aime », c'était tout ce qu'il voulait leur dire, mais s'ils avaient mis la ligne sur écoute, ils sauraient immédiatement où le trouver et lui tomberaient dessus.

Si seulement il pouvait contacter quelqu'un pour leur expliquer. « Les terribles informations sur ce CD sont détruites, vos noirs secrets sont à l'abri et ne menacent plus personne, laissez-moi tranquille, laissez-moi aider un vieil ami et, après, laissez-moi rentrer chez moi. »

Demain, il y serait, demain en fin d'après-midi il aurait atteint Lusaka. Il avait décrypté les signaux – pas de barrage à l'extérieur de Gaborone, pas de poursuite acharnée avec l'Oryx, à l'évidence, ils ne tenaient pas à ce que le gouvernement du Botswana s'en mêle, ça devait rester dans la famille. Sans doute l'attendaient-ils à Lusaka, mais ça allait, il savait comment s'y prendre, la guérilla urbaine, il connaissait. Demain, tout serait terminé. Il avait l'impression de sombrer dans le lit, de plus en plus profond, ce qu'il était fatigué, son corps n'en pouvait plus, mais la journée qui venait de s'écouler lui revenait par flashs. Il avait conscience de la nature de ses blessures, de son état fiévreux, des effets des calmants, des quatre canettes de cola et du cognac qu'il avait bus après le repas que lui avait monté le garçon d'étage. *Nous avons sandwich club-frites ou cheeseburger-frites, au choix.* Il arrivait à rationaliser ses émotions, mais était incapable de les réprimer tant il se sentait seul.

Ce n'était pas la première fois. D'autres villes, d'autres chambres d'hôtel, mais c'était différent, avant il n'y avait pas de Miriam.

Il n'y avait jamais eu de Miriam avant qu'il ne la découvre. Il y avait eu d'autres femmes. Les prostituées d'Odessa, les putes officielles approuvées par la Stasi, chargées de soulager leurs besoins et garder le niveau de testostérone sous contrôle pour qu'ils puissent se concentrer sur leur entraînement. Après, il avait des instructions – ne pas s'engager, ne pas s'attacher, ne jamais rester avec une femme. Mais ses maîtres du bloc de l'Est n'avaient pas prévu l'obsession des Scandinaves pour les Noirs. Mon Dieu, ces Suédoises qui l'avaient poursuivi de leurs avances sans honte aucune durant sa première visite en 1982, trois d'entre elles l'avaient approché dans un café de Stockholm, l'une après l'autre, jusqu'à ce qu'il s'enfuie, persuadé qu'il s'agissait d'un coup monté, d'une opération de contre-espionnage fomentée par l'OTAN. En fin de compte, un an après, Neta lui avait expliqué, c'était comme ça, elle ne savait pas pourquoi. Agneta Nilsson, longs cheveux blonds magnifiques et quinze jours de passion déchaînée à Bruxelles jusqu'à ce que le KGB envoie un messager pour dire ça suffit, vous dépassez les bornes, vous cherchez les ennuis. Lui, Thobela Mpayipheli du Kei, il avait goûté au pain blanc, le plus blanc qu'on puisse imaginer, il s'en était rassasié à satiété, mais son cœur, son cœur était demeuré vide jusqu'à ce qu'il rencontre Miriam. Même en 1994, alors qu'il attendait l'appel d'un homme devenu ministre, qu'il attendait sa récompense, qu'il attendait d'être associé à la victoire, d'en partager les fruits, qu'il attendait, son cœur n'était pas aussi vide. Des jours et des jours d'errance dans les rues, étranger dans son propre pays, parmi son peuple. Il avait pensé à son père durant ces semaines, caressé l'idée de prendre le train pour aller rendre visite à ses parents et apparaître dans l'embrasure de la porte en disant je suis là, voici ce qui m'est arrivé, mais le passif était trop lourd, l'abîme trop infranchissable et, le soir, il rejoignait sa chambre et attendait l'appel qui ne venait jamais, rejeté, c'est comme ça qu'il se sentait, un rejet qui s'était lentement transformé en un sentiment de trahison. C'étaient eux qui avaient fait de lui ce qu'il était et maintenant ils ne voulaient plus rien savoir. Finalement, il s'était installé au Cap, pour pouvoir entendre à nouveau la langue de ses ancêtres, jusqu'au jour où il s'était décidé à offrir ses services là où on saurait les apprécier, là où on l'accepterait, là où il ferait partie d'un tout.

Les choses n'avaient pas tourné comme il le pensait. Les Flats avaient été bons avec lui, mais il était demeuré l'étranger, toujours seul, seul parmi les autres.

Mais jamais aussi seul qu'à présent, pas comme maintenant. Frissons fiévreux, rêves étranges, une conversation avec son père qui n'en finit pas, des explications, des justifications incessantes, un flot de paroles qui sort de lui, et son père qui s'éloigne en hochant la tête et priant. Il se força à se réveiller. Il était en sueur, la douleur sourde dans sa hanche l'élançait. Il se leva pour boire l'eau pure et glacée au robinet de la salle de bains.

Un peu avant l'aube, Allison Healy s'éveilla légèrement, juste assez pour prendre conscience de quelque chose : la décision de garder pour elle les informations qu'il lui avait données avait été la meilleure de toute sa vie.

L'avait-elle senti au moment de décider ? L'avait-elle senti malgré sa peur et ses angoisses ?

Ça n'avait plus d'importance. Elle roula sur elle-même et pressa ses formes voluptueuses contre son dos et ses cuisses en soupirant d'aise avant de replonger en douceur dans le sommeil.

XXXVIII

Lorsque Lien et Lisette se glissèrent dans le grand lit à côté d'elle, Janina Mentz se réveilla et se frotta les yeux.

— Quelle heure est-il ?

— Il est tôt, maman, répondit Lien. Dors encore un peu.

Elle consulta l'horloge de la radio.

— Six heures et demie.

— Très tôt, précisa Lisette.

— C'est l'heure de se préparer, dit-elle sans enthousiasme.

Elle aurait bien dormi encore une heure ou deux.

— On ne va pas à l'école aujourd'hui, reprit la plus jeune.

— Tiens donc, vraiment ?

— C'est la journée nationale « Gardez-votre-mère-à-la-maison-à-n'importe-quel-prix ».

— Ah bon !

— Le refus d'obéir est passible d'une amende de cinq cents rands en vêtements neufs pour chacun des descendants.

— Tu peux toujours rêver.

— Le jour est venu. Journée nationale « Gardez-votre-mère-... »

— Allume la télé.

— Regarder la télé si tôt le matin est nuisible au cerveau d'âge moyen, tu le sais, maman.

— D'âge moyen, mon œil. Je veux voir les infos.

— Maman... oublie le travail jusqu'à ce qu'on soit parties à l'école.

– Ce n'est pas pour le travail, c'est par intérêt salutaire pour mon environnement et le monde dans lequel je vis. Une tentative pour démontrer à mes filles chéries qu'il existe d'autres choses dans la vie que Britney Spears et les adolescents en pleine crise de libido.

– Comme quoi ? demanda Lien.

– Cites-en une, ajouta Lisette.

– Allume la télé.

– OK, OK.

– « D'âge moyen »… C'est nouveau ça.

– On ne devrait pas avoir honte de son âge.

– J'espère retrouver le même degré de sagesse sur vos bulletins. Et voilà… le dernier recours du cerveau d'âge moyen. Le bulletin scolaire.

Lien enfonça le bouton de la petite télé couleur. Une émission de sport sur M-Net apparut lentement à l'écran.

– Le cerveau d'âge moyen aimerait savoir qui a regardé la télé dans ma chambre.

– Je n'avais pas le choix. Lien était en train de s'amuser avec des adolescents en pleine crise de libido dans le salon.

– Mets TV2 et arrête de raconter des âneries.

– Il n'y a pas d'émissions éducatives…

– Chut…

…des détails sur le scandale des armes sud-africaines. Le journal cite une source selon laquelle les informations que transporte Mpayipheli contiendraient des précisions sur les comptes bancaires suisses des membres du gouvernement impliqués dans les transactions d'armes, ainsi que sur les sommes apparemment versées en pots-de-vin et autres gratifications. Un porte-parole du ministère de la Défense a vigoureusement démenti ces allégations, en précisant qu'il s'agissait, je cite, « d'une nouvelle tentative malveillante de la presse d'opposition pour porter atteinte à la crédibilité du gouvernement avec des mensonges délibérés et des affabulations », fin de citation.
Le porte-parole a également nié toute implication de l'armée dans la disparition de Mme Miriam Nzululwazi, la concubine du fugitif Thobela Mpayipheli, et de son fils de six ans. D'après le Cape Times, *un homme qui se serait présenté comme un employé du ministère de la Défense aurait*

emmené le jeune Pakamile Nzululwazi avec lui la nuit dernière après l'arrestation de sa mère sur son lieu de travail, une banque de commerce, plus tôt dans la journée.

Pendant ce temps, des bandes de motards rivales qui soutiendraient M. Mpayipheli se sont battues à Kimberley la nuit dernière. La police a été appelée pour mettre un terme à plusieurs bagarres qui ont éclaté en ville. Neuf motards ont été emmenés à l'hôpital.

La suite des informations...

L'angoisse la prit au réveil quand elle s'aperçut que Van Heerden était parti. Pas un mot, rien. Elle sut que la peur ne la lâcherait pas tant qu'il n'aurait pas redonné signe de vie. Jusqu'à ce qu'elle le revoie, l'envie de composer son numéro, de chercher réconfort et confirmation ne ferait qu'augmenter tout au long de la journée, mais elle devait résister à tout prix.

Elle se leva, cherchant le salut dans la routine quotidienne, jeta sa robe de chambre sur ses épaules, mit la bouilloire à chauffer, ouvrit la porte de devant et ramassa les deux journaux. Revint à la cuisine, survola le *Times*, tout était en ordre, l'article principal, les encadrés, les deux autres articles. Elle jeta un rapide coup d'œil aux pages 2 et 3 sans remarquer le petit compte rendu insignifiant dissimulé au milieu.

LUSAKA – La police zambienne enquête sur la mort de deux touristes américains dont les corps ont été découverts par des passants hier aux abords de la capitale.

D'après un porte-parole de la police, les touristes seraient décédés des suites de blessures par balles et le motif apparent serait le vol. On devrait connaître le nom des deux hommes aujourd'hui, dès que l'ambassade américaine et les familles auront été informées.

Aucune arrestation n'a eu lieu.

Elle avait hâte de lire le *Burger* et l'ouvrit sur le comptoir du petit déjeuner.

Scandale des armes
Le motocycliste détient la clé.

CAPE TOWN – Tous les détails sur le scandale des armes sud-africaines, y compris les noms, les sommes appropriées et les numéros des comptes bancaires suisses de certains membres du gouvernement seraient contenus dans le disque dur actuellement en possession du fugitif Thobela Mpayipheli, le motard qui continue à échapper aux autorités.

Doux Jésus, se dit-elle, d'où est-ce que ça sort ?

D'après l'avocat Pieter Steenkamp, ancien membre de la commission d'enquête sur les fraudes économiques graves, le disque dur aurait été mentionné de nombreuses fois lors des dépositions sur les prétendues irrégularités dans la transaction d'armes de 43,8 milliards de rands qui a eu lieu l'année dernière.

– Oh, allons ! murmura Allison.

« Nous avons effectué plus d'une centaine d'entretiens, d'après mes notes. Il a été fait mention au moins sept fois de données électroniques très complètes en possession d'une agence de renseignements », a ajouté l'avocat Steenkamp, qui a rejoint l'Alliance démocratique en novembre l'année dernière.
« Mes allégations seront sans aucun doute écartées comme une vulgaire manœuvre politicienne. On se contentera d'étouffer l'affaire un peu plus. Dans l'intérêt de ce pays et de ses citoyens, il serait bon que M. Mpayipheli ne soit pas appréhendé. Son périple a plus de signification que celui de Dick King, qui avait relié Durban à Grahamstown à cheval en 1842 pour mettre les Anglais en garde contre le siège des Boers. »
Le fugitif à moto était encore en cavale au moment de mettre sous presse, après avoir quitté le Cap sur une BMW R 1150 GS volée (voir article ci-dessous) avant-hier. D'après un informateur de la SAPS, Mpayipheli aurait échappé aux autorités gouvernementales à Three Sisters, durant l'un des pires orages qu'on ait récemment connus (article en p. 5, bulletin météo en § 8).
Malgré une opération de grande envergure à Petrusburg, État libre, le vétéran de l'Umkhonto a réussi à s'éclipser la nuit dernière. D'après des rumeurs non confirmées, il serait entré au Botswana tard dans la nuit.

Allison Healy réfléchit à ce qu'elle venait de lire en contemplant les aimants sur son frigo.

Pas impossible.

Et s'ils avaient raison, elle s'était fait griller. Salement.

Elle revint au journal. Il y avait un autre article, sous forme d'encadré, accolé à la photo d'un homme debout près d'une moto.

Par Jannie Kritzinger, rédactrice auto
Il s'agit de la moto qui a fait sensation l'année dernière en détrônant les légendaires modèles de sport comme la Kawazaki ZX 6R, la Suzuki SV 650S, la Triumph Sprint ST et même la Yamaha YZF R1, lors des célèbres essais de vitesse sur route organisés dans les Alpes par *Motorrad*, le magazine allemand de tout premier plan. Mais la BMW R 1150 GS est tout sauf une moto de course. À dire vrai, elle est en tête des ventes dans une catégorie ou un créneau qu'elle a inventé – celui de la moto multifonctions, telle qu'on la nomme, aussi à l'aise sur un chemin de terre que sur autoroute.
GS signifie « Gelände Strasse », littéralement « veld et bitume », et l'idée de la multifonction s'est étendue à d'autres modèles, depuis Triumph et Honda jusqu'à Suzuki, qui utilisent tous le même système de transmission.

Elle survola le reste pour arriver à l'article promis en page 2 : « "Le motard est un psychopathe", raconte le brigadier » et « Comment Mpayipheli m'a mutilé – le criminel réhabilité nous dit tout » ainsi que « La bataille de Kimberley : les gangs de motards main dans la main », mais le téléphone sonna dans la chambre et elle se précipita en priant que ce soit lui.

– Allison, j'ai un type au bout du fil qui dit avoir secouru le gamin la nuit dernière. Je peux lui filer ton numéro ?

L'assiette de Thobela débordait de saucisses, d'œufs, de tomates frites et de bacon, de haricots à la sauce tomate et de champignons sautés. Du café chaud, noir et serré fumait dans une tasse posée sur la nappe blanche amidonnée et il mangeait avec un appétit féroce.

Il avait trop dormi et ne s'était réveillé qu'à sept heures moins vingt. Il souffrait atrocement de ses blessures, à peine s'il tenait debout, ses mains tremblaient encore, mais il arrivait à les contrôler comme un moteur au ralenti. Il avait pris un bain sans se presser, soigneusement inspecté la masse sanguinolente, l'avait recouverte, n'avait pris qu'un seul cachet cette fois, avait passé ses vêtements et était descendu manger.

Dans le coin de la salle à manger, une télévision était fixée sur un bras métallique. CNN parlait des cours de la bourse, du dernier *faux pas*[1] de George Bush avec les Chinois et de la communauté européenne qui venait encore de refuser une nouvelle fusion d'entreprises, puis le présentateur murmurant quelque chose sur l'Afrique du Sud, il leva les yeux pour découvrir la photo de sa moto sur l'écran. Il se figea. Comme il n'entendait pas, il s'avança jusque sous le poste.

...la concubine du fugitif et son fils sont portés disparus depuis. Mpayipheli n'a pas encore été arrêté. Autres nouvelles d'Afrique : la police du Zimbabwe a encore interpellé un journaliste étranger, en vertu de la nouvelle législation sur les médias, cette fois le correspondant du Guardian, *Simon Eagleton...*

Portés disparus ?

Nom de Dieu, qu'est-ce qu'ils voulaient dire par « portés disparus » ?

Le capitaine Tiger Mazibuko mangeait dans la Golf. Il s'était garé à l'écart de la route, à deux cents mètres au sud du pont sur le Zambèze, et buvait un Fanta orange, un hamburger insipide sur les genoux. Il aurait aimé se laver les dents et dormir une heure ou deux mais, au moins, il était raisonnablement certain que ce salopard n'était pas encore passé par là.

1. En français dans le texte. *(NdT.)*

Il s'était arrêté à chaque station-service, Mahalapye, Palapye, Francistown, Mosetse, Nata et Kasane. Personne n'avait vu de moto. Tous les pompistes qu'il avait gentiment réveillés d'un coup de coude ou d'une autre manière avaient hoché la tête. La semaine dernière, oui, il y en avait eu quelques-unes. Deux, trois Anglais, mais ils descendaient sur Johannesburg. Ce soir ? Non, rien.

Alors il attendrait, sa bouche pâteuse attendrait le dentifrice, ses yeux rougis l'eau bienfaisante, son corps endolori la douche chaude et savonneuse.

Lorsqu'il eut fini de manger, il ouvrit le coffre, souleva la protection de la roue de secours, dévissa l'écrou à ailettes, enleva la roue et sortit les différentes parties de son arme.

Il lui fallut deux voyages pour transporter les pièces détachées du R4 sur le siège avant sans donner l'impression évidente qu'il tenait une arme à la main. Des gens marchaient au bord de la route et les voitures circulaient continuellement entre le poste frontière, à environ un kilomètre au nord, et la ville de Kasane qui se trouvait derrière lui. Il assembla le fusil d'assaut en camouflant ses mouvements sous le volant, à l'abri des regards indiscrets.

Il s'en servirait pour arrêter ce connard. Parce qu'il devait passer par là, il devait traverser ce pont, même s'il évitait le poste frontière.

Et une fois qu'il l'aurait arrêté...

XXXIX

Il était devant l'hôtel, botté et prêt à partir, piaffant d'impatience et la bataille faisait rage en lui. L'envie de faire demi-tour, de revenir sur ses pas, était terriblement puissante. S'ils avaient fait du mal à Miriam et Pakamile... *Portés disparus...* Il avait essayé de se convaincre qu'elle avait peut-être pris l'enfant avec elle et s'était enfuie, si les médias étaient au courant, il avait dû y avoir des coups de fil et des visiteurs incessants et il connaissait Miriam, il connaissait ses réactions. Il avait passé un coup de fil de la chambre d'hôtel, chez elle tout d'abord. Le téléphone sonnait sans discontinuer. Il avait fini par laisser tomber et s'était demandé avec désespoir qui joindre, qui serait au courant à huit heures du matin. Van Heerden. Il n'arrivait pas à se rappeler le numéro, il avait appelé les renseignements internationaux, épelé son nom et attendu des heures. Lorsqu'ils lui avaient enfin répondu, il avait hâtivement griffonné les chiffres sur un bout de papier à lettres de l'hôtel qu'il avait déchiré. Van Heerden était absent. De frustration, il avait jeté le téléphone, pris ses affaires, payé sa note et rejoint la moto. Des désirs contradictoires l'animaient, il était à deux doigts de faire demi-tour, Lobatse, Mafikeng, Kimberley, Cape Town. Non, Miriam s'était peut-être enfuie. Il en avait pour deux jours, autant finir ce qu'on a commencé et si...

Enfin il s'était mis en route et se dirigeait à présent vers Francistown, à peine conscient du long ruban qui s'étirait devant lui.

L'inquiétude lui tenait compagnie ainsi que la vérité qu'il avait entrevue dans un chant africain sous le pont de la Modder.

– Je veux vous amener le garçon, lui annonça Vincent Radebe au téléphone.

– Où est-il ?

– Il attend dans la voiture.

– Pourquoi moi ?

– J'ai lu votre article dans le journal.

– Mais pourquoi voulez-vous me l'amener à moi ?

– Parce que ce n'est pas sûr. Ils vont me retrouver.

– Qui ça « ils » ?

– J'ai déjà assez d'ennuis comme ça. Je ne peux pas vous répondre.

– Savez-vous où est sa mère ?

– Oui.

– Où ?

Il répondit d'une voix si basse qu'elle ne l'entendit pas.

– Vous dites ?

– Sa mère est morte.

– Oh, bon sang !

– Je ne lui ai pas encore dit. Je n'y arrive pas.

– Oh, mon Dieu !

– Il n'a pas de famille. Je l'aurais emmené dans la sienne, mais il dit qu'il n'a personne. Et il est danger avec moi, je sais qu'ils vont me retrouver. Je vous en prie, aidez-moi.

Non, elle voulait dire non, elle ne pouvait pas, qu'est-ce qu'elle allait faire, comment s'en arranger ?

– Je vous en prie, mademoiselle Healy.

Dis non, dis non.

– Le journal, répondit-elle. S'il vous plaît, amenez-le au bureau, je vous y retrouve.

Tous les directeurs étaient là, NIA, services secrets, ARP, responsables de la défense et de la police, ainsi que la ministre, la séduisante ministre tswana qui se tenait au centre et parlait d'une voix dure et coupante. Sa colère emplissait la pièce de décibels suraigus. Le président lui avait demandé des comptes, pas par téléphone, non, il l'avait fait venir en personne dans son bureau. Il l'avait convoquée et lui avait passé un savon. On racontait que le président se contrôlait toujours, mais apparemment pas ce matin-là. La ministre expliqua que le courroux de ce dernier était épouvantable parce que tout était en suspens, l'Afrique quémandait son plan de reconnaissance et les USA, l'Union européenne, le Commonwealth et la banque mondiale devaient prendre une décision. Comme si tous les malentendus dans l'affaire du sida ne suffisaient pas à déstabiliser le pays, il fallait à présent qu'on kidnappe des femmes et des enfants et qu'on pourchasse les vétérans à moto dans le veld par-dessus le marché, et quoi encore, et tous ceux qui avaient des théories délirantes sur le contenu du disque dur pointaient leur nez, la presse s'en donnait à cœur joie, même le *Sowetan,* avec le fichu article de ce rédacteur adjoint qui était à l'école avec Mpayipheli et avait parlé à sa mère. On avait l'air de quoi ?

La ministre portait le flambeau de la colère présidentielle et le laissait brûler de toute sa flamme, n'épargnant personne, n'accusant personne en particulier, elle s'adressait au groupe et Janina Mentz se dit que c'était inutile parce que leurs vingt agents à Lusaka allaient prendre d'assaut le Republican Hotel dans moins d'une heure et c'en serait fini une fois pour toutes. Dans la journée, Tiger Mazibuko abattrait le méchant malabar sur sa foutue BMW de légende et ça n'aurait plus aucune importance que la femme soit morte et le gamin disparu et les choses reprendraient leur cours comme d'habitude en Afrique. Demain, après-demain, d'autres nouvelles tomberaient, le Congo, la Somalie ou le Zimbabwe, ce n'était qu'une mort de plus. La ministre croyait-elle vraiment que l'Amérique s'en souciait ? Croyait-elle vraiment que l'Union européenne faisait les comptes ?

Le téléphone sonna sur le bureau de la ministre. Elle le foudroya d'un tel regard que Janina fut ébahie que l'engin n'ait ni rétréci ni fondu, puis elle s'avança vers la porte et hurla :

– Je n'avais pas dit que je ne voulais aucun coup de fil ?

Une voix d'homme lui répondit nerveusement.

– Quoi ? dit la ministre.

Une explication s'ensuivit. La ministre claqua la porte, le téléphone continuait à sonner, elle se dirigea vers son bureau et annonça, d'un ton à mi-chemin entre désespoir et folie :

– Le garçon. Ils ont le garçon. Au journal. Et ils veulent savoir si la mère est morte.

*** CIA ***

ULTRA-CONFIDENTIEL

À L'ATTENTION DE Directeur adjoint (Moyen-Orient et Afrique), QG CIA, Langley, Virginie

RÉDIGÉ PAR Luke John Powell (chef régional, Afrique du Sud), Capetown, Afrique du Sud

OBJET Opération Sauvegarde : perte de quatre agents chargés de protéger l'informateur sud-africain Inkululeko.

1. ARRIÈRE-PLAN DE L'OPÉRATION SAUVEGARDE

Inkululeko est le nom de code d'un informateur qui travaille depuis 1996 pour la CIA au sein du gouvernement sud-africain. Cet informateur nous a été acquis après que les timides signaux d'approche du sujet lors d'une réception à l'ambassade eurent été étudiés. Il semblerait que ce soit la désillusion de ce dernier face au soutien constant de l'Afrique du Sud à différents États voyous comme l'Iraq, l'Iran, Cuba et la Libye qui l'ait poussé à l'époque. L'auteur de ce rapport a personnellement recruté le sujet, car il s'agissait de la première acquisition au sein de l'alliance ANC/Cosatu préalablement non alignée sur la politique du gouvernement nationaliste. La motivation du sujet paraissait suspecte à ce moment-là, mais ce dernier a fait ses preuves depuis.

La motivation exacte demeure inconnue.

Il fallut sept minutes et cinq mille dollars américains au responsable de l'opération pour soudoyer le manager du Republican Hotel et localiser la chambre où Johnny Kleintjes était retenu.

Il avait une équipe de vingt hommes avec lui, mais n'en choisit que cinq pour l'escorter jusqu'à la 227. D'autres reçurent l'ordre de surveiller les entrées, l'escalier de secours et les ascenseurs. Les derniers scrutaient fenêtres et balcons depuis l'extérieur ou se tenaient à l'affût dans un des véhicules, moteur au ralenti, pour parer à toute éventualité.

Le responsable avait la clé de la chambre, mais vaporisa du silicone dans le trou de la serrure avec une bombe aérosol jaune prolongée d'un fin tuyau rouge. Derrière lui, ses collègues se tenaient prêts, armes pointées vers le toit. Il introduisit la clé avec précaution et la fit tourner doucement. Le mécanisme lubrifié s'ouvrit sans bruit. Le chef donna le signal, poussa la porte d'un mouvement coulé et les deux premiers agents roulèrent sur eux-mêmes dans la pièce. Seul, le corps d'un vieil homme de couleur couvert de blessures affreuses s'y trouvait.

On avait posé deux disquettes sur Johnny Kleintjes et gravé un mot sur sa poitrine avec un instrument acéré : KAATHIEB.

— Laissez-le-moi, proposa le secrétaire noir de la ministre.

Allison Healy se pencha vers Pakamile Nzululwazi qui se cramponnait à sa main.

— Pakamile, nous devons aller discuter dans cette pièce, dit-elle. Veux-tu rester un peu avec ce gentil monsieur ?

Le corps de l'enfant exprimait son angoisse et Allison en eut le cœur serré. Il dévisagea le secrétaire et hocha la tête.

— Non, dit-il, je veux rester avec toi.

Elle l'étreignit, ne sachant que faire.

Le secrétaire ajouta quelque chose à voix basse en xhosa.

Parlez de façon à ce que je comprenne, lui lança-t-elle, coupante.

— Je disais juste que j'allais lui raconter une histoire.

Pakamile hocha la tête.

— Je veux rester avec toi, répéta-t-il.

Elle était devenue son point d'ancrage depuis que Radebe le lui avait amené, il était perdu, effrayé et seul. Il avait réclamé sa mère une centaine de fois et elle ne savait pas combien de temps encore elle pourrait le supporter.

– Il vaudrait mieux qu'il l'accompagne, reprit son rédacteur en chef à l'intention du secrétaire.

Ils étaient quatre, sans compter le garçon. Le rédacteur en chef et elle-même, le P-DG et le rédacteur, aucun d'entre eux n'ayant jamais mis les pieds dans cet endroit. La porte s'ouvrit sur la ministre, elle regarda Pakamile, les yeux remplis de compassion.

Elle leur tint la porte. Allison et l'enfant entrèrent les premiers, suivis des hommes. À l'intérieur, une Blanche et un Noir étaient déjà assis. Lorsque ce dernier se leva, elle remarqua sa petite taille et le renflement d'une bosse dans son cou.

Il s'arrêta à Mahalapye pour prendre de l'essence et poussa jusqu'au petit café pour y acheter un journal, mais la gazette locale ne disait rien et il reprit la route. Le goudron noir réfléchissait violemment la chaleur africaine et le soleil était sans pitié. Il aurait dû prendre plus de cachets, la douleur le paralysait. Était-il gravement blessé ?

Huttes, petites fermes, enfants qui folâtrent avec nonchalance au bord de la route, deux chèvres boers gambadant vers de plus tendres pâturages de l'autre côté de la chaussée, oh, Botswana, pourquoi son propre pays ne se déployait-il pas dans le paysage avec la même tranquillité, sans tapage, pourquoi les gens de son peuple n'avaient-ils pas le même visage insouciant, souriant, serein ? Qu'est-ce qui les différenciait ? Sûrement pas les frontières artificielles à travers la savane qui disaient : ce pays se termine ici et celui-ci commence là.

Le sang avait moins coulé dans ce pays, à n'en pas douter, le fardeau de l'histoire était plus léger. Mais pourquoi ?

Peut-être avaient-ils moins de raisons de verser le sang. Moins de paysages attrayants, moins de riches pâturages, moins de têtes brûlées, moins de minerais précieux. Peut-être l'Afrique du Sud était-elle maudite, pays où la main de Dieu avait dérapé, pays où Il avait renversé la corne d'abondance – montagnes et vallées verdoyantes, hautes herbes ondulant à perte de vue, métaux précieux, pierres inestimables, minéraux. Puis Il avait contemplé son œuvre et s'était dit : qu'il en soit ainsi, une épreuve, une tentation, j'assoifferai les gens d'ici, je les laisserai quitter l'Afrique et le nord des Blancs et verrai ce qu'ils font de ce paradis.

Mais peut-être le salut du Botswana venait-il simplement du fait que l'abîme entre riches et pauvres était moins important. Moins d'envie, moins de haine. Moins de sang.

Ses pensées furent accaparées à nouveau. *Portés disparus*, le refrain courait dans sa tête, *portés disparus*, il se mêlait au ronronnement monotone du moteur de la GS, au vent qui sifflait sur son casque, aux battements de son cœur qui propulsait douloureusement le sang dans sa hanche. Il transpirait, la chaleur augmentait à chaque kilomètre, venant du plus profond de son être. Il devait faire attention, rester sur le qui-vive, se reposer, boire, secouer la léthargie de son esprit. Son corps allait très mal. Il comptait les kilomètres, se concentrait sur des calculs de moyenne, tant de kilomètres par minute, tant d'heures encore.

Il finit par s'arrêter à Francistown.

Il mit péniblement pied à terre à la station-service et posa la moto sur sa béquille. La blessure lui semblait poisseuse comme si elle était en train de se rouvrir.

Le pompiste parla d'une voix distante.

— Votre ami vous cherchait tout à l'heure.

— Mon ami ?

— Il est passé ici tôt ce matin dans une Golf.

Comme si ça expliquait tout.

— Je n'ai pas d'ami avec une Golf.

— Il a demandé si on vous avait vu. Un Noir sur une grosse BMW orange.

— Il ressemblait à quoi ?

— À un lion. Grand et costaud.

— Il est parti dans quelle direction ?

— Par là, répondit l'homme en lui indiquant le nord du doigt.

XL

Allison la spectatrice.

Elle avait toujours été douée pour ça, observer de l'extérieur, faire partie d'un groupe en se sentant à part dans sa tête. Elle s'en était inquiétée, y avait pensé des heures durant, l'avait analysé pendant des années, la meilleure conclusion à laquelle elle était arrivée étant que son cerveau était ainsi fait, vitesses, rouages et manettes, produit étrange et accidentel, la faute à personne. Hier après-midi déjà, elle avait compris qu'il était comme ça, lui aussi. Deux phénomènes s'étaient reconnus dans un océan de normalité, deux îlots qui avaient fini par se rencontrer, aussi improbable que cela puisse être. Mais, une fois encore, elle avait senti la distance qui la séparait des autres, comme une démangeaison. La voix de sa conscience la rongeait, lui disait que c'était une forme d'imposture que de prétendre être des leurs alors qu'on ne peut s'intégrer. Alors qu'on n'a pas sa place. L'avantage, c'est que ça faisait d'elle une bonne journaliste parce qu'elle voyait ce à quoi les autres restaient aveugles.

Il y avait quelque chose de sous-jacent dans les pourparlers.

Ils s'exprimaient de manière étudiée, en anglais, ils parlaient un langage d'adulte pour protéger l'enfant et repousser la vérité douloureuse.

Cette conversation devait rester entre eux, avait dit la ministre. La nature en était trop délicate et elle tenait à ce que toutes les parties soient bien d'accord sur ce point.

Ils avaient acquiescé les uns après les autres.

Bien, avait-elle dit. Allons-y. On attendait un psychologue pour enfants. Ainsi que deux employées de la garderie, car le thérapeute avait expliqué que des personnes familières atténueraient le choc de la nouvelle. Un homme et une femme du service de protection de l'enfance devaient aussi arriver rapidement. Des gens plus âgés, très expérimentés.

Tout allait être fait, tout ce dont l'État était capable, on allait lancer la machine parce que c'était face à une tragédie qu'on se trouvait.

Allison décryptait les non-dits. La ministre regardait l'autre femme par intermittence, staccatos qui ponctuaient son discours comme si elle voulait vérifier qu'elle était sur la bonne voie.

L'autre femme. On ne la leur avait pas présentée officiellement. Assise là dans son ensemble pantalon comme une finaliste de la femme d'affaires de l'année. Pantalon gris, chaussures noires, chemisier blanc, veste grise, mains manucurées mais sans rouge à ongles, maquillage léger et subtil, cheveux tirés en arrière, regard neutre, un soupçon de beauté dans un visage aux traits sévères et distants, mais avec un langage corporel qui prenait le dessus et disait le self-control, l'autorité, l'ambition, la confiance en soi.

Qui était-elle ?

Une tragédie, disait la ministre, en choisissant soigneusement mots et expressions d'adultes, euphémismes et métaphores pour épargner l'enfant. Des personnes innocentes s'y étaient trouvées mêlées par hasard. Elle aurait aimé dire toute la vérité aux médias, mais c'était impossible et elle les suppliait donc de la croire, on ne pouvait pas faire d'omelette sans casser des œufs. Allison en eut des frissons. Nous vivons dans un monde dangereux, un monde compliqué et aider cette jeune démocratie à survivre est beaucoup plus difficile que tout ce que les médias peuvent imaginer.

Il s'agissait d'une opération sensible, nécessaire, bien planifiée, qui entrait parfaitement dans le cadre de la loi sur les services de renseignements stratégiques de 1994 (loi 94-38, amendement du 2 décembre 1994) et concernait l'intérêt national, elle n'utilisait pas ce terme à la légère, sachant combien il avait été galvaudé par le passé, mais ils devaient la croire sur parole. L'intérêt national.

Elle voulait éclaircir un point : l'opération, telle qu'elle avait été planifiée par les services secrets, ne nécessitait pas l'implication de victimes innocentes. Pour parler franchement, de gros efforts avaient été faits pour éviter ça. Mais les choses avaient mal tourné. Des choses que personne n'aurait pu prévoir. L'opération si bien menée avait déraillé. Des civils s'y étaient retrouvés mêlés par des méthodes insidieuses, un observateur innocent avait été aspiré dans le tourbillon par les forces du mal, un troisième groupuscule et la tragédie avait eu lieu. Si elle pouvait revenir en arrière, elle l'aurait fait, mais ils savaient tous que c'était impossible. Une tragédie, parce qu'un civil était mort, probablement de son propre fait, les raisons, les circonstances précises restaient encore à éclaircir, mais pour la ministre, c'était un civil de trop et elle pleurait sa perte, elle pouvait leur dire qu'elle pleurait cette vie rayée de la carte. Mais,

a) Ça n'avait rien à voir avec un quelconque scandale sur les armes, elle en était absolument certaine.

b) Il y aurait une enquête officielle, approfondie et rigoureuse, sur cette perte irréparable.

c) Si la faute ou la négligence en revenait à un de leurs fonctionnaires, ce dernier serait convoqué incessamment devant une commission de discipline, en vertu de l'article 15 de la loi de 1994 sur les services de renseignements.

d) Et le jeune enfant à charge recevrait la meilleure assistance possible, après qu'on aurait établi de manière certaine s'il avait ou non de la famille ; et si tel n'était pas le cas, l'État assumerait ses responsabilités, elle le leur promettait personnellement, elle était prête à risquer sa réputation, sa carrière même, là-dessus.

La ministre les regarda tous et Allison sentit qu'elle essayait de voir si elle les avait convaincus.

Que serait-il arrivé si on n'avait pas déposé Pakamile aux bureaux du *Cape Times* ? Elle connaissait la réponse. L'affaire aurait été étouffée. Femme et enfant ? Quelle femme et quel enfant ? Nous ne sommes pas au courant. Mais il y avait une sorte de droiture chez la ministre, un désespoir tout à son honneur.

– Madame la ministre, enchaîna le rédacteur en chef à lunettes, un métis plein de dignité qu'Allison respectait énormément. Laissez-moi simplement vous dire que nous ne sommes pas les monstres pour lesquels les politiciens nous font toujours passer.

– Bien entendu, répondit la ministre.

– Nous sommes compatissants envers vos fonctions et votre position.

– Je vous en remercie.

– Mais nous avons quand même un petit problème. Il est maintenant officiellement établi que ces deux civils sont portés disparus, et à la lumière de cette terrible tragédie, qui est, dans une certaine mesure du moins, du domaine public si vous y impliquez deux employées de la garderie, il nous est impossible de ne rien écrire.

Inkululeko est le mot zoulou pour « liberté » et ce nom de code possède un arrière-plan historique intéressant. Apparemment, dans les années soixante-dix et quatre-vingt, il y aurait eu de constantes rumeurs sur une taupe d'origine zouloue exerçant des fonctions à un certain échelon de l'alliance ANC/parti communiste sud-africain – taupe qui aurait transmis des informations aussi bien à la CIA qu'au gouvernement de l'Apartheid. Comme vous le savez peut-être, cette rumeur n'était pas fondée. Nous n'avions aucun informateur de confiance dans le mouvement à ce moment-là. Bien que quelques tentatives discrètes pour en acquérir un aient été faites, la CIA ne considérait pas la chose comme une priorité absolue, étant donné les renseignements disponibles grâce au bloc de l'Est de l'époque et le fait que ni l'ANC ni le parti communiste sud-africain ne constituaient une menace pour les États-Unis ou l'OTAN.

Cependant, lorsqu'un nom de code a dû lui être attribué en 1996, le sujet a suggéré « Inkululeko », en en signalant la valeur de désinformation potentielle dans la mesure où elle n'avait aucune parenté zoulou, étant de souche européenne.

L'intérêt de cette source s'est extraordinairement accru en 2000, lorsqu'elle a été pressentie et recrutée pour le poste de responsable du personnel d'une nouvelle agence gouvernementale, l'ARP, ou Agence de renseignements présidentielle.

Nous pensons que l'ARP a été initiée pour tenter de mettre un terme aux luttes incessantes et aux jalousies intestines, héritage de la politique précédemment menée par les trois autres branches des services des renseignements d'Afrique du Sud, à savoir la NIA, les services secrets et le Renseignement militaire. Tous les employés de l'ARP ont été recrutés hors des services de renseignements, exception faite du directeur, un vétéran de l'ANC et de l'Umkhonto.

2. ORIGINE DE L'OPÉRATION SAUVEGARDE

En mars de cette année, un membre connu d'un groupe d'activistes musulmans dissidents basé au Cap a été arrêté par la police sud-africaine pour détention illégale d'armes à feu. Il est suspecté de liens avec Al Qaida et l'homme fort de l'Iran, Ismail Khan.

Durant l'interrogatoire, le suspect, un certain Ismail Mohammed, a dit posséder des informations pouvant intéresser les services de renseignements sud-africains et avoir l'intention de s'en servir pour obtenir une réduction de peine.

Par chance, un membre de l'ARP a pu interroger le suspect. Les renseignements en question concernaient l'identité d'Inkululeko.

Elle avait le cœur gros en retrouvant le soleil et le vent du sud-est. Pakamile était resté à l'intérieur, confié aux bons soins de deux employées noires de la garderie qui veillaient sur lui comme des mères poules. Le pédopsychiatre, un Blanc élégant et petit d'une trentaine d'années, à la bienveillance affectée et doté d'une haute idée de sa personne, attendait ses cinq minutes de gloire. Les employés du centre de protection de l'enfance, connaissant leur place dans la hiérarchie bureaucratique, attendaient à l'extérieur sur un banc en bois avec leurs dossiers et leurs formulaires.

Tandis qu'Allison Healy descendait les marches et traversait la rue avec ses collègues masculins, Van Heerden envahit une fois de plus son esprit.

– Je vous rattrape, leur dit-elle.

Elle voulait allumer son portable, peut-être y avait-il un message ? Elle resta en arrière, le vent faisait voleter sa robe, elle entra son numéro de code et attendit que le téléphone ait capté un signal.

C'est alors qu'elle vit la femme à l'ensemble gris quitter l'immeuble en compagnie du petit bossu.

Elle regarda à nouveau le cadran. *Vous avez deux messages. Veuillez composer le 121.*

Dieu soit loué. Elle tapa les chiffres et suivit des yeux l'homme et la femme qui remontaient Wale Street.

« Salut Allison, c'est Rassie. Pas mal, les articles ce matin, bien joué ! Appelle-moi, j'ai des trucs intéressants. Bye. » *Pour sauvegarder ce message, tapez neuf. Pour le supprimer, tapez sept. Pour répondre, tapez trois. Pour le sauvegarder...*

Elle se dépêcha de taper sept.

Message suivant. « Allison, c'est Nic. Je veux juste... Je veux te voir, Allison. Je ne peux pas attendre jusqu'au week-end. S'il te plaît. Tu... me manques. Appelle-moi, s'il te plaît. Je sais que je suis chiant. Je parle trop. Je suis libre ce soir. Oh, bon boulot dans le journal aujourd'hui ! Appelle-moi. » *Pour sauvegarder ce message...*

Agacée, elle appuya sur sept.

Fin des nouveaux messages. Pour écouter votre...

Pourquoi Van Heerden n'avait-il pas téléphoné ?

La femme blanche et l'homme noir étaient en train de disparaître en haut de la rue et elle les suivit sur un coup de tête. Ça lui occuperait l'esprit. Elle avait le vent dans le dos et marchait vite. Elle remit son téléphone dans son sac à main et essaya de les rattraper, les cherchant du regard jusqu'à ce qu'elle voie la femme entrer dans un immeuble.

Quelqu'un l'appela par son nom. Le Somalien du kiosque à cigarettes.

– Salut Allison, t'achètes rien aujourd'hui ?

– Pas aujourd'hui, répondit-elle.

– Bosse pas trop.

– Promis.

Elle accéléra le pas jusqu'au bâtiment dans lequel la femme était entrée et lut le nom au-dessus des imposantes portes à deux battants : WALE STREET CHAMBERS.

Un simple coup de fil. Salut Allison, comment ça va ? Ça lui prendrait combien de temps ? C'était trop demander ?

Certaines informations lors de l'interrogatoire d'Ismail Mohammed étaient étonnamment précises. Il a affirmé que :

I. Inkululeko était un informateur plus récent que ce qu'on croyait en général.

II. Rien n'indiquait qu'Inkululeko ait des liens directs avec les Zoulous et que le contraire devait être prouvé.

III. Inkululeko ne faisait partie ni du parlement ni de la direction de l'ANC (ce que les rumeurs persistantes insinuaient depuis des années).

IV. Inkululeko était sans aucun doute membre de l'actuel service de renseignements sud-africain et y occupait une position privilégiée.

V. Les organisations musulmanes (non spécifiées) étaient à deux doigts d'identifier Inkululeko et ce n'était qu'une question de temps avant qu'elles ne découvrent son identité réelle.

Il est intéressant de noter que Mohammed a parlé plusieurs fois d'Inkululeko au masculin durant les interrogatoires, ce qui nous donne une indication quant à son véritable degré de connaissance, malgré la précision des informations ci-dessus.

La question principale reste bien entendu de savoir comment les organisations musulmanes d'Afrique du Sud ont obtenu ces renseignements.

D'après Mohammed, elles auraient délibérément lancé de fausses rumeurs sur des mouvements musulmans internationaux, ainsi que sur des opérations et des réseaux agissant à l'intérieur même des structures gouvernementales et de renseignements, selon un procédé parfaitement planifié et un équilibre des pouvoirs à l'autre bout, pour tenter de déterminer quelles bribes de faux renseignements parvenaient jusqu'à la CIA.

Nous connaissons l'exemple de l'avertissement que ce bureau avait transmis à Langley en juillet 2001, concernant l'attaque imminente de l'ambassade américaine à Lagos, Nigeria. C'est Inkululeko qui nous avait fourni le tuyau et des marines supplémentaires avaient alors été déployés dans et autour de l'ambassade de Lagos. Comme vous le savez, l'attaque n'a jamais eu lieu, mais les mesures de sécurité intensive ont dû être facilement repérées par les extrémistes musulmans du Nigeria.

Heureusement pour nous, le rapport de l'interrogatoire de Mohammed a été remis en mains propres à Inkululeko. Cette dernière a été perturbée par son contenu, ce qui est tout à fait compréhensible. Après réflexion, elle nous a fait une proposition.

XLI

Quelque chose d'étrange se produisit sur la route entre Francistown et Nata.

Il eut l'impression de se retirer dans un cocon, la souffrance s'effaça, la chaleur écrasante en lui et autour de lui se dissipa, il lui sembla laisser l'inconfort de son corps derrière lui et flotter au-dessus de la moto, séparé de la réalité, et bien qu'il ne pût comprendre comment c'était arrivé, il fut effaré de l'émerveillement qu'il éprouvait.

Il avait toujours conscience de l'Afrique autour de lui, des colonnes herbeuses vert kaki et brun rouge qui défilaient épaule contre épaule à travers les plaines immenses, à côté du ruban de bitume noir, des acacias pelotonnés ici ou là en une mêlée ouverte ou un maul. Le ciel formait un dôme d'azur infini et les oiseaux l'accompagnaient, des calaos traversaient son champ de vision tel l'éclair, des hirondelles plongeaient et esquivaient, un aigle bateleur dégringolait des cieux, des vautours, loin à l'est, se laissaient porter par les courants ascendants en une spirale sans fin. Pendant un moment, il fut avec eux, l'un d'eux, ses ailes déployées rigides comme des câbles enregistraient le moindre frémissement et la moindre turbulence, puis il revint sur terre et pendant tout ce temps le soleil n'avait cessé de briller, brûlant et fauve et courroucé, comme s'il voulait stériliser le paysage, comme s'il pouvait cautériser de son feu déchirant les plaies malfaisantes de ce continent, à la vitesse de la lumière.

Pourquoi la chaleur l'avait-elle quitté, pourquoi les frissons d'un froid intense couraient-ils dans son corps comme les premières rafales annonçant l'orage ?

Ses pensées se libéraient, tels les morceaux d'une couche de glace en train de fondre, embrouillées, désordonnées, flottant à la surface de son cœur, des choses qu'il avait oubliées, qu'il voulait oublier. Et tout au fond de son esprit, un refrain monotone murmurait.

Portés disparus.

Son père en chaire, la transpiration qui perle à son front dans la chaleur de l'été, une main étendue au-dessus de la congrégation, l'autre reposant sur les pages immaculées de l'énorme Bible devant lui. Homme immense en toge sombre, voix qui tonne de reproche et de désapprobation. « *Ce que tu sèmes récolteras.* C'est dans le livre. La parole de Dieu. Et que semons-nous, mes frères et mes sœurs, que semons-nous ? L'envie. La jalousie. Et la haine. La violence. Nous les semons, tous les jours dans les sillons de nos vies, et nous n'arrivons pas à comprendre ensuite pourquoi elles nous sont rendues et nous disons alors : Seigneur, pourquoi ? Comme si c'était Lui qui avait renversé le calice d'amertume, nous sommes désemparés. Comme nous oublions facilement ! Mais c'est ce que nous avons semé. »

À Amsterdam, l'atmosphère était pesante et sombre, comme son humeur. Il déambulait dans les rues animées, son épais manteau gris serré autour de lui, les maisons déversaient des chants de Noël et de la chaleur, des enfants aux joues rouges et vêtus de couleurs vives tourbillonnaient sur le trottoir où résonnaient leurs rires. Il jetait une ombre immense dans cette lumière. Une semaine s'était écoulée depuis l'élimination de Munich, mais la honte qu'il avait ressentie ne le lâchait pas, elle s'accrochait à lui, ce n'était pas ça la guerre. Dans un petit magasin au coin de la rue en face du canal, il avait repéré les œufs d'autruche en premier, tout un tas sur un lit d'herbe, leurs ovales d'un blanc crémeux décorés de fausses peintures de Bochimans, SOUVENIRS AFRICAINS, annonçait la vitrine. Il avait vu les sculptures en bois, les silhouettes familières de mères et d'enfants, la rangée de petits hippopotames et d'éléphants en ivoire bien alignés, un condensé d'Afrique pour salons occidentaux, Afrique édulcorée et apprivoisée, les plaies du continent noir pansées à coups de bandages capitalistes immaculés, les langues des gens et leur culture résumées en quelques masques de bois aux expressions hideuses et quelques minuscules figurines d'ivoire opalescent.

Puis il avait vu la sagaie et le bouclier en cuir de bœuf, poussiéreux et à demi oubliés, il avait poussé la porte et était entré. La sonnette avait tinté. Il avait pris l'arme, l'avait retournée entre ses mains. La hampe de bois était lisse, la pointe d'acier très effilée. Il avait testé la lame brillante mouchetée de rouille.

Elle coûtait cher, mais il l'avait achetée et emportée, emballée dans un paquet-cadeau maladroit aux motifs ethniques et colorés.

Il avait scié la hampe dans la douche de sa chambre d'hôtel. L'odeur de bois dans ses narines et la sciure qui poudrait les carreaux blancs d'une couche neigeuse avaient fait remonter les souvenirs. Lui et son oncle Senzeni sur la colline ondoyante à l'est du Cap, surplombant la ville nichée au-dessous, comme protégée par la main de Dieu.

« C'est exactement là que se tenait Nxele », lui avait dit Senzeni avant de lui raconter l'histoire de ses ancêtres, de lui dépeindre grossièrement la bataille de Grahamstown, durant laquelle les soldats avaient brisé les hampes de leurs longues sagaies, c'était là que la lance-poignard était née, non, pas au pays de Shaka, comme le prétendaient les Européens, encore une façon de déposséder les Xhosas. « Même notre histoire a été pillée, Thobela. »

C'était ce jour-là que son oncle lui avait dit : « Tu es du même sang que Nqoma, Thobela, mais tu as l'âme de Nxele. Je le vois. Tu dois lui donner vie. »

Il avait déposé la courte sagaie aux pieds de ses maîtres de la Stasi en déclarant que, dorénavant, il se battait comme ça, il regarderait ses adversaires en face, sentirait leur souffle sur son visage, c'était à prendre ou à laisser.

« Très bien », avaient-ils répondu, vaguement amusés derrière leurs haussements de sourcils compatissants, mais il s'en moquait. Il avait fabriqué le fourreau lui-même, pour que l'arme puisse reposer contre son dos, derrière les muscles puissants et la colonne vertébrale, pour pouvoir la sentir à portée de main.

Portés disparus, chantonnait le chœur d'hommes dans sa tête. Un panneau près de lui indiquant Makgadikgadi, il trouva un rythme à ce nom, une musique à ces syllabes.

« Les péchés des parents poursuivent les enfants, même ceux de la troisième ou quatrième génération », avait dit son père en chaire.

Makgadikgadikgadikgadikgadi, *portés disparus, portés disparus, portés disparus.*

« Nous sommes ce que sont nos gènes, le résultat de la somme accidentelle de chacun de nos aïeux, produit du hasard et de la double hélice. Nous n'y pouvons rien », disait gaiement Van Heerden, tout excité par cette idée.

À Chicago, il avait été impressionné par l'architecture incroyable et la couleur de la rivière, par l'abondance et les rues d'une propreté impossible. Il marchait timidement à travers le Sóuth Side et hochait la tête devant leur idée d'un ghetto en se demandant combien d'habitants du Transkei seraient prêts à donner leur vie pour que leurs enfants puissent grandir dans cet endroit. Une fois, il avait salué quelqu'un en xhosa sans y penser, ils étaient tous aussi noirs que lui, mais leurs gorges avaient depuis longtemps perdu la sensation des sons africains et il s'était senti étranger. Il avait attendu le jeune diplomate tchèque sous le « El », le métro aérien vrombissant, dissimulé dans l'obscurité profonde de la nuit citadine. Quand l'homme s'était approché, il s'était dressé devant lui, avait prononcé son nom, mais n'avait vu que la peur dans ses yeux de rongeur, de charognard minuscule et sa lame n'avait trouvé aucun honneur dans ce sang-là, et Phalo et Rharhabe et tous ceux qui étaient génétiquement liés à lui avaient baissé la tête de honte.

Portés disparus. Un jour, ses victimes se relèveraient, un jour, ses actions passées le rattraperaient, les morts étendraient leurs longs doigts froids pour le toucher, pour lui faire payer sa lâcheté et le mauvais usage qu'il avait fait de son héritage, pour avoir transgressé le code de conduite des guerriers, parce qu'à l'exception du dernier, ils n'étaient tous que de pâles fonctionnaires grassouillets, pas des combattants.

Il avait cru que la sagaie, la confrontation directe ferait une différence. Mais lorsqu'il enfonçait l'acier froid dans le cœur de ces gratte-papier, il trahissait tout ce qu'il était, lorsqu'il entendait le dernier souffle de ces adversaires blêmes et indignes de lui, c'était comme un présage, une prophétie personnelle, une vision de son avenir – un jour, quelque part, tu le paieras.

Portés disparus.

Disait-on la même chose de ceux qu'il avait tués ? Certains étaient des pères, des fils en tout cas, bien qu'ils fussent tous des hommes, bien qu'ils fissent partie du jeu, bien qu'ils eussent tous trahi la Lutte. Et qu'était-elle devenue, cette Lutte, ce jeu d'échecs inutile, où étaient les fantômes de la Guerre froide ? Il ne lui restait plus que les souvenirs et les conséquences, son héritage personnel.

Le vide avait grandi en lui, seules changeaient les nuances en fonction des villes et des chambres d'hôtel où il se trouvait. Il éprouvait du plaisir durant le voyage qui le menait d'un endroit à l'autre, lorsqu'il cherchait un sens renouvelé à l'étape suivante, lorsqu'il cherchait quelque chose qui puisse remplir l'abîme, quelque chose qui puisse nourrir le monstre qui grandissait en lui.

Petit à petit, les louanges de ses maîtres avaient perdu leur sens. Au début, elles apaisaient son âme. Leur gratitude flatteuse chassait la honte. « Regardez ce que disent vos compatriotes », et ils lui montraient des lettres de l'ANC de Londres qui louait ses services en termes fleuris. C'est mon rôle, se disait-il, ma contribution à la lutte pour la liberté. Mais il ne pouvait y échapper, surtout lorsqu'il éteignait la lumière, s'allongeait et écoutait le sifflement de la climatisation. Alors, il entendait la voix de son oncle Senzeni et se languissait d'être un de ces combattants de Nxele qui avançaient épaule contre épaule et brisaient la lance sur leurs genoux dans un craquement.

« Nata », annonçait le panneau, mais il le vit à peine. Sa machine et lui projetaient une ombre minuscule sur le plateau, ils ne faisaient qu'un, ils avaient grandi ensemble durant ce voyage, chaque kilomètre les rapprochait de l'achèvement, de l'accomplissement, moteur et vent se combinaient en un bourdonnement profond, un crescendo rythmé comme celui des vagues qui se brisent. « Votre ami vous cherchait tout à l'heure », avait dit le pompiste de Francistown. Il savait, il savait que c'était Mazibuko, la voix de la haine. Cette haine, il ne l'avait pas seulement entendue, il l'avait reconnue, elle avait trouvé un écho en lui et il avait compris qu'il s'agissait d'un autre voyageur, pareil à lui dix ou quinze ans auparavant, vide, égaré, haineux et frustré, avant qu'il ait la révélation, avant que Miriam et Pakamile ne lui apportent l'apaisement.

Il se trouvait à l'hôpital avec Van Heerden quand c'était arrivé. Quand il s'était vu pour la première fois. Après, plus un jour ne s'était écoulé sans qu'il y pense, sans qu'il essaie de défaire le nœud de sa destinée.

Un soir tard, il se traînait dans le couloir de l'hôpital, souffrant encore des séquelles de ce qu'il avait enduré en compagnie de Van Heerden. Il s'était appuyé au montant d'une porte pour reprendre son souffle, c'est tout. Rien de délibéré, un simple instant de repos et il avait jeté un coup d'œil dans la chambre à quatre lits et là, au chevet d'un jeune garçon blanc, se tenait un médecin.

Un médecin noir. Un Xhosa aussi grand que lui. Dans les quarante ans, les tempes grisonnantes.

« Qu'est-ce que tu veux faire quand tu seras grand, Thobela ? » Son père, celui-là même qui, dimanche après dimanche, voix chargée de reproche et doigt vengeur, lançait les terrifiantes menaces divines du haut de la chaire, se montrait à présent doux et gentil, pour chasser la peur du noir d'un petit garçon de huit ans.

– Docteur, avait-il répondu.

– Pourquoi, Thobela ?

– Parce que je veux soigner les gens.

– C'est bien, Thobela.

Cette année-là, il avait attrapé la fièvre et le médecin blanc avait fait le déplacement depuis Alice et était rentré dans la chambre, auréolé d'odeurs étranges, de la compassion plein les yeux. Il avait posé des mains fraîches et poilues sur le petit corps noir, appuyé le stéthoscope ici et là, secoué le thermomètre. « Tu es un petit garçon très malade, Thobela, avait-il dit en xhosa, mais nous allons te guérir. » Et le miracle s'était produit, cette nuit-là il avait franchi le mur de fièvre chauffé à blanc pour plonger dans l'eau froide et claire de l'autre côté, là où son monde était toujours familier et normal et c'est alors qu'il avait su ce qu'il voulait devenir, quelqu'un qui soigne, un faiseur de miracles.

D'où il se trouvait, contemplant le garçon blanc et le médecin noir depuis l'embrasure de la porte, il avait revécu toute la scène, entendu ses propres paroles et avait senti ses genoux fléchir devant toutes ces années perdues dans les sables mouvants. Il avait vu sa vie autrement, entrevu d'autres choix possibles. Lentement il s'était affaissé le long du mur, incapable de supporter ce poids, toute cette destruction, toute cette haine, la violence et la mort, englouti par le désir ardent qui brûlait en lui de se libérer de tout cela. Oh, mon Dieu, naître à nouveau sans cela ! Il était tombé à genoux et n'avait plus bougé, la tête baissée, de profonds sanglots sans larmes lui avaient déchiré la poitrine, laissant s'épancher d'autres souvenirs, jusqu'à ce que tout soit étalé devant lui, tout.

Il avait senti la main du médecin sur son épaule et pris conscience peu après que l'homme le tenait, qu'il s'appuyait sur sa blouse blanche et là, enfin, il s'était calmé. L'homme l'avait aidé, soutenu, couché dans son lit et avait remonté les draps sous son menton, « tu es un petit garçon très malade, Thobela, mais nous allons te guérir ».

Il avait dormi et, au réveil, il avait lutté de nouveau, à mains nues, honnêtement et honorablement contre l'auto-justification et la rationalisation. Du corps ensanglanté des morts était monté un désir – il serait fermier, un nourricier. Il ne pouvait défaire ce qui était arrivé, il ne pouvait effacer ce qui s'était passé, mais il pouvait décider où et comment il voulait diriger sa vie. Ce ne serait pas facile, il faudrait y aller pas à pas, ce serait le labeur de toute une vie et, ce soir-là, il avait mangé une pleine assiettée et réfléchi toute la nuit. Le lendemain matin, avant six heures, il était entré dans la chambre de Van Heerden, l'avait réveillé et lui avait annoncé que c'en était fini pour lui. Van Heerden l'avait regardé avec une sagesse infinie et alors il avait vu et, ébahi d'être ainsi sous-estimé, lui avait demandé : « Tu me crois incapable de changer ? »

Van Heerden savait. Il savait ce que lui-même avait découvert la nuit précédente sous un pont de l'État libre.

Il était Umzingeli.

Vingt kilomètres au sud de Mpandamatenga, entre fièvre et hallucinations, il prit conscience d'un mouvement sur sa gauche. Parmi les herbes et les arbres, trois girafes fantomatiques se découpaient sur le soleil et galopaient doucement comme une escorte majestueuse, plongeant la tête au rythme de son refrain. Il se mit à flotter à côté d'elles, devint l'une d'elles et ressentit liberté et exubérance, puis il s'éleva encore et, observant les trois bêtes magnifiques qui passaient dans un bruit de tonnerre, il s'élança vers le ciel, vira au sud et sentit le vent siffler dans ses ailes. Il se laissa porter et tout devint minuscule et insignifiant en dessous, toute cette agitation pour rien, il survolait les frontières, les collines onduleuses, les rivières lumineuses et les profondes vallées qui morcelaient le continent, puis il aperçut l'océan au loin et la chanson du vent se fondit en un fracas de déferlantes sur l'éperon rocheux où il se tenait. Des séries de sept, toujours des séries de sept, il replia ses ailes et guetta l'oasis de calme entre deux grondements, le moment de silence absolu qui n'attendait que lui.

XLII

Vers deux heures et quart, le sommeil commença à gagner Tiger Mazibuko. Il glissa le pistolet-mitrailleur sous le tapis en caoutchouc et descendit de voiture pour la énième fois. Où était ce salopard, pourquoi n'était-il pas encore arrivé ?

Il s'étira, bâilla et fit le tour du véhicule, une fois, deux fois, trois fois, puis il s'assit sur le capot, essuya de sa manche son visage couvert de sueur, croisa les bras et contempla la route. Et refit ses calculs. Peut-être Mpayipheli s'était-il arrêté à Francistown pour déjeuner ou se faire soigner par un charlatan quelconque. Il jeta un nouveau coup d'œil à sa montre, les choses pouvaient se déclencher d'une minute à l'autre à présent. Il se demanda si le fumier roulait en pleins phares comme le font les motards, sans doute que non.

La sueur lui dégoulinait dans le dos.

Il ne prêta guère attention à la Landrover Discovery car d'autres 4 × 4 de luxe étaient déjà passés. On se trouvait dans une région touristique, Chobe et l'Okavango à l'ouest, Makgadikgadi au sud, Hwange et les chutes Victoria à l'est. Ici, les Allemands, les Américains et les Boers venaient jouer à Livingstone avec leurs 4 × 4 climatisés, en tenues kaki et chapeaux de brousse, persuadés qu'une eau potable suspecte et quelques moustiques à malaria représentaient un semblant d'aventure, puis ils repartaient chez eux montrer leurs vidéos, regardez, on a vu les grands fauves, hein qu'on a l'air malin, hein qu'on a l'air brave.

Le véhicule arrivait de Kazangula et il tenta d'en faire abstraction pour continuer à surveiller la route. Ce n'est que lorsque ce dernier se gara en face de lui qu'il leva les yeux, à moitié contrarié parce qu'il ne voulait pas être dérangé. Deux Blancs à l'avant du 4 × 4 vert, le bras épais du passager qui pendait par la fenêtre ouverte. Ils le dévisagèrent.

– Foutez-moi le camp ! leur cria-t-il.

Les petits yeux du passager étaient posés sur lui, visage impénétrable au sommet d'un cou massif. Il ne voyait pas le chauffeur.

– Putain, mais qu'est-ce que vous regardez comme ça ? gueula-t-il à nouveau, mais ils restèrent muets.

Bon Dieu, se dit-il, c'est quoi, ce bordel ? Et il descendit du capot, regarda à droite puis à gauche avant de traverser. Il n'allait pas mettre longtemps à découvrir ce qu'ils voulaient, mais alors le véhicule se mit à rouler, les yeux du grand type toujours sur lui, ils démarrèrent et il resta au milieu de la route et les regarda s'éloigner. C'était quoi, ce bordel ?

3. NATURE DE L'OPÉRATION SAUVEGARDE

Le plan conçu par Inkululeko était destiné en tout premier lieu à écarter les soupçons de sa personne grâce à une campagne de désinformation.

Bien qu'elle ait été la seule à posséder la transcription de l'interrogatoire de Mohammed, Inkululeko savait que la faire disparaître était potentiellement dangereux et compromettant dans la mesure où l'officier présidant à l'interrogatoire – et la police à un moindre degré – possédait des bribes d'informations vouées à ressurgir à un moment ou un autre.

Certaines de ses propositions ont été développées dans le cadre de l'opération Sauvegarde, avec notre collaboration.

L'essentiel du plan consistait à « traquer » Inkululeko, à « le forcer à se démasquer ».

Notre informateur a fait appel aux services d'un ancien officier des renseignements aujourd'hui à la retraite et ayant fait partie de la branche armée de l'ANC, l'Umkhonto we Sizwe (MK), un certain

Jonathan (« Johnny ») Kleintjes. C'était une initiative particulièrement brillante pour les raisons suivantes :

I. Kleintjes était responsable du réseau informatique des services de renseignements du MK/ANC pendant la Lutte, selon les termes consacrés, avant 1992.

II. Il dirigeait le projet d'intégration des données informatiques des services de renseignements de l'ancien gouvernement d'Apartheid, il y a presque dix ans.

III. On le soupçonnait d'avoir mis à l'abri certaines données sensibles de grande valeur durant ce processus. Comme tant d'autres rumeurs sur les services secrets, il y a différentes versions de l'affaire, la plus tenace étant que Kleintjes aurait découvert dans cette masse de données informatiques des preuves impliquant l'ANC et le parti communiste dans des coups tordus avec le gouvernement d'Apartheid pendant les années quatre-vingt. De plus, une liste très surprenante d'agents doubles et de traîtres des deux bords, dont certaines personnes très en vue, aurait fait partie de ces informations.

IV. Kleintjes aurait apparemment détruit ces dossiers, mais seulement après en avoir fait des copies papier qu'il aurait mises à l'abri afin de pouvoir éventuellement y faire appel et s'en servir plus tard.

Le but d'Inkululeko était d'utiliser Kleintjes comme un agent crédible (à la fois du point de vue sud-africain et américain) pour le projet de désinformation visant à la couvrir et de gagner sa confiance par la même occasion, cette dernière lui permettant éventuellement de récupérer les informations un peu plus tard.

Le plan était relativement simple : sur ses ordres, Kleintjes devait préparer un disque dur contenant de faux renseignements sur « la véritable identité d'Inkululeko ». Il devait ensuite contacter directement l'ambassade américaine et demander à parler à quelqu'un de la CIA, en proposant des « informations intéressantes ».

Nous devions alors réagir de manière prévisible en lui enjoignant de ne plus jamais revenir à l'ambassade, mais de laisser ses coordonnées afin que nous puissions le contacter.

Un rendez-vous devait être organisé à Lusaka, Zambie, loin des regards indiscrets, durant lequel les informations seraient examinées par la CIA et achetées, si on les jugeait fiables, pour 50 000 dollars (environ 575 000 rands).

Bien entendu, nous devions faire semblant de croire à la véracité des informations, jetant de ce fait la suspicion sur les personnes sus-mentionnées et écartant ainsi la source de la liste des possibles candidats au titre d'Inkululeko.

Elle devait ensuite écrire un rapport complet sur cette opération et le présenter à la ministre des Renseignements afin que des actions soient engagées, cela en court-circuitant son supérieur immédiat, un homme d'extraction zouloue qui se retrouverait alors en première ligne des « Inkululeko » potentiels.

Là encore, c'était une idée brillante, étant donné qu'elle se trouvait en deuxième position pour prétendre au poste de ce dernier et que la ministre n'aurait d'autre choix que de le suspendre de ses fonctions jusqu'à ce que le problème soit réglé. Ce qui l'aurait placée tout en haut de l'échelle, au comité de coordination des services de renseignements nationaux, présidé par un coordinateur faisant partie des renseignements. Ce comité rassemble les responsables des différents services et est chargé des comptes rendus auprès du Conseil des ministres ou du président.

Malheureusement, l'opération Sauvegarde ne s'est pas déroulée comme prévu.

Le centre opérationnel était pratiquement vide.

Assise à la grande table, Janina Mentz regardait un des assistants de Rajkumar débrancher le dernier ordinateur et l'emporter morceau par morceau. Les écrans de télévision ne fonctionnaient plus, les lumières rouges et blanches de l'équipement radio et téléphone étaient éteintes, l'âme du lieu s'était envolée.

Un fax était posé devant elle, mais elle ne l'avait pas encore lu.

Elle repensait aux deux jours qui venaient de s'écouler et tentait de toutes ses forces de voir le côté positif de ce gâchis, tentait de comprendre à quel moment les choses avaient dérapé.

KAATHIEB.

Le responsable de l'équipe à Lusaka lui avait envoyé des photos par e-mail. Les lettres sur la poitrine de Johnny Kleintjes avaient laissé de longues balafres sanguinolentes, comme gravées par un démon enragé.

MENTEUR.

« C'est de l'arabe », avait dit Rajkumar une fois ses recherches terminées.

Comment ?

Comment les musulmans avaient-ils eu vent de Kleintjes ?

Il existait certaines possibilités auxquelles elle n'osait même pas penser.

Johnny en avait-il soufflé mot à quelqu'un quelque part ? Délibérément ? Le directeur le soupçonnait de liens avec les islamistes. Mais alors, pourquoi l'auraient-ils tué ? Ça n'avait aucun sens.

Avait-elle été trahie par les Américains ?

Non.

Mpayipheli ?

Avait-il passé un coup de fil en chemin pour demander de l'aide ? Était-il en relation avec les extrémistes ? Était-il allé chercher de nouveaux pâturages au Moyen-Orient, comme certains de ses maîtres du KGB depuis la chute de l'URSS ? Avait-il établi des contacts pendant qu'il travaillait pour Orlando Arendse aux Cape Flats ?

Sauf que Kleintjes était censé être son ami. Ça ne collait pas.

Le traître venait d'ailleurs.

Le traître était ici. Parmi eux.

Quelle ironie ! Deux traîtres dans le même service de renseignements ! Mais c'était le scénario qui convenait le mieux.

Luke Powell leur avait dit avoir perdu ses deux agents la veille, l'heure de la mort était encore indéterminée, mais si les musulmans étaient partis la veille au soir au moment où la nouvelle était tombée dans le centre opérationnel, alors la séquence-temps fonctionnait.

Elle se prit la tête dans les mains et se massa les tempes du bout des doigts.

Qui ?

Vincent ? Radebe le réfractaire ?

Quinn, le métis qui venait des Cape Flats ? Rajkumar ? Un de leurs assistants ? Les possibilités devenant trop nombreuses, elle soupira en se rencognant dans son fauteuil.

Le plan était vraiment bon. L'opération vraiment intelligente, diaboliquement brillante sa création. Faire pareillement mouche avec un seul coup de génie. Elle était si contente d'elle qu'elle en éprouvait un plaisir secret, mais l'idée était née de la panique et de l'urgence.

Mon Dieu, que cette transcription de l'interrogatoire d'Ismail Mohammed l'avait secouée !

Elle ne pouvait penser qu'à ses enfants.

Williams l'avait appelée de la prison en disant qu'il avait une bombe, qu'ils feraient mieux de se rencontrer dans son bureau. Il lui avait fait écouter la cassette et elle avait dû garder son sang-froid car il était assis en face d'elle. Une partie d'elle-même se demandait si son visage trahissait le choc. Avait-il remarqué la pâleur qui avait envahi ses traits ? L'autre partie était avec ses enfants. Comment allait-elle expliquer à ses filles que leur mère avait trahi ? Comment pourrait-elle jamais leur faire comprendre ? Comment explique-t-on à quelqu'un qu'il n'y a aucune vraie raison, aucune réelle motivation idéologique, juste une soirée durant laquelle on succombe, cette nuit étrange à l'ambassade américaine. Ça ne pouvait s'analyser qu'à la lumière d'une vie de déceptions, de désillusions, de frustrations, de luttes vaines, ces dizaines et dizaines d'années d'aspirations inutiles qui l'avaient amenée à ce moment.

Pourrait-on jamais croire qu'elle n'avait rien planifié ? Que c'était arrivé sur un coup de tête, comme un achat impromptu au supermarché ? Elle discutait avec Luke Powell parmi quarante ou cinquante autres personnes. Il lui avait demandé son point de vue sur quelques sujets importants, politiques et économiques, bon Dieu, il la respectait, il s'en remettait à son avis comme si elle était plus qu'un rouage invisible dans la grande salle des machines gouvernementales. L'ARP appartenait au directeur, malgré ses promesses, malgré son baratin pour la recruter. Elle ne changeait rien à rien, elle n'avait aucun pouvoir réel, ce n'était qu'une fonctionnaire de plus dans une agence de renseignements africaine de plus.

C'était pour cette raison qu'au moment où Luke Powell avait avancé ses pions, les échecs qu'elle avait connus avaient pesé de tout leur insupportable poids et qu'elle avait voulu s'en débarrasser.

Qui comprendrait ?

Powell avait fait d'elle quelqu'un, il lui avait donné de la valeur, pour la première fois de sa vie, ses actes changeaient des choses. Bien sûr, c'était devenu plus facile après le 11 septembre, plus noble aussi, mais ça ne changeait rien au fait que c'était arrivé, tout simplement.

Quand Williams avait arrêté le magnétophone, elle avait eu peur que sa voix ne la trahisse, mais elle avait parlé sans difficulté, doucement et naturellement, juste comme elle le souhaitait.

– Vous feriez mieux de transcrire ça vous-même, lui avait-elle dit.

Une fois parti, elle était restée assise dans son fauteuil, anéantie, son cerveau bondissant en tous sens comme un rat en cage. Étrange comme l'esprit fonctionne à toute allure face au danger, comme on peut se montrer ingénieux lorsqu'on se sent menacé. Comment écarter les soupçons ? Elle avait conçu le plan Johnny Kleintjes à partir de ce qui avait longtemps été relégué au fin fond de son esprit – les rumeurs sur des renseignements prohibés en sa possession. Ça n'avait jamais été une priorité à ses yeux, juste quelque chose à stocker dans un coin de sa tête. Quand le besoin s'était fait plus pressant, ces rumeurs avaient jailli de son inconscient, telle une graine à la germination diabolique.

Brillante. C'étaient les propres mots de Luke Powell : *Vous êtes brillante.*

Il l'avait appréciée dès le début. Sincèrement. Chaque fois qu'elle lui faisait parvenir des renseignements par les canaux officieux, ce message lui revenait. *Vous êtes inestimable. Merveilleuse. Brillante. Vous faites une réelle différence.*

Et maintenant, elle se retrouvait assise là. Huit mois plus tard. Inestimable, merveilleuse et brillante, mais avec une étiquette de traître qu'elle avait sans doute réussi à préserver, sauf que les têtes allaient tomber et qu'il y avait de grandes chances que la sienne fasse partie du lot.

Et il était hors de question que ça arrive.

Il devait y avoir un bouc émissaire. Et il y en avait un.

Prêt au sacrifice.

Elle n'était pas finie. Elle était loin d'être finie.

Elle lissa ses cheveux et s'approcha du fax.

Il s'agissait de l'article dont avait parlé la ministre. Celui qui était paru dans le *Sowetan*. Elle n'avait pas envie de le lire. Elle voulait aller de l'avant, dans son esprit, ce chapitre était clos.

Mpayipheli – prince d'antan
Par Matthew Mtimkulu, rédacteur adjoint.

N'est-il pas étrange le pouvoir que peuvent avoir deux simples mots ? Deux mots au hasard, dix-sept lettres toutes simples, mais lorsque je les ai entendues à la radio dans ma voiture, elles ont ouvert les vannes du passé et libéré un flot de souvenirs en cascade. Thobela Mpayipheli.

Je ne pensais pas au sens des mots en m'asseyant pour écrire cet article, ce n'est venu qu'après : « Thobela » signifie « bien élevé ou respectueux ». « Mpayipheli » en xhosa veut dire « celui qui combat sans cesse », « guerrier », si vous préférez.

Les gens de mon peuple aiment donner à leurs enfants des noms à la signification positive, pour qu'ils démarrent bien dans la vie, une sorte de prédiction personnelle en puissance. (Nos concitoyens blancs s'essaient au même genre d'exercice, sauf qu'ils n'optent pas pour le sens, mais comptent sur la sophistication, l'exotisme ou le décontracté pour faire le boulot. Et mes frères de couleur semblent choisir des prénoms aussi neutres que possible.)

Ce qui compte vraiment, je suppose, c'est le sens que la personne donne à son nom au cours de sa vie.

Et donc, ce dont je me souvenais en pleine heure de pointe matinale, c'était de l'homme. Ou du garçon plutôt, car Thobela et moi sommes des enfants du Ciskei, nous avons brièvement partagé l'un des plus beaux endroits au monde : la vallée de la Kat River, décrite par l'historien Noël Mostert dans son livre déchirant, *Frontières*, comme « un torrent étroit et magnifique descendant des hauteurs montagneuses du Grand Escarpement et s'écoulant à travers une large vallée fertile vers la Fish River ».

Nous étions adolescents et il s'agissait de la décennie la plus sombre de ce siècle, les tumultueuses années soixante-dix. Soweto était en feu et la chaleur du brasier se faisait sentir jusque dans notre hameau abrité, jusque dans notre vallée oubliée. Il y avait quelque chose dans l'air au printemps 76, l'attente d'un changement, d'événements à venir.

Thobela Mpayipheli avait quatorze ans, comme moi. C'était un athlète né, fils du Moruti[1] de l'Église hollandaise réformée et tout le monde savait que son père était un descendant de Phalo, de la lignée des Maqoma. La famille royale xhosa, si vous préférez.

Et, de fait, il émanait de lui quelque chose de princier, à cause de son maintien peut-être, mais plus sûrement parce qu'il était assez solitaire, un beau garçon songeur qui restait à l'écart.

Un jour de la fin septembre, j'ai été témoin d'un événement rare. J'ai vu Mpayipheli battre Mtetwa, un grand gars renfrogné et mauvais, de deux ans son aîné. Ça couvait depuis longtemps entre eux et, quand c'est arrivé, ç'a été magnifique. Sur un petit banc de sable dans un coude de la Kat River, Thobela ressemblait à un matador, calme et maître de lui, élégant et vif. Il prenait des coups impressionnants car Mtetwa n'avait pas les deux pieds dans le même sabot, mais Thobela les encaissait et revenait sans cesse à la charge. Ce qui m'avait le plus fasciné, ce n'était ni son adresse terrifiante ni sa rapidité ou son agilité, mais son détachement. Comme s'il se mesurait à lui-même. Comme s'il devait s'assurer qu'il était prêt, confirmer une intuition.

Tout juste trois ans après, il avait disparu et l'on murmurait du haut en bas de la vallée qu'il avait rejoint la Lutte, qu'il était parti se battre, qu'il allait être soldat au nom du MK.

Et voilà que j'entends son nom à la radio, un homme à moto, un fugitif, un travailleur ordinaire, et je me demande ce qui s'est passé durant les vingt dernières années. Qu'est-ce qui a raté ? Le prince aurait dû posséder un royaume – industriel ou militaire –, ou peut-être devenir député, bien que, malgré son charisme, il soit dénué du bagout et de l'onctuosité des politiciens.

Alors j'ai appelé sa mère. Il m'a fallu un certain temps pour retrouver la trace de ses parents, un couple de retraités dans une ville du nom d'Alice.

1. Pasteur, en xhosa. (NdT.)

Elle n'était pas au courant. Elle n'avait pas vu son fils depuis plus de vingt ans. Son périple était aussi mystérieux pour elle que pour moi. Elle a pleuré, bien entendu. Sur toutes les choses perdues – les espérances, les occasions manquées, le potentiel. La nostalgie, le vide dans le cœur d'une mère.

Mais elle a aussi pleuré pour notre pays et notre histoire qui ont si cruellement conspiré pour faire du prince un mendiant.

XLIII

Tout changea en fin d'après-midi.

Avec chaque heure qui passait, sa frustration et son impatience grandissaient. Il n'avait plus envie d'attendre, il voulait savoir où se trouvait ce chien, à quelle distance, combien de temps encore ? Ses yeux étaient fatigués à force de fixer la route, son corps engourdi d'être resté assis, debout, appuyé contre la voiture. Il avait la tête lourde de calculs, d'hypothèses et de conjectures.

Mais par-dessus tout, c'était la colère qui l'épuisait, le feu rageur qui brûlait en lui consumait son énergie.

Pour finir, lorsque les ombres commencèrent à s'allonger, le capitaine Tiger Mazibuko bondit hors de la Golf, ramassa un caillou qu'il jeta de toutes ses forces avec un rugissement incompréhensible dans les acacias où les passereaux qui l'agaçaient ne cessaient de gazouiller, puis il se retourna et décocha un coup de pied dans la roue, jeta encore un caillou puis un autre, un autre et un autre encore, jusqu'à ce qu'il soit hors d'haleine. Enfin il se laissa tomber en sifflant entre ses dents et se calma.

Mpayipheli n'arrivait pas.

Il avait pris une autre route. Ou alors, les blessures… Non, il n'allait pas recommencer à spéculer, ça ne servait à rien, son plan avait échoué et il l'acceptait. Parfois, on prend un risque et on gagne, parfois on perd. Il décida d'attendre jusqu'au coucher du soleil, de se reposer, de regarder le jour se fondre avec le crépuscule, puis le crépuscule avec la nuit et, après, ce serait fini.

Ils lui tombèrent dessus au moment où il remontait en voiture.

Trois véhicules de police remplis d'hommes en uniforme. Il les vit approcher, mais ne s'en préoccupa qu'au moment où ils s'arrêtèrent. Et ne comprit ce qui se passait que lorsqu'ils jaillirent des voitures. Il resta assis, crispé, les mains sur le volant, jusqu'à ce qu'un des hommes lui crie de descendre, mains sur la nuque.

Il obéit lentement et méthodiquement pour prévenir toute méprise.

C'était quoi, ce bordel ?

Il se tint à côté de la Golf, dans laquelle deux hommes se précipitèrent. L'un deux brandit triomphalement le Heckler & Koch. Un autre le fouilla avec célérité, lui ramena les bras dans le dos et le menotta.

Vendu. Il le savait. Mais comment ? Et par qui ?

4. Exécution de l'opération Sauvegarde

Après que M. Johnny Kleintjes se fut présenté à l'ambassade des États-Unis, nous l'avons contacté et sommes convenus d'un rendez-vous à Lusaka.

Inkululeko a exécuté sa part du contrat en prenant acte comme il se doit de la visite à l'ambassade et en mettant sur pied un programme de surveillance de Kleintjes.

L'opération s'est parfaitement déroulée.

Étant donné que l'opération Sauvegarde était sous contrôle, cette antenne n'a pas estimé nécessaire d'attribuer plus de deux personnes à l'étape zambienne. Et les agents Len Fortenso et Peter Blum, de l'antenne de Nairobi, ont été dépêchés sur place pour la « vente » des données à Lusaka.

J'ai personnellement supervisé l'affaire depuis le Cap et j'assume l'entière responsabilité des événements ultérieurs.

Fortenso et Blum ont confirmé leur arrivée à Lusaka par vol charter depuis Nairobi. Ce fut le dernier contact avec eux. On a retrouvé leurs corps à la périphérie de Lusaka deux jours plus tard, une balle dans la nuque.

Allison Healy eut beaucoup de mal à se concentrer sur la une. Elle était partagée entre sa colère contre Van Heerden et la tristesse que lui inspirait le sort de Pakamile.

Elle avait pleuré en le laissant derrière elle, l'avait serré fort dans ses bras et avait eu le cœur brisé par ce que lui avait dit l'enfant. Ironie de l'histoire.

— Ne sois pas triste, lui avait-il lancé pour la consoler. Thobela revient demain.

Par égard pour Pakamile, elle avait joint tous ses contacts et informateurs susceptibles de savoir quelque chose.

— Tout dépend qui on croit, lui avait répondu Rassie depuis Laingsburg. Selon une rumeur, il serait blessé. Selon une autre, ils l'auraient descendu au Botswana, mais à mon avis, les deux sont fausses.

— Descendu ?

— C'est un mensonge, Allison. Si la police du Botswana l'avait vraiment descendu, ç'aurait fait les gros titres.

— Et l'histoire de la blessure ?

— Un ramassis de conneries. On raconte qu'un pilote d'hélico l'aurait touché, mais pas avec l'hélico, tu vois le style. Avec ce genre de truc, les rumeurs se déchaînent. Tout ce que je sais, c'est que l'UR est rentrée au bercail et que l'opération dans la province Nord du Cap a été annulée.

— Ce n'est pas une bonne nouvelle.

— Comment ça ?

— Ça veut peut-être dire que tout est fini. Qu'il est mort.

— Ou qu'il a passé la frontière.

— C'est vrai. Merci, Rassie. Appelle-moi si tu as du nouveau.

Et c'était tout ce qu'elle avait obtenu. Les autres sources en sachant ou en disant encore moins, elle se mit enfin à écrire l'article, paragraphe après paragraphe, laborieusement, avec la trahison de Van Heerden qui planait au-dessus d'elle comme une ombre.

Un membre de l'équipe opérationnelle de l'ARP vient d'être assigné à résidence en attendant de passer devant une commission de discipline interne, suite au décès accidentel et tragique de Mme Miriam Nzululwazi, la nuit dernière.

La suite ressemblait plus à un compte rendu qu'à autre chose. Ils en avaient défini les grandes lignes avec le rédacteur et le rédacteur en chef. La ministre les avait finalement autorisés à annoncer cette seule nouvelle en y mettant les formes, en se montrant sensible aux subtilités touchant à l'intérêt national et aux opérations secrètes. Lorsqu'elle eut fini, elle sortit fumer une cigarette dans le centre commercial Saint-George en regardant les autres rentrer chez eux. Tous ces individus si déterminés, sérieux et sévères qui ne rejoignaient leurs maisons que pour revenir le lendemain matin, cycle sans fin pour maintenir l'âme et le corps ensemble jusqu'à ce que la mort arrive. Cette vie inutile et dépourvue de sens perdurait avec une efficacité morne et implacable, demain les nouvelles auraient changé, le surlendemain, ce serait un nouveau scandale, une autre affaire servie aux lecteurs en gros caractères noirs sans sérif.

Au diable Van Heerden. Au diable. Il était comme tous les autres, un voleur à la petit semaine, un escroc.

Au diable Thobela Mpayipheli, qui avait déserté femme et enfant pour une quête futile à travers ce foutu pays. Il n'en resterait que des premières pages jaunies dans les archives des journaux. Ne savait-il pas que le mois prochain, l'année prochaine, personne ne s'en souviendrait, sauf Pakamile Nzululwazi quelque part dans une saleté d'orphelinat, Pakamile qui regarderait par la fenêtre tous les soirs en espérant, jusqu'à ce que là aussi cet espoir, comme tous les autres, s'éteigne irrévocablement, ne laissant derrière lui que le cycle immonde du lever et du coucher ?

Elle écrasa sa cigarette sous le talon de sa chaussure.

Qu'ils aillent tous se faire voir.

Et elle savait comment elle allait s'y prendre.

5. IMPLICATION DES EXTRÉMISTES MUSULMANS

On a retrouvé M. Johnny Kleintjes mort dans une chambre du Republican Hotel de Lusaka, le mot « KAATHIEB » gravé sur la poitrine à l'aide d'un objet acéré. Ce mot signifie « menteur » en arabe.

Cet état de fait indique clairement l'implication des extrémistes musulmans, la grande question étant de savoir comment des groupes locaux ou étrangers ont eu vent de l'opération. L'explication la plus plausible semble être une fuite à l'intérieur même de l'ARP – et un certain nombre de faits corroborent nos soupçons.

I. L'opération a été infiltrée à un stade antérieur – les musulmans se trouvaient déjà à Lusaka où ils attendaient Kleintjes et les agents de la CIA. L'ARP était la seule agence au courant de l'implication de Kleintjes.

II. Après avoir éliminé Fortenso et Blum, les inconnus ont fait chanter la fille de Kleintjes, au Cap, pour qu'elle leur apporte un disque dur particulier à Lusaka. (Elle a demandé à un certain Thobela Mpayipheli, vieil ami et collègue de son père, de le faire à sa place, étant donné qu'elle est physiquement handicapée – cf. ci-dessous.) À mon avis, le groupe musulman en question ne recherchait pas les informations fabriquées par Kleintjes, mais celles qu'il aurait dissimulées pendant le processus d'intégration en 1994.

III. À l'évidence, il en découle ceci : les extrémistes ont une taupe au sein de l'ARP et craignaient que l'identité de cette dernière ne soit mise en péril par les renseignements contenus dans le disque dur.

IV. Kleintjes lui-même était connu pour ses sympathies moyen-orientales et aurait pu protéger l'informateur musulman.

V. De plus, le membre de l'ARP arrêté par la police du Botswana se trouvait en embuscade près de la frontière zambienne pour intercepter Mpayipheli et le disque dur. Nous pensons que les autorités du Botswana ont été prévenues afin de récupérer le disque (contenant les informations sur la taupe musulmane) et éviter qu'il ne tombe aux mains de l'ARP. Les seules personnes au courant de cette embuscade font partie d'un petit cercle soigneusement choisi parmi les membres de l'ARP.

La seule question qui demeure, à mon avis, n'est pas de savoir si les extrémistes musulmans ont un informateur au sein de l'agence de renseignements présidentielle, mais de qui il s'agit. Il en découle que les véritables données pourraient nous éclairer sur la taupe qui opère au sein des services de renseignements sud-africains.

À l'heure qu'il est, nous ne savons toujours pas où se trouve le disque dur.

6. À PROPOS D'UMZINGELI

En 1984, un des meilleurs hommes de terrain de la CIA, un vétéran décoré et très apprécié, Marion Dorffling, a été éliminé à Paris. Le *modus operandi* de l'assassin était similaire à celui utilisé dans au moins 11 (onze) autres éliminations d'agents et de cibles américains.

La CIA possédait suffisamment de renseignements venant de Russie ou d'Europe de l'Est pour en conclure, ou du moins fortement suspecter, qu'un certain Thobela Mpayipheli, nom de code « Umzingeli » (mot xhosa qui signifie « le chasseur »), était responsable de cette élimination. D'après les informations disponibles, Mpayipheli était un soldat du MK dont le KGB et la Stasi auraient loué les services auprès de l'alliance ANC/parti communiste, comme tueur à gages.

Pure coïncidence, je débutais à l'époque dans l'équipe de la CIA à Paris.

Lorsque l'implication de Mpayipheli dans l'opération Sauvegarde a été connue, j'ai envoyé une requête auprès des bureaux de Berlin pour tenter d'obtenir de plus amples renseignements dans les anciens dossiers de la Stasi et confirmer les soupçons de 1984. Nos collègues allemands nous ont répondu en quelques heures (ce dont je ne peux que les féliciter).

Les dossiers de la Stasi ont confirmé que Mpayipheli-Umzingeli était bien l'assassin de Marion Dorffling.

J'en ai avisé Langley et le sous-directeur a répondu que la CIA était toujours très intéressée par l'idée d'égaliser le score. Deux agents spéciaux de l'antenne de Londres ont été dépêchés sur place pour traiter le problème.

Les doigts d'Allison Healy dansaient avec légèreté mais intensité sur le clavier. Sa fougue transparaissait dans les mots qui s'affichaient à l'écran.

Le fugitif à moto Thobela Mpayipheli était un tueur sans pitié qui travaillait pour le KGB durant la Guerre froide. Il a assassiné au moins quinze personnes.

D'après son ami de longue date et ancien policier, le Dr Zatopek Van Heerden, Mpayipheli avait été recruté par les Soviétiques lors de son entraînement pour le MK, dans ce qui était encore à l'époque l'URSS. Van Heerden est actuellement membre du département de psychologie de l'université du Cap.

Elle survola rapidement l'article avant de continuer, réprimant avec difficulté l'envie de préciser : « son ami de longue date et trou du cul de première classe, le Dr Zatopek Van Heerden ».

Lors d'une interview exclusive et sans détour, le Dr Van Heerden nous a révélé que...

Le téléphone sonna. Elle s'en empara avec colère et Van Heerden lui lança :

— Tu as un passeport ?

— Quoi ?!

— Tu as un passeport ?

— Espèce de trou duc ! lui renvoya-t-elle.

— Quoi ?!

— Tu es un intégral, un véritable, un trou duc absolu, reprit-elle avant de se rendre compte qu'elle parlait si fort que ses collègues risquaient d'entendre.

Elle prit son portable et se dirigea les toilettes.

— Tu crois que tu peux coucher avec moi et te tirer comme un... comme un..., murmura-t-elle.

— Tu es en rogne parce que je ne t'ai pas laissé de message ?

— Tu aurais pu téléphoner, espèce d'enfoiré. Qu'est-ce que ça t'aurait coûté de passer un coup de fil ? Qu'est-ce que ça t'aurait coûté de dire merci et au revoir, c'était bien, mais c'est fini. Vous les hommes, vous êtes tous pareils, bien trop lâches...

— Allison...

— Mais pas la nuit dernière, oh non, la nuit dernière, tu ne pouvais pas t'arrêter de parler, tu en avais des choses à dire et, aujourd'hui, pas un mot, bordel. Tu ne pouvais pas lever le doigt pour appuyer sur un bouton ?

— Allison, est-ce que ça t'intéresse de…

— Rien de ce que je peux faire avec toi ne m'intéresse.

— Aimerais-tu rencontrer Thobela Mpayipheli ?

Les mots se bousculaient sur ses lèvres, mais elle les ravala. Il lui avait coupé l'herbe sous le pied.

— Thobela ?

— Si tu as un passeport, tu peux venir.

— Où ça ?

— Botswana. On part dans euh… soixante-dix minutes.

— « On » ?

— Tu veux venir ou pas ?

XLIV

Il dut lui donner les dernières indications par téléphone car le circuit dans l'aéroport international du Cap était assez compliqué, qui contournait hangars et bureaux et zigzaguait parmi les petits avions à hélice éparpillés un peu partout et semblables à des jouets pour enfants. Elle finit par trouver l'ambulance aérienne Beechcraft King Air. Les moteurs Pratt et Whitney tournaient déjà.

Van Heerden se tenait à la porte de l'avion et lui fit signe de la main. Elle attrapa le sac contenant quelques affaires pour la nuit sur le siège arrière, verrouilla la voiture et courut.

Il s'écarta pour qu'elle puisse grimper les marches, puis il referma la porte derrière elle et fit signe au pilote. Le Beechcraft commença à rouler.

Il la débarrassa de son sac et lui montra où s'asseoir – sur un des trois sièges à l'arrière. Après avoir vérifié qu'elle avait bien attaché sa ceinture de sécurité, il se laissa tomber à côté d'elle avec un soupir et l'embrassa à pleine bouche avant qu'elle ait eu le temps de s'écarter, puis lui sourit en grimaçant comme un collégien désobéissant.

– Je devrais…, commença-t-elle d'une voix grave, mais il l'interrompit d'une main.

– Puis-je m'expliquer d'abord ?

Il parlait fort pour couvrir le bruit des moteurs.

– Ça n'a rien à voir avec nous. C'est à propos de Miriam Nzululwazi.

– Miriam, répéta-t-il avec un pressentiment sinistre.

– Elle est morte, Zatopek. Hier soir.

– Comment ?

– Tout ce qu'ils ont dit, c'est qu'il s'agissait d'un accident. Elle est tombée. De cinq étages.

– Mon Dieu ! s'écria-t-il en renversant la tête sur le dossier du siège.

Il resta longtemps assis dans cette position, à regarder droit devant lui. Elle se demanda à quoi il pensait. Puis, juste avant que le Beechcraft ne prenne de la vitesse sur la piste, il dit quelque chose qu'elle n'entendit pas et hocha la tête.

– Tu as un caractère épouvantable, reprit-il une fois qu'ils eurent atteint leur altitude de croisière et que le grondement des moteurs eut diminué.

Il détacha sa ceinture.

– Tu veux un café ?

– Et toi, tu es un vrai salaud, lui renvoya-t-elle sans conviction.

– J'étais en réunion toute la journée.

– Sans pause-café ou déjeuner ?

– Je voulais te téléphoner dans l'après-midi, une fois au calme.

– Et… ?

– Et j'ai reçu un coup de fil d'un certain docteur Pillay, de Kasane, qui avait trouvé mon numéro de téléphone dans la poche d'un Noir gravement blessé et tombé de moto au nord du Botswana.

– Oh !

– Café ?

Elle acquiesça, le regarda faire la même offre au docteur et au pilote dans le cockpit. Dire qu'elle avait été à deux doigts de lancer l'article ! Elle était à la porte du rédacteur en chef quand elle avait précipitamment fait demi-tour pour l'effacer. Elle avait du caractère. C'était vrai.

– Comment va-t-il ? lui demanda-t-elle lorsqu'il fut revenu.

— Son état est sérieux mais stable. Le docteur dit qu'il a perdu beaucoup de sang. Ils l'ont transfusé, mais il va en avoir encore besoin et ils manquent de réserves.

— Que lui est-il arrivé ?

— Personne ne sait. Il a deux blessures par balle à la hanche et son épaule gauche a été salement amochée pendant la chute. Des gens du coin l'ont trouvé sur le bas-côté de la route, près de l'embranchement de Mpandamatenga. Grâce à Dieu, personne n'a prévenu les autorités, ils l'ont chargé sur un pick-up et emmené à Kasane.

Elle assimila les informations avant de poser une nouvelle question.

— Pourquoi fais-tu ça ?

— C'est mon ami.

Et avant qu'elle puisse répondre, il ajouta :

— Mon seul ami, pour être honnête.

Elle s'interrogea sur ce qu'il était et ce qui l'avait rendu ainsi.

— Et ça ? demanda-t-elle en lui montrant l'équipement médical. Combien ça va coûter, tout ça ?

— Je n'en sais rien. Dix ou vingt mille.

— Qui va payer ?

Il haussa les épaules.

— Moi. Ou Thobela.

— Comme ça ?

Il sourit sans humour.

— Quoi ?

— Perception et réalité, répondit-il. Je trouve ça très intéressant.

— Tiens donc !

— Pour toi, il s'agit d'un Noir… et d'un ouvrier agricole de Guguletu. Donc, il est pauvre. C'est la logique même, la conclusion raisonnable. Mais les choses ne sont pas toujours telles qu'on le croit.

— Donc il a de l'argent ? Celui de la drogue ou des assassinats ?

— Question pertinente. Mais la réponse est : ni l'un ni l'autre.

Il la vit hocher la tête d'un air sceptique et ajouta :

— Je ferais mieux de te raconter toute l'histoire. Celle d'Orlando, de Thobela et de moi et de plus de dollars américains que la plupart des gens n'en voient dans toute une vie. C'était il y a deux ans. Je travaillais au noir comme privé et j'enquêtais sur une affaire de meurtre à laquelle les flics ne pigeaient rien. Pour faire court, il s'est avéré que la victime avait trempé dans une opération clandestine de l'armée, trafic d'armes pour l'Unita en Angola, diamants et dollars[1]...

Il finit son histoire au moment où ils atterrissaient à Johannesburg pour faire le plein. Lorsqu'ils décollèrent à nouveau, elle releva le bras du fauteuil et se laissa aller contre lui.

— Je suis toujours un salaud ? demanda-t-il.

— Oui. Mais tu es mon salaud à moi.

Et elle enfouit son visage dans son cou et respira son odeur, les yeux fermés.

Cet après-midi même, elle pensait l'avoir perdu.

Lorsqu'ils survolèrent la N1, quelque part à l'est de Warmbad, elle s'était endormie.

Elle resta dans l'avion et jeta un coup d'œil par le hublot du Beechcraft. La porte ouverte laissait entrer un air chaud, chargé d'effluves exotiques. Dehors, la nuit était illuminée par les phares des voitures, des silhouettes en mouvement jetaient de longues ombres obscures et, soudain, quatre d'entre elles émergèrent de derrière un véhicule en portant une civière et elle se demanda à quoi il ressemblait, cet assassin, ce mercenaire de la drogue, l'homme pour qui Miriam Nzululwazi avait sangloté dans ses bras, celui qui avait échappé à toutes les polices du pays sur deux mille kilomètres pour rendre service à un ami. À quoi ressemblait-il, son visage possédait-il des marques, des traits spécifiques qui disaient son caractère ?

Ils bataillèrent pour monter les marches avec leur lourd fardeau. Elle alla s'asseoir au fond, à l'écart, et essaya de le voir mais il était caché par ceux qui le portaient, Van Heerden, le médecin qui les

---

1. Dans *Les Soldats de l'aube*, publié dans cette même collection. *(NdT.)*

avait accompagnés, le docteur Pillay, et un autre homme. Ils le déposèrent avec précaution sur le lit aménagé dans l'avion. Le médecin blanc enfonça une perfusion dans l'épais bras noir, l'Indien murmura quelque chose à l'oreille du patient en serrant la grande main qui reposait immobile, puis ils sortirent. La porte fut refermée et le pilote fit tourner les moteurs.

Elle se leva pour observer son visage. Les yeux de l'homme accrochèrent son regard comme un projecteur débusque une antilope, sombres et d'une intensité effrayante – elle ne vit rien d'autre, frissonna de peur et ressentit un énorme soulagement. Peur de ce dont il était capable et soulagement de ne pas en être la victime.

L'homme noir dormait et Van Heerden se rassit à côté d'elle.

– Est-ce que tu lui as dit ?

– C'est la première chose qu'il a voulu savoir quand il m'a vu.

– Et tu lui as dit ?

Il acquiesça.

Elle regarda la silhouette apaisée, la peau foncée de la poitrine et des bras se détachant sur la civière blanche, la puissance contenue qui ondulait sous la peau.

William Blake, se dit-elle.

> *Quelle main ou regard immortel*
> *Put ainsi façonner ton effrayante symétrie ?*

– Qu'a-t-il dit ?

– Il n'a pas prononcé un mot depuis.

Maintenant, elle comprenait l'intensité de ce regard.

> *Dans quels abîmes ou cieux lointains*
> *Brûla le feu de tes yeux ?*

– Tu crois qu'il va…

Elle regarda Van Heerden et, pour la première fois, elle vit combien il était inquiet.

— Quoi d'autre ? dit-il, frustré.

> *Quelle aile oserait le porter ?*
> *Quelle main de pareil feu oserait se saisir ?*

— Mais tu peux l'aider. Il doit y avoir un moyen légal…

— Ce n'est pas lui qui va avoir besoin d'aide.

C'est alors qu'elle comprit ce qui effrayait Van Heerden. Elle regarda Mpayipheli et frissonna.

> *Lorsque les étoiles leurs lances rejetèrent,*
> *Et le ciel de leurs larmes inondèrent,*
> *Sourit-il de voir l'œuvre accomplie ?*
> *Celui qui fit l'Agneau te fit-il[1] ?*

À l'approche du Cap, elle se réveilla, endolorie et le cou raide, et vit Van Heerden assis à côté de Mpayipheli, lui tenant la main. Elle entendait la voix du Xhosa, grave, profonde et douce, mais ses mots étaient couverts par le bruit des moteurs. Elle referma les yeux et prêta l'oreille.

— … partir, Van Heerden ? Ça aussi, ça fait partie de notre patrimoine génétique ? C'est ça qui fait de nous des hommes ? Toujours partis quelque part ?

Il parlait lentement, d'un ton mesuré.

— Pourquoi est-ce que je n'ai pas pu dire non ? Elle le savait, depuis le début. Elle m'avait dit que les hommes partent toujours. Elle disait que c'était dans notre nature et on s'était disputés, mais elle avait raison. On est comme ça. Je suis comme ça.

— Thobela, tu ne peux pas…

---

1. William Blake, « Le Tigre », *Chants de l'innocence et de l'expérience.* *(NdT.)*

– Tu sais ce qu'est la vie ? Un lent processus de désillusion. Elle te libère de tes illusions sur les autres. Au début, tu fais confiance à tout le monde, tu te découvres des modèles et tu te bats pour leur ressembler et, ensuite, les uns après les autres, ils te déçoivent et ça fait mal, Van Heerden, c'est un chemin douloureux et je n'avais jamais compris pourquoi il devait en être ainsi, mais maintenant, je sais. C'est parce qu'avec chaque espoir qui meurt un peu plus en toi, avec chaque nouvelle désillusion, chaque fois que quelqu'un te déçoit, tu te déçois toi-même. Si les autres sont faibles, cette faiblesse est aussi en toi. C'est comme la mort. Quand tu vois les autres mourir, tu comprends que ton tour va venir. Je suis si fatigué, Van Heerden, si fatigué d'être déçu, de découvrir tout ça chez les autres et en moi, la faiblesse, la douleur, le mal.

– C'est…

– Tu avais raison. Je suis ce que je suis. Je peux le nier, je peux le réprimer et le cacher, mais pas indéfiniment. La vie fait comme elle l'entend, elle te ballotte de-ci, de-là. Hier, pendant un instant, j'ai senti que j'étais vivant à nouveau. Pour la première fois… depuis très longtemps. Que je faisais quelque chose qui avait un sens. Avec plaisir. Tout vibrait, en moi et au-dehors, à l'unisson, en cadence. Et tu sais quelle a été ma première réaction ? Je me suis senti coupable, comme si ça annihilait la raison d'être de Miriam et de Pakamile. Mais j'ai eu du temps pour réfléchir, Van Heerden. Je comprends mieux. Ce n'est pas ma nature qui est mauvaise. C'est l'usage que j'en ai fait. Ou que j'en ai laissé faire. Voilà mon erreur. Laisser les autres décider. Mais c'est fini. C'est fini.

– Il faut que tu te reposes.

– Promis.

– J'ai donné de l'argent au docteur pour la moto. Ils la renverront par camion dans une semaine ou deux.

– Merci, Van Heerden.

– Atterrissage dans vingt minutes, annonça le pilote.

Novembre

XLV

À l'heure du déjeuner, Allison Healy se rendit à Morningside avec le long paquet et les plats à emporter sur le siège arrière. Mpayipheli prenait le soleil dans la véranda, son torse nu laissant voir le bandage d'un blanc éclatant autour de sa taille.

Elle s'avança vers lui et lui tendit le paquet.

— J'espère que c'est ce que vous vouliez.

Il déchira le papier d'emballage criard aux motifs africains multicolores.

— Ils ont absolument tenu à l'emballer, dit-elle en s'excusant.

Il prit la sagaie dans ses mains, testa la solidité de l'acier, fit courir son doigt le long de la lame.

— Merci beaucoup, dit-il doucement.

— Est-ce qu'elle est... assez bien ?

— Elle est parfaite, répondit-il.

Il devrait la raccourcir, scier plus de la moitié de la hampe, mais il ne voulait pas gâcher ses efforts avec ce genre de détails.

Elle posa les barquettes de curry et les couverts en plastique sur la table.

— Vous préférez de vrais couverts ?

— Non, merci.

Il appuya la sagaie contre la table et prit sa nourriture.

— Comment vous sentez-vous ?

— Beaucoup mieux.

— J'en suis heureuse.

— Je veux m'y mettre dès lundi, Allison.

— Lundi ? Vous êtes sûr ?
— Je ne peux pas attendre plus longtemps.
— Vous avez raison, dit-elle. Je vais vous montrer.

Quinn lui téléphona de l'aéroport.
— Ils ont donné un faux nom et payé en liquide, madame, mais le plan de vol du pilote était parfaitement en règle. On ne peut pas faire grand-chose.
— Qu'est-ce qu'il raconte ?
— Ils ont atterri à Chobe. Pratiquement à la frontière zambienne. Le patient était un grand Noir avec deux blessures par balle à la hanche. État stable. Ils l'ont perfusé avec deux litres de sang. Les deux autres étaient blancs, un homme et une femme. La femme était une rousse rondelette à la peau claire. L'homme était maigre, peau foncée, taille moyenne. Il parlait afrikaans avec le Noir et anglais avec la femme. À l'arrivée, ils ont transféré le patient dans un break ou un 4×4, il n'est pas sûr. Il n'a pas relevé le numéro d'immatriculation.
— Merci, Quinn.
— Qu'est-ce que je fais du pilote ?
— Remerciez-le et revenez.

TRANSCRIPTION — Commission d'enquête sur la mort de Mme Miriam Nzululwazi (38). 7 novembre.
PRÉSENTS — Président : Me B.O. Ndlovu. Assesseurs : Me P. du T. Mostert, M.K.J. Maponyane. Pour l'ARP : Mme J.M. Mentz. Témoins : Pas de témoins.

PRÉSIDENT : Monsieur Radebe, en vertu de l'article 16 du texte de loi sur les services de renseignements 94-38 de 1994, vous avez le droit de vous faire représenter durant ces séances. Avez-vous renoncé à ce droit ?
RADEBE : Effectivement, monsieur le président.
PRÉSIDENT : Comprenez-vous la nature de cette enquête ainsi que la charge de faute professionnelle retenue contre vous ?

RADEBE : Je les comprends, monsieur le président.

PRÉSIDENT : En vertu de l'article 16c, vous êtes autorisé à vous faire représenter par un membre de votre département ou, si personne n'est disponible ou compétent, par quelqu'un hors de votre département. Êtes-vous au courant de ce droit ?

RADEBE : Je le suis, monsieur le président.

PRÉSIDENT : Renoncez-vous à ce droit ?

RADEBE : Oui.

PRÉSIDENT : En vertu de l'article 15-1, vous êtes tenu de faire savoir par écrit si vous acceptez ou rejetez les charges retenues contre vous. Ce document, que vous nous avez soumis, a-t-il été rédigé de votre propre chef ?

RADEBE : Oui, monsieur le président.

PRÉSIDENT : Pourriez-vous le lire à ce comité, je vous prie ?

RADEBE : Moi, Vincent Radebe, reconnais que ma conduite et mes actions ont entravé et compliqué une opération officielle de l'ARP.

Je reconnais avoir causé la mort de Mme Miriam Nzululwazi, le 26 octobre dernier, à la suite d'une négligence grossière. J'ai omis de fermer à clé la porte de la salle d'interrogatoire, ce qui a permis à Mme Nzululwazi de quitter la pièce sans escorte et dans un état d'esprit perturbé. Sa chute fatale depuis l'escalier de secours de l'immeuble est la conséquence directe de ma conduite.

D'autre part, je reconnais avoir illégalement kidnappé ce même jour et sans autorisation officielle le petit garçon de Mme Nzululwazi, âgé de six ans, et l'avoir gardé chez moi durant la nuit. J'admets avoir remis ce garçon, Pakamile, aux mains du personnel du *Cape Times* le 27 octobre, contrecarrant ainsi une opération de l'ARP.

Je déclare avoir agi seul dans les deux cas et souhaite ne blâmer ni n'impliquer personne.

J'aimerais plaider les circonstances atténuantes suivantes, monsieur le président : lorsque j'ai choisi cette carrière à la fin de mes études à l'université du Witwatersrand, mon véritable désir était de servir ce pays de mon mieux. Comme tant de mes compatriotes, j'étais inspiré par la vision positive et clémente de M. Nelson Mandela. Je désirais moi aussi dédier ma vie à la construction de la nation arc-en-ciel. Il m'a semblé que l'ARP m'en offrait la possibilité.

Mais parfois, l'enthousiasme et le dévouement ne suffisent pas. Parfois, le zèle nous aveugle sur nos propres fautes et nos propres défauts.

Je comprends que la défense de l'État et de la démocratie oblige de temps à autre ses représentants à prendre des décisions et à mener des actions difficiles, actions dont des civils innocents et ordinaires font quelquefois directement les frais.

Je sais que je ne suis pas fait pour ce travail – et ne l'ai jamais été. Les incidents des 26, 27 et 28 octobre ont été extrêmement traumatisants pour moi. J'ai été profondément perturbé par la manière dont, d'après moi, on a empiété sur les droits fondamentaux de M. Thobela Mpayipheli tout d'abord, puis ceux de Mme Miriam Nzululwazi ensuite. Même à présent, en lisant ce document, je n'arrive toujours pas à comprendre comment l'objectif de cette opération, aussi importante et vitale soit-elle pour l'intérêt national, a pu justifier de tels moyens.

Mon erreur, monsieur le président, a été de laisser le désarroi l'emporter sur le bon sens. Je me suis montré négligent là où j'aurais dû être diligent. Je regrette profondément le rôle que j'ai joué dans la mort de Mme Nzululwazi, en particulier le fait de ne pas avoir pris position plus fermement ou protesté plus vigoureusement par les voies officielles. Ma plus grande faiblesse a été de douter de mon propre jugement quant au bien et au mal. Ce pays et son peuple méritent mieux, mais je peux vous assurer que cela ne se reproduira jamais plus.

C'est tout, monsieur le président.

PRÉSIDENT : Merci, monsieur Radebe. Acceptez-vous que ce document soit enregistré comme une acceptation écrite des charges qui pèsent contre vous ?

RADEBE : Je l'accepte.

PRÉSIDENT : Avez-vous des questions, madame Mentz ?

MENTZ : Oui, monsieur le président.

PRÉSIDENT : Je vous en prie.

MENTZ : Vincent, pensez-vous que la construction de la nation arc-en-ciel, comme vous dites, nécessite de fournir des informations confidentielles aux services de renseignements des autres pays ?

RADEBE : Non, madame.

MENTZ : Alors pourquoi l'avez-vous fait ?

RADEBE : Je n'ai jamais rien fait de tel.

MENTZ : Niez-vous avoir fourni des renseignements à des groupes extrémistes musulmans lors de cette opération ?

RADEBE : Je le nie de toutes mes forces.

PRÉSIDENT : Madame Mentz, avez-vous des preuves de ce que vous avancez ?

MENTZ : Monsieur le président, nous avons la preuve tangible que des informations essentielles ont été transmises à un réseau international d'extrémistes musulmans. Nous ne pouvons relier ceci directement à Vincent, mais son travail de sape parle de lui-même.

PRÉSIDENT : J'ai deux problèmes, madame Mentz. D'abord, M. Radebe n'est pas accusé de haute trahison, mais de négligence. Ensuite, vos allégations reposent sur des preuves indirectes, ce que je ne puis admettre.

MENTZ : Sauf votre respect, monsieur le président, je ne crois pas que laisser la porte de la salle d'interrogatoire ouverte ait été de la négligence. Je pense qu'il s'agissait d'un acte délibéré.

PRÉSIDENT : Vos allégations doivent être prouvées, madame Mentz.

MENTZ : La vérité finira par émerger.

PRÉSIDENT : Souhaitez-vous nous présenter des preuves, madame Mentz ?

MENTZ : Non.

PRÉSIDENT : Avez-vous d'autres questions ?

MENTZ : Non.

PRÉSIDENT : Souhaitez-vous apporter des preuves sur d'autres questions, monsieur Radebe ?

RADEBE : Non, monsieur le président.

PRÉSIDENT : Monsieur Radebe, cette commission d'enquête ne peut que vous reconnaître coupable de faute professionnelle comme susmentionné. Nous prenons note des circonstances atténuantes. Cette commission est ajournée jusqu'à quatorze heures, heure à laquelle nous déciderons des sanctions à prendre contre vous.

Lorsque la femme sortit du garage de Wale Street Chambers, Allison démarra aussitôt, le cœur au bord des lèvres. Mpayipheli était allongé sur le siège arrière. Ils traversèrent la ville, toujours quatre ou cinq voitures derrière elle, descendirent Heerengracht pour rattraper la N1 et prirent vers l'est, direction les banlieues Nord.

— Je vous en prie, ne la perdez pas, dit la voix grave à l'arrière.

Williams, qui avait déclenché toute l'affaire, faillit aussi y mettre un terme.

Williams qui connaissait tout le monde, mais que personne ne connaissait. Williams, qu'elle avait arraché à la SAPS, Williams, le délégué aux affaires antidiscriminatoires qui perdait son temps derrière un bureau dans les services du commissaire divisionnaire. Les rumeurs avaient couru dans le district ouest du Cap : vingt-huit ans de service et jamais un pot-de-vin. Si vous voulez savoir quelque chose, demandez à Williams. Si vous avez besoin d'une personne de confiance, faites appel à Williams. Un métis qui venait du cœur même des Flats, entré dans la police après la classe de seconde et qui avait grimpé les barreaux de l'échelle comme une ombre, sans amis influents ni ennemis redoutés, sans fanfare, l'homme invisible. Exactement ce qu'il lui fallait. Et ç'avait été facile de le décider. La promesse sincère que jamais plus il ne serait enchaîné à un bureau y avait suffi.

— Janina, dit-il. (Il l'avait appelée comme ça dès le début.) Voulez-vous son adresse ?

Le ton de sa voix oscillait entre ironie et sérieux.

— Allez-y, répondit-elle en prenant un stylo.

— Vous devriez le trouver chez un certain Dr Zatopek Van Heerden, 17, Morning Star.

— Un médecin ?

— Ça, je ne sais pas.

— Comment, Williams ?

– La moto a été repérée au poste frontière de Martin Drift, madame. Sur un trois-tonnes sans papiers. Ils ont raconté qu'elle appartenait à un Sud-Africain qui aurait eu un accident au nord du Botswana.

– Et ils les ont laissés passer ?

– L'argent circule.

– Et... ?

– Nous avons copié l'adresse que le chauffeur avait sur lui.

– Comment avez-vous...

– Oh, je sais écouter.

XLVI

Les dossiers de la Stasi ont confirmé que Mpayipheli-Umzingeli était bien l'assassin de Marion Dorffling.

J'en ai avisé Langley et dépêché deux agents de l'antenne de Londres en renfort pour mettre le disque dur à l'abri.

Suite au tuyau d'Inkululeko, les agents ont atterri au nord du Botswana, ont loué un véhicule et établi un contact visuel avec un membre de l'Unité de réaction qui attendait Mpayipheli en embuscade. Ils ont été témoins de son arrestation par les autorités du Botswana et, bien qu'ayant attendu toute la nuit sur le bas-côté de la route, n'ont pu mettre la main ni sur Mpayipheli ni sur le disque.

Ils sont repartis au Cap et s'apprêtaient à s'envoler pour Londres lorsque nous avons reçu le signal d'urgence d'Inkululeko (elle laisse le clignotant de sa voiture allumé dans l'allée de sa maison). Une fois le contact établi, elle a donné l'adresse à laquelle Mpayipheli était apparemment en train de récupérer de ses blessures. Elle nous a laissé trois heures avant que l'UR n'arrive à cette même adresse.

L'image que retint Allison Healy par la suite fut celle du sang – de la carotide qui continuait à envoyer de grandes giclées de liquide, d'abord contre le mur, puis par terre, puissants jets partant en un arc incroyablement haut qui diminua peu à peu jusqu'à ce que la fontaine de la vie s'assèche de manière abjecte et irrémédiable.

Durant les longues discussions avec Van Heerden qui s'ensuivirent, elle tenta de la chasser de son esprit en reconstituant sans cesse la chronologie des événements. Tenta d'analyser ses émotions depuis le moment où ils avaient pris leur repas ensemble jusqu'à ce que tout soit fini, le lendemain.

Ils étaient attablés dans la cuisine de Van Heerden. À la demande de Mpayipheli, il avait préparé un coq au vin à la manière provençale. Le plat fumant était posé au milieu de la table, accompagné de couscous doré et dégageait un arôme divin. Trois personnes dans une scène domestique réjouissante, la fringale du Xhosa pratiquement visible à ses mimiques, à la façon dont il regardait la nourriture, avide, les mains prêtes, impatient qu'elle ait fini de servir.

C'était un moment agréable, une réunion conviviale, un cliché intemporel à garder en mémoire pour pouvoir le ressortir plus tard avec plaisir. *Don Giovanni* passait dans le salon, un baryton chantait une aria qu'elle ne connaissait pas mais qui la retenait par son machisme mélodieux, l'homme qu'elle commençait à aimer était à côté d'elle, continuellement il la surprenait avec ses talents de cuisinier, sa passion fanatique de Mozart, sa profonde amitié avec le Noir, ses taquineries permanentes. Et Thobela qui pleurait Miriam Nzululwazi avec tant de grâce – comme la perception qu'elle avait de lui avait changé ! Une semaine auparavant, dans l'avion, son passé l'avait terrifiée, mais, maintenant, après toutes les conversations dans la véranda, toute sa vie y était passée, c'était la tendresse qui l'emportait. Il lui avait dit sa rencontre avec Miriam et comment leur amour et leur complicité s'étaient épanouis et il y avait eu des moments où elle avait dû refouler ses larmes. Et maintenant, ils se retrouvaient assis là, la veille du jour où il voulait récupérer Pakamile, le futur leur souriait ainsi qu'au monde entier, moment merveilleux qui se reflétait dans le sombre miroir d'un verre de vin rouge.

Elle ne saurait jamais si elle avait vraiment entendu le bruit. Peut-être. Mais même si c'était le cas, son oreille inexercée n'aurait jamais pu le distinguer des autres, ni sa conscience percevoir le danger qu'il représentait.

Mpayipheli avait réagi sans hésitation. L'instant d'avant dans le fauteuil à côté d'elle, il était devenu masse d'énergie cinétique fonçant vers le salon et, ensuite, tout s'était passé en même temps. Le chaos et le bruit, dont elle ne parviendrait à démêler la chronologie qu'avec grande difficulté plus tard. D'abord, le bruit sourd de deux corps qui se heurtent avec force, puis les déflagrations piteuses d'une arme équipée d'un silencieux, bref staccato de quatre, cinq, six coups, suivis du craquement de la table basse qui vole en éclats, les cris des hommes qui beuglent comme des animaux, puis elle-même, debout à la porte du salon sous l'unique source de lumière, incapable de voir autre chose que des ombres roulant au sol dans une semi-pénombre.

Mpayipheli avec un homme, grognant et se débattant, combat à la vie à la mort, l'éclair argenté d'une lame d'acier entre eux, et un autre individu, grand et athlétique, de l'autre côté de la pièce, pointant le long museau d'un silencieux vers une cible potentielle, calme et posé, indifférent aux mouvements frénétiques des deux silhouettes.

Et Van Heerden. Elle ne l'avait pas vu quitter la cuisine, ne s'était pas rendu compte qu'il avait gagné le couloir par l'autre porte. Ce n'est que lorsque l'homme de haute taille avait posé son pistolet à terre qu'elle comprit que Van Heerden le tenait en joue avec le fusil à canon double, puis elle l'avait entendu dire : « Allison, va dans la cuisine et ferme la porte », mais elle était pétrifiée, pourquoi n'arrivait-elle pas à bouger, pourquoi ne réagissait-elle pas, encore et encore elle se le demanderait pendant les semaines suivantes.

Mpayipheli et son adversaire étaient debout, collés l'un à l'autre, l'homme au couteau avait de petits yeux rapprochés et un cou épais planté sur des épaules massives.

— P'tit, avait dit Van Heerden, et il lui avait lancé à travers la pièce quelque chose que le Xhosa avait attrapé habilement.

P'tit. Tout régressait, tout revenait en arrière.

— Amsingelly, avait dit l'homme en baissant la tête et agitant son couteau à lame large devant lui.

— Umzingeli.

La voix de Thobela était montée des profondeurs, puis il avait ajouté doucement, beaucoup plus doucement :

— Mayibuye.

— C'est quoi, cette langue, négro ?

— Du xhosa.

Jamais elle n'oublierait l'expression de Mpayipheli, son visage éclairé par la lumière de la cuisine qui tombait en biais, quelque chose d'indescriptible, une illumination étrange, puis elle avait vu l'objet qu'il avait saisi au vol, la sagaie, celle qu'elle lui avait achetée au magasin de souvenirs de Long Street.

Notre antenne n'a pas été en mesure de reprendre contact avec les deux agents et ne peut que supposer que la mission a échoué.

Inkululeko n'a pas pu nous fournir d'informations sur ce qui s'est passé dans la maison appartenant à un membre du département de psychologie d'une université locale.

Nous allons poursuivre l'enquête, mais nous avons le regret de vous informer que nous envisageons le pire.

— Il n'est pas là, madame, hurla le capitaine Tiger Mazibuko dans le téléphone avec une frustration enragée qui la fit frémir.

— Tiger...

— Le docteur est ici et il dit que si nous ne sommes pas partis dans un quart d'heure, nous ne reverrons jamais le disque dur. Et il y a une rouquine qui prétend être journaliste. Il est arrivé quelque chose ici, il y a du sang sur les murs et les meubles sont bousillés, mais ce chien n'est pas là et ces enfoirés refusent de coopérer...

— Tiger.

Voix dure et coupante. Il l'ignora, hors de lui.

— Non, dit-il. J'en ai marre. Ras-le-bol, bordel de merde. Je me suis déjà assez ridiculisé, c'est terminé. J'ai pas passé deux jours dans une cellule du Botswana pour ça. J'ai pas signé pour ça. Pas question que mes hommes subissent la même chose, ça suffit, ça suffit, nom de Dieu !

Elle essaya de le calmer.

— Tiger, reprenez-vous...

— Putain de Dieu ! s'écria-t-il.

On aurait dit qu'il allait se mettre à pleurer.

– Tiger, passez-moi le docteur
– J'en ai marre !
– Tiger, je vous en prie.

Il sortit de la voiture de Van Heerden sur les hauteurs de Tygerberg, au cœur d'une banlieue blanche, un pâté de maisons avant sa destination finale. Sans doute était-elle sous surveillance, peut-être une équipe dans un véhicule garé devant la porte d'entrée et un ou deux gardes du corps à l'intérieur.

Il se mit à couvert des zones d'ombre du trottoir. Un Noir n'avait pas sa place ici au petit matin. Il s'arrêta au coin de la rue. La nuit du Cap se déployait devant lui, féerique, illuminée de milliers de lumières qui vacillaient à l'infini. De Milnerton à l'ouest, la côte s'étirait jusqu'à l'escarboucle lumineuse de la montagne. La ville était tapie comme un cœur qui bat au ralenti, un cœur dont les artères serpentaient jusqu'à Groote Schuur et Observatory, Rosebank et Newlands, et après les Flats s'incurvaient vers l'est, traversant Khayalitsha et Guguletu en direction de Kraaifontein, Stellenbosch et Somerset West. Riches et pauvres, côte à côte dans le sommeil, un géant au repos.

Il demeura ainsi, immobile, les bras le long du corps. À regarder.

Parce que demain serait le dernier jour qu'il passerait dans ces lieux.

Quelque part entre trois et quatre heures du matin, le subconscient de Janina Mentz la tira d'un profond sommeil. Quelque chose ne tournait pas rond, elle le sentait, impression de panique suffocante. Elle ouvrit les yeux en sursautant, la grande main noire déjà sur sa bouche, elle sentit son odeur, la sueur, elle vit les vêtements déchirés maculés de sang, la courte sagaie dans sa main et poussa un grognement de terreur en reculant instinctivement.

– Mon nom, dit-il, est Thobela Mpayipheli.

Il lui appuya la lame sur la gorge et ajouta :

– Nous ne voudrions pas réveiller les enfants, n'est-ce pas ?

Elle agita la tête de haut en bas et remonta sans s'en rendre compte les draps sur sa poitrine, dans laquelle son cœur bondissait furieusement.

— Je vais enlever ma main. Je vous demande deux choses et, ensuite, je m'en vais. C'est compris ?

Nouveau signe de tête.

Il souleva sa main et éloigna la lame, mais il était encore trop proche d'elle, le regard en alerte.

— Où est Pakamile ?

Sa voix ne répondait plus, un son rauque sortit de sa bouche asséchée qui n'arrivait plus à former les mots. Elle recommença :

— Il est à l'abri.

— Où ?

— Je ne sais pas exactement.

— Vous mentez.

La lame se rapprocha.

— Non... Le service de l'enfance... ils l'ont emmené.

— Vous allez vous renseigner.

— Je vais, je... il n'y a pas... demain je dois...

— Vous le saurez demain.

Elle agita frénétiquement la tête pour confirmer, son cœur avait ralenti une seconde.

— Demain matin à onze heures, vous amènerez Pakamile au parking souterrain du Waterfront. S'il n'est pas là, j'envoie une copie du disque dur à tous les journaux de ce pays, compris ?

— Oui.

Soulagée que sa voix soit redevenue fluide.

— Onze heures. Soyez à l'heure.

— J'y serai.

— Je sais où vous habitez, ajouta-t-il en se levant, puis il disparut.

La pièce était vide. Elle respira un grand coup, sortit lentement du lit et gagna la salle de bains pour vomir.

XLVII

Bodenstein vit la GS s'arrêter dans la rue juste avant l'ouverture. Il connaissait le motard, il le savait, mais il ne le reconnut que lorsque Mpayipheli enleva son casque.

— Merde alors ! lâcha-t-il en sortant du magasin, estomaqué. Thobela !

— Je suis venu vous rembourser.

— Regarde c'te foutue bécane !

— Juste quelques éraflures. Elle est nickel.

— Quelques éraflures ?

— Je suis venu vous l'acheter, Bodenstein.

— Tu... quoi ?

— Et j'ai besoin d'un autre casque. Un de ces System Four qu'on n'a plus qu'en petite taille... Il en reste deux dans la réserve, derrière les cartons de pots d'échappement.

Il n'y avait que Van Heerden et lui dans le parking. Il se tenait à côté de la moto. Van Heerden était assis dans sa voiture avec le pistolet-mitrailleur muni d'un silencieux de l'agent de la CIA.

Allison avait préféré ne pas venir.

À onze heures moins une, un Noir s'avança vers lui d'un pas décidé. Il sortait du centre commercial, Mpayipheli sut d'instinct que c'était Mazibuko, la rage et la voix collaient avec le physique.

— Je t'aurai, espèce de chien ! lui lança Mazibuko.

– Où est Pakamile ?

– Je te dis que je t'aurai, un de ces jours, quand ces renseignements n'auront plus aucune importance, je te retrouverai et je te tuerai, Dieu m'est témoin, je vais te tuer.

Ils se tenaient face à face et il sentait la haine qui irradiait de l'homme. La tentation était forte, la sève guerrière montait en lui.

– Tu dois te poser une question, Mazibuko : existe-t-il autre chose en toi que cette colère ? Que te restera-t-il si elle disparaît ?

– Va te faire foutre, Xhosa.

Il en écumait.

– Se servent-ils de toi ? Se servent-ils de la rage qui te dévore ?

– Ta gueule, chien ! Amène-toi, vas-y, espèce de dégonflé !

Tiger se pencha en avant, mais un fil invisible le retint.

– Demande-toi combien de temps ça va prendre avant que tout ça ne serve plus à rien, avant que les choses ne changent. Une nouvelle administration ou un nouveau système ou une ère nouvelle. Ils se servent de toi, Mazibuko. Comme de n'importe quel matériel.

C'est alors que le capitaine Tiger Mazibuko craqua. Il porta la main au volumineux renflement sous sa veste et seule la voix cinglante de Janina Mentz aboyant son surnom le fit hésiter. Il s'arrêta, déchiré par l'alternative, les yeux fous, le corps en équilibre instable, les doigts sur la crosse du pistolet, alors Mpayipheli lui dit calmement :

– Je ne suis pas seul, Tiger. Tu seras mort avant d'avoir pu pointer ce truc.

– Tiger ! hurla de nouveau Janina.

Comme un homme sur une corde raide, il luttait pour ne pas chuter.

– Ne les laisse pas t'utiliser, insista Mpayipheli.

Les mains de Mazibuko retombèrent, il resta sans voix.

– Où est le disque dur ? cria Mentz quelque part entre les voitures.

– En sécurité, répondit-il. Où est Pakamile ?

– Dans le véhicule derrière moi. Si vous voulez l'enfant, vous donnez le disque à Tiger.

– Vous n'avez pas le choix.

– C'est justement là que vous vous trompez. L'enfant contre le disque. Non négociable.

– Regardez-moi attentivement. Je vais sortir un téléphone portable de ma poche. Et après, j'appelle un journaliste du *Cape Times*...

Mazibuko était devant lui et surveillait ses moindres mouvements, mais son regard avait changé. La fureur avait disparu, remplacée par autre chose.

Il sortit le téléphone, le tint devant lui et tapa le numéro.

– Ça sonne, dit-il.

– Attendez ! hurla Mentz.

– J'ai assez attendu, lui renvoya-t-il.

– Je vais chercher le garçon.

– Ne quittez pas, dit-il dans le combiné, puis il se tourna vers Mentz et ajouta : J'attends.

Et vit Mazibuko se détourner de lui.

– Toi, tu restes là, lança-t-il, mais Mazibuko ne l'entendit pas.

Il se dirigeait vers la sortie et Thobela perçut quelque chose dans la posture de ses épaules, quelque chose qu'il reconnut.

– On n'a qu'un choix dans la vie, reprit-il de façon à ce qu'il soit le seul à entendre. Être une victime ou ne pas l'être.

Puis il vit Pakamile et l'enfant le vit et il faillit se laisser déborder par l'intensité du moment.

La Mercedes blanche s'arrêta aux feux. Un vendeur de rue, avec son lot de cintres en plastique, ses pare-soleil et ses petits nounours marron, frappa à la vitre. Le conducteur la fit descendre.

– Le disque dur est en sécurité, dit l'homme au volant, pas dans son zoulou natif, en anglais. Il n'est pas en notre possession, mais, à mon avis, il n'y a aucun risque.

– Je transmets la nouvelle, répondit le vendeur.

– Allah Akhbar, lança le petit homme, ses doigts délicats nonchalamment posés sur le volant.

Puis le feu passa au vert et il embraya.

– Allah Akhbar, répéta le vendeur, « Dieu est grand », et il regarda le véhicule s'éloigner.

Le conducteur alluma la radio au moment où le présentateur annonçait... « et voici la dernière chanson de David Kramer, en duo avec sa trouvaille du moment, Koos Kok, *La Balade du motard solitaire* ».

Il sourit et glissa un doigt sous le col blanc immaculé de sa chemise pour soulager un peu la pression contre la petite bosse.

Le révérend Lawrence Mpayipheli cherchait les tomates les plus mûres pour les couper avec le sécateur. Il respirait à pleins poumons le parfum des pieds sectionnés, palpait les fruits rouges fermes et rebondis lorsqu'il entendit un moteur devant la porte. Il émergea avec raideur de derrière les hautes rangées de tomates verdoyantes.

Ils étaient deux sur la moto, un homme immense et un petit garçon. Ce n'est pas possible, se dit-il en entonnant une courte prière à voix haute au beau milieu du potager. Il attendit qu'ils aient enlevé leurs casques pour être sûr et pouvoir appeler sa femme d'une voix forte, d'une voix qui résonna à travers toutes les arrière-cours d'Alice comme une cloche d'église.

Dans la même collection

Brigitte Aubert
Les Quatre Fils du docteur March
La Rose de fer
La Mort des bois
Requiem caraïbe
Transfixions
La Mort des neiges
Funérarium

Lawrence Block
La Balade entre les tombes
Le diable t'attend
Tous les hommes morts
Tuons et créons c'est l'heure
Le Blues du libraire
Même les scélérats
La Spinoza connection
Au cœur de la mort
Ils y passeront tous
Le Bogart de la cambriole
L'Amour du métier
Les Péchés des pères
La Longue Nuit du sans-sommeil
Les Lettres mauves
Trompe la mort
Cendrillon mon amour
Lendemains de terreur

C.J. Box
Détonations rapprochées
La Mort au fond du canyon

Jean-Denis Bruet-Ferreol
Les Visages de dieu

COMPOSITION : NORD COMPO
IMPRESSION : IMPRIMERIE FIRMIN-DIDOT AU MESNIL-SUR-L'ESTRÉE (EURE)
DÉPÔT LÉGAL : JANVIER 2005. N° 63150 (71175)
IMPRIMÉ EN FRANCE